C000193186

Modern Greek for Foreigners

MODERN GREEK FOR FOREIGNERS

by

DR ATHAN. J. DELICOSTOPOULOS
Formerly Professor in the University of Athens

EFSTATHIADIS GROUP

EFSTATHIADIS GROUP S.A.
14, Valtetsiou Str.
106 80 Athens
Tel: (01) 5154650, 6450113
Fax: (01) 5154657
GREECE

ISBN 960 226 241 9

© Efstathiadis Group S.A. 2001

All rights reserved; no part of this
publication may be reproduced, stored in a
retrieval system or transmitted, in any form
or by any means, electronic, mechanical,
photocopying, recording, or otherwise, without the
prior permission of Efstathiadis Group S.A.

Printed and bound in Greece

This book is dedicated
TO MY WIFE
a highly qualified specialist in both languages, Greek and English, for her invaluable assistance, ideas, advice and critical appreciations.

The author

THE MODERN GREEK
LANGUAGE PROGRAMME FOR FOREIGNERS

by

Athanasios J. Delicostopoulos Ph. D., D. D.
Formerly Professor at the University of Athens

1. MODERN GREEK FOR FOREIGNERS
A complete course based on the findings of modern linguistics.

2. LEARN MODERN GREEK THE BEST WAY
A very useful book for an easy start. It is the product of scientific language laboratory work. It uses the audio-lingual and direct-visual methods.
Both books provide integrated material for students of modern Greek as a second language. They can be used with or without a teacher and require only the minimum expenditure of your most valuable time.

3. GREEK IDIOMS
More than 2200 Greek idioms with their English and American equivalent expressions. No matter how advanced you are in your Greek this book will help you go further.

4. QUICK MODERN GREEK FOR TOURISTS
A pocketbook that serves many practical purposes. It has the advantage of helping you be at home in Greece. It supplies you with much useful travel information. With this small book in hand everyone will understand you. There is no language barrier for you any more. A quick reference book for all situations. A simple guide for communication with everybody while in Greece.

5. AN ENGLISH-MODERN GREEK AND MODERN GREEK-ENGLISH DICTIONARY
A handy reference for foreigners and Greeks learning both languages. The explanations are always clear, exact, short and comprehensive. The two dictionaries, bound in one volume, include all new words that have been introduced in everyday life.

6. *The programme will include keys, work books, records, cassettes and a special book on GREEK VERBS.*

PREFACE

This book is meant for those who wish to learn good modern Greek in the most simplified and quick way. A detailed phonetic introduction was not thought necessary. Each new word is followed by its pronunciation-phonetic transcription expressed in the simplest possible way.

If you want to have a preliminary experience of Modern Greek you may use for a easier start the book "LEARN MODERN GREEK THE BEST WAY" by Dr. Athan Delicostoipoulos and then continue with the present one volume complete course. The book can be ordered through Efsathiadis Group.

Greek grammar is full of rules. This fact should not discourage the foreigner. We aim to reduce them to the minimum. The combination of the audio-lingual and direct-visual methods used in this volume makes learning not only an easy task but also a rewarding experience. The great variety of exercises covering substitution, conversion, translation etc. play an important role in establishing rules by active learning and not by memorizing them in a mechanical way.

The presentation of the subject matter follows the latest scientific findings in the field of language teaching. The underlying idea of the present book is associating contemporay Greek with the mother tongue experience of the foreign student of all levels, including those of college and university.

Emphasis is given primarily to developing the student's skills in thinking in Greek without having to translate his thoughts brefore speaking or writing in Greek.

This tenth, NEW, DEMOTIC GREEK, EDITION is completely revised and based on the ultra-Modern Greek Grammar of the late Prof.Man.Triandafilides as adapted by the special committee of the Greek Ministry of Education and published in 1989 (Tenth Edition); and on the "Συντακτικό της Νέας Ελληνικής" published by the same Ministry in Athens 1989 (Tenth Edition)

THE MODERN GREEK FOR FOREIGNERS, NEW DEMOTIC GREEK EDITION represents the demotic Modern Greek language as it is being taught in Greek schools and universities of today and as it is written and spoken by the new generation of scholars and students as well. An advanced volume is order preparation aiming at helping at helping students further their already established knowledge of the language through their present book of ours.

Athanasios J.Delicostopoulos Ph. D., D. D.
Formerly Professor at the Univerity of Athens

Athens 1996

IMPORTANT

Before starting this book the student should familiarize hismelf with the introductory elements of the languuage as stated briefly at the end of the book in Appendix One, sections 473-496.

The author

ο Γιώργος η Μαρία το βιβλίο

1 In English one makes frequent use of both articles, the definite and the indefinite. In Greek one may do the same but things are more detailed since one has to consider gender, number and case.(See more in sections 482-486). The article agrees in gender, number and case with the noun it modifies.

Gender :	αρσενικό	(ar-se-ni-kó)	masculine
	θηλυκό	(thi-li-kó)	femine
	ουδέτερο	(u-dhé-te-ro)	neuter

2 The definite article. Το οριστικό άρθρο.

(to oristikó ar-thro)

ο masculine nouns.
e.g. ο Γιώργος (o Yiór-gos) George

η feminine nouns.
e.g. η Μαρία (i Ma-ri-a) Mary

το neuter nouns.
e.g. το βιβλίο (to vi-vli-o) the book

3 The indefinite article . Το αόριστο άρθρο.

(to a-ó-ri-sto ar-thro)

ένας	(é-nas)	for masculine
μία	(mi-a)	for feminine
ένα	(é-na)	for neuter

The Greek indefinite article is actualy a numeral i.e. it refers to a number. It does not play such a geat role as it does in English. However we use it when referring to a person, an animal or thing as we do in English but not defining which or what.

e.g.	a friend	ένας φίλος	(fi-los)
	a woman	μια γυναίκα	(yi-né-ka)
	a day	μια μέρα	(mé-ra)
	a book	ένα βιβλίο	(vi-vli-o)

ένας φίλος μια γυναίκα ένα βιβλίο

4 The question is : How do we know the gender of a noun so that we can put the right article befor it? Sex or lack of it plays a role but is no rule . Generally one should consider the corresponding sex as an answer but this not always so, since inanimate things may be masculine, feminine or neuter.

Masculine by nature take **ο**
Feminine by nature take **η**
Those lacking sex by nature mostly take **το**

N.B. However one should learn **each name of the article** so that one may at least avoid embarassement (*).

5 The corresponding plural is:

οι (i) for masculine

οι (i) for feminine

τα (ta) for neuter

(*) In our dictionary "An English-Modern Greek and Modern Greek-English Dictionary", By Dr DrAthan J. Delicostopoulos all Greek names are given with their article. Use it. It is most helpful.

οι οι τα

6 Use the Greek definite article in most cases that you use it in English apart from in adding this there are many cases that **you must use** the Greek definite article in spite of the fact that you do not feel it is necessary if your mother tongue is English.

Here are some points to remember.

a. The underlying idea is that we use definite article when we speak about **a certain**, "definite" (one or many) person(s), animal(s) or thing(s) e.g. before: proper names, countries, cities, villages, streets, squares, etc.

b. In most of the cases that "the" is omitted in English, the Greek language requires the definite article i.e. when we speak about something in general or even in abstract sense.

e.g. Food is necessary for Man's life
In Greek we should say "The food ..." Η τροφή ... (i tro-fi)

Freedom is highly esteemed
In Greek we should say "The freedom ..." Η ελευθερία ... (i e-le-fthe-ri-a)

Water is useful
In Greek we should say "The water ..." Το νερό ... (to ne-ró)

η τροφή η ελευθερία το νερό

7 Regarding the indefinite article:

a. Never use it before a name or profession or nationality.

e.g. I am a teacher.
In Greek: I am δάσκαλος. (dhá-ska-los)

I am a Greek.
In Greek : I am Έλληνας. (é-li nas)

b. Omit it in exclamations

e.g. What a fine day!
In Greek : What θαυμάσια da y. (thav-má-si-a) = fine

N.B. In English the indefinite article is used before expressions of time, measure and weight. In same the Greek language requires the measure and weight and the presence of the definite article.

e.g. Ten drachmas a pair
In Greek : ten drachmas το ζευγάρι. (zev- ghá-ri)

Thirty cents a gallon.
In Greek : Thirty cents το γαλόνι. (gha-ló-ni)

8 Λεξιλόγιο le-ksi-ló-gi-o Vocabulary

ο άνδρας	án-dhras	man
η Αθήνα	a-thi-na	Athens
το άγαλμα	á-ghal-ma	statue
η γυναίκα	yi-né-ka	woman
ο άνεμος	á-ne-mos	wind
η Αμερική	a-me-ri-ki	America
το αεροδρόμιο	a-e-ro-dró-mi-o	airport (aerodrome)
ο Απρίλιος	a-pri-li-os	April
η απάντηση	a-pá-ndi-si	answer
το αλάτι	a-lá-ti	salt
ο αριθμός	a-rith-mós	number
η Μαρία	ma-ri-a	Mary
το άλογο	á-lo-go	horse
ο Γιώργος	giór-gos	George
η βόμβα	vóm-va	bomb
το αυτοκίνητο	af-to-ki-ni-to	car
ο δάσκαλος	dhá-ska-los	teacher
η Γαλλία	gha-li-a	France
το βιβλίο	vi-vli-o	book
ο Έλληνας	é-li-nas	the Greek man
η τροφή	tro-fi	food
το βουνό	vu-nó	mountain
ο δικηγόρος	dhi-ki-gó-ros	lawyer
η ελευθερία	e-le-fthe-ri-a	freedom
το άρθρο	ár-thro	article

9 *Fill in the right definite article.*

e.g. ___άγαλμα
το άγαλμα

___ Μαρία, ___ αριθμός, ___Απρίλιος, ___ απάντηση, ___ αλάτι, ___ άνεμος, ___Αμε-ρική, ___ αεροδρόμιο, ___ άνδρας, ___Αθήνα, ___ άγαλμα .

10 *Translate into Greek using first the definite article and second the indefinite one .*

e.g. bomb = η βόμβα, μια βόμβα

Bomb, car, article, freedom, lawyer, teacher, France, book, mountain, food, Greek, statue, Athens, man, airport, America, wind, April, salt, answer, horse, number.

____
____
____
____
____
____
____
____

11 *Fill in the right indefinite article.*

e.g. _____αριθμός
ένας αριθμός

_____αριθμός, _____άνεμος, _____άνδρας, _____αλάτι, _____αεροδρόμιο, _____απάντηση, _____άλογο, _____άρθρο, _____άγαλμα, _____βουνό, _____δάσκαλος, _____βόμβα, _____΄Ελληνας, _____δικηγόρος, _____αυτοκίνητο, _____τροφή, _____ελευθερία, _____βιβλίο.

ο αριθμός | οι αριθμοί

12 We speak about cases in section 482, that are about the change in the form of an article (noun , abjective, pronoun and participle) to indicate its relation to neighbouring words or other wise its in the sentence.

The Greek definite article is inflected . We should always bear in mind three main points:gender, number and case.

13 Masculine

	Singular		**Plural**	
Ονομαστική	ο	(o)	οι	(i)
Γενική	του	(tou)	των	(ton)
Αιτιατική	το(ν)	(to)	τους	(tous)

N.B. In everyday Greek there are three active cases: ονομαστική, γενική and αιτιατική.
It is important to note that the vocative (κλητική) case of the definite article is no longer used.

13a. Basic Rule about the final (-ν)

I. In six basic words the final -ν on occassion remains and sometimes does not. The words are:

-The definite articles (in the accusative) τον ,την.
-The definite article (in the accusative) έναν, which is actually a numeral.
-The accusative of the simple from of the third person singular of the feminine personal pronoun την (section 373 3),and
-The negative particles δεν and την (section 450c).

II. The final (-ν) remains when the following word starts with a vowel or one of the following consonat letter groups : κ, π, τ, μπ, ντ, γκ, τσ, τζ, ζ, or ψ. (see section 457 and 108)

e.g. τον αέρα, έναν καιρό, δεν μπορώ, την τροπή, την τσάκωσα, είδα έναν ξένο.

III. Note also that final (-ν) is always used in the article των in the accusative of the simple, from of the third person singular of the accusative personal pronoun τον and in the adverbs of manner or partical σαν (see section 448 b).

14 Feminine

	Singular		Plural	
Ονομαστική	η	(i)	οι	(i)
Γενική	της	(tis)	των	(ton)
Αιτιατική	τη(ν)	(tin)*	τις	(tis)

η βόμβα οι βόμβες

e.g.	η βόμβα	οι βόμβες
	της βόμβας	των βομβών
	τη βόμβα	τις βόμβες

15 Neuter

	Singular	Plural
Ονομαστική	το (to)	τα (ta)
Γενική	του (tou)	των (ton)
Αιτιατική	το (to)	τα (ta)

e.g.	το βιβλίο	τα βιβλία
	του βιβλίου	των βιβλίων
	το βιβλίο	τα βιβλία

N.B. In neuter the nominative and accusative or objective case is always the same: το βιβλίο, το βιβλίο, τα βιβλία, τα βιβλία.

(*) See section 13a

16 The Greek indefinite article is inflected as a numeral (see section 3)

	Masculine		Feminine		Neuter	
Ον.	ένας	(é-nas)	μία	(mi-a)	ένα	(é-na)
Γεν.	ενός	(e-nós)	μιας	(miás)	ενός	(e-nós)
Αιτ.	ένα(ν)*	(é-na(n))	μια ή μία	mia or (mi-á)	ένα	(é-na)

17 Λεξιλόγιο

ο αδελφός	a-dhel-fós	brother
η αδελφή	a-del-fi	sister
ο αέρας	a-é-ras	air, wind
η αίθουσα	é-thu-sa	hall
το αεροπλάνο	a-e-ro-plá-no	airplane
ο αετός	a-e-tós	eagle, kite
η αίτηση	é-ti-si	application
το αίνιγμα	é-nig-ma	enigma, riddle
ο αθλητής	a-thli-tis	athlete
η αιτία	e-ti-a	cause, reason
το αμπέλι	a-mbé-li	vine, gourd
ο άνθρωπος	án-thro-pos	man, person
η ακρογιαλιά	a-kro-yia-liá	seashore, coast
το ανάκτορο	a-ná-kto-ro	palace
ο αξιωματικός	a-ksi-o-ma-ti-kós	officer
η αλεπού	a-le-poú	fox
το άνθος	án-thos	flower
ο ατμός	at-mós	steam, vapor
η αμφιβολία	am-fi-vo-li-a	doubt
το αντίγραφο	a-nti-gra-fo	copy, transcript
ο Αύγουστος	áv-gu-stos	August
η ανάγκη	a-ná-ngi	need, necessity
το αντικείμενο	a-nti-ki-me-no	object

N.B. For the teacher (if this book is used with a teacher) : Exercises18-22 on the correct use of articles are designed for either class or homework. Since the students have not yet been taught the infections (cases etc.) of nouns, they will have some difficulty.Please put emphasis on the article. However if you think it necessary you **may** explain, in an **introductory** way, the relationship between the change of the article and the last syllable of the noun.

(*) See section 13a

18 *Fill in the right case of the definite article.*

ον.	ο αδελφός	οι αδελφοί
γεν.	___ αδελφού	___ αδελφών
αιτ.	___ αδελφό	___ αδελφούς

ον.	η αδελφή	οι αδελφές
γεν.	___ αδελφής	___ αδελφών
αιτ.	___ αδελφή	___ αδελφές

ον.	το αγόρι	τα αγόρια
γεν.	___ αγοριού	___ αγοριών
αιτ.	___ αγόρι	___ αγόρια

19 *Fill in the right case of the definite article (singular).*

e.g. ___ αέρος → του αέρος; ___ αδελφής → της αδελφής

γεν. ___ αέρος, ___ αίθουσας, ___ αεροπλάνου , ___ αετού, ___ αίτηση, ___ αινίγματος, ___ αθλητού , ___ αιτίας, ___ αμπελιού, ___ ανθρώπου, ___ ακρογιαλιάς.

αιτ. ___ ανάκτορο, ___ αξιωματικό , ___ αλεπού , ___ άνθος, ___ ατμό , ___ αμφιβολία, ___ αντίγραφο, ___ Αύγουστο, ___ ανάγκη, ___ αντικείμενο.

20 *Fill in the right case of the definite article (plural).*

e.g. ___ αδελφών → των αδελφών; ___ αγοριών → των αγοριών

γεν. ___ αντικειμένων , ___ αναγκών, ___ αντιγράφων, ___ αμφιβολιών, ___ ατμών, ___ ανθέων, ___ αξιωματικών, ___ ανακτόρων , ___ ακρογιαλιών, ___ ανθρώπων, --- αμπελιών , ___ αιτιών.

αιτ. ___ αιτίας, ___ αθλητές, ___ αινίγματα , ___ αιτήσεις , ___ αετούς , ___ αεροπλάνα , ___ αίθουσες, ___ αέρας, ___ αγόρια, ___ αδελφές, ___ αδελφούς, ___ αριθμούς.

21 *Fill in the right case of the definite article (singular or plural) as required.*

___ αετού	___ ανάκτορο	___ αλεπού
___ αίθουσας	___ αμφιβολία	___ Αύγουστο
___ αεροπλάνο	___ αντικειμένων	___ αιτίας
___ ανάγκη	___ αμφιβολιών	___ αιτήσεις
___ αίθουσες	___ αγοριών	___ αριθμούς
___ αδελφές	___ αδελφούς	___ αμπελιών

22 *Fill in the right case of the indefinite article.*

ον.	ένας άνδρας	ένας δάσκαλος
γεν.	___ άνδρα	___ δασκάλου
αιτ.	___ άνδρα	___ δάσκαλο
ον.	μια αδελφή	μια αίθουσα
γεν.	___ αδελφής	___ αίθουσας
αιτ.	___ αδελφή	___ αίθουσα
ον.	ένα αγόρι	ένα αεροπλάνο
γεν.	___ αγοριού	___ αεροπλάνου
αιτ.	___ αγόρι	___ αεροπλάνο
ον.	ένας αετός	ένας αθλητής
γεν.	___ αετού	___ αθλητού
αιτ.	___ αετό	___ αθλητή
ον.	μια αίτηση	μια απάντηση
γεν.	___ αίτησης	___ απάντησης
αιτ.	___ αίτηση	___ απάντηση

23 Personal pronouns - Προσωπικές αντωνυμίες (pro-so-pi-kés a-nto-ni-mi-es)

A pronoun is a word used instead of a noun. Each verb needs a subject. We use personal pronouns as subject pronouns. We speak about persons and numbers of the verb in section 500. Personal pronouns denote persons (first, second,third) and numbers (singular or plural).

24 Singular

first person	εγώ	(e- ghó)	I
second person	συ (εσύ)	(si) (e-si)	you
third person	αυτός	(af-tós)	he
	αυτή	(af-ti)	she
	αυτό	(af-tó)	it, that

Plural

first person	εμείς	(e-mis)	we
second person	σεις (εσείς)	(sis) (e-sis)	you
third person	αυτοί	(af-ti)	they (masc.)
	αυτές	(af-tés)	they (fem.)
	αυτά	(af-tá)	they (neut.)

25 **N.B.**

a. The second person singular has forms **συ** (si) or **εσύ** (e-si). You can use either one. **Συ** or **ε σ ύ** when referring to a person with whom one is on intimate terms.It is also used in familiar address (very close friends, family members, or speaking to children.

b. The second personal plural has two forms **σεις** (sis), **εσείς** (e-sis). They can be used interchangeably.

26 The auxiliary verb είμαι (i-me) - I am.

In section 487 we discuss verbs and their function in the language Greek verbs change their endings to denote person and number.

The denotation is so clear that it leads to practical omission of the personal pronoun.

In each tense we have three persons in the singular and three in the plural corresponding to the personal pronouns aleady explained in section 24.

Singular

εγώ	είμαι	(i-me)	I am
εσύ	είσαι	(i-se)	you are
αυτός	είναι	(i-ne)	he is
αυτή	είναι	(i-ne)	she is
αυτό	είναι	(i-ne)	it is

Plural

εμείς	είμαστε	(i-ma-ste)	we are
εσείς	είστε	(i-ste)	you are
αυτοί	είναι	(i-ne)	they are (m.)
αυτές	είναι	(i-ne)	they are (f.)
αυτά	είναι	(i-ne)	they are (n.)

27 The auxiliary verb έχω (é-kho) - I have

Singular

εγώ	έχω	(é-kho)	I have
εσύ	έχεις	(é-khis)	you have
αυτός	έχει	(é-khi)	he has
αυτή	έχει	(é-khi)	she has
αυτό	έχει	(é-khi)	it has

Plural

εμείς	έχουμε	(é-khu-me)	we have
εσείς	έχετε	(é-khe-te)	you have
αυτοί	έχουν	(é-khun)	they have (m.)
αυτές	έχουν	(é-khun)	they have (f.)
αυτά	έχουν	(é-khun)	they have (n.)

28 *Define the personal pronouns in singular and plural by writing next to the English the corresponding Greek.*

I	= _______	we	= _______
you	= _______	you	= _______
he	= _______	they	= _______
she	= _______	they	= _______

29 *What are the corresponding Greek forms of "you"?*

you = ________ ____

What are the corresponding Greek forms of "they"?

they = ________ ____

30 *Decline by heart the present tense of "I am" and also the present tense of "I have".*

31 *Write the present tense of both verbs* *είμαι* *and* *έχω*.

32 Λεξιλόγιο.

ο Πέτρος	pé-tros	Peter
ο μήνας	mi-nas	month
ο Γιάννης	yiá-nnis	John
η γυναίκα	yi-né-ka	woman
η γλάστρα	yl á-stra	flowerpot
η γραφομηχανή	yra-fo-mi-kha-ni	typewriter
το γκαράζ	ga-ráz	garage
το γυμνάσιο	yi-mn á-si-o	junior high school
το δίχτυ	dhi-khti	net
ο Δεκέμβριος	dhe-kém-vri-os	December
ο ψαράς	psa-r ás	fisherman
ο δίσκος	dhi-skos	tray, disc, record
η γούνα	yú-na	fur, fur coat
η δεσποινίδα	dhe-spi-ni-dha	miss, young lady
η εφημερίδα	e-fi-me-ri-dha	newspaper
το γυμναστήριο	yi-mna-sti-ri-o	gymnasium
το ψαλίδι	psa-li-di	pair of scissors
το θρανίο	thra-ni-o	bench, desk

ο θρόνος	thró-nos	throne
ο καθηγητής	ka-thi-yi-tis	professor, schoolmaster, teacher
η θάλασσα	thá-la-sa	sea
η θαλαμηγός	tha-la-mi-gós	yacht
το εστιατόριο	e-sti-a-tó-ri-o	restaurant
το ζώο	zó-o	animal
και	ke	and

33 *Read the following sentences aloud.*

΄Εχω ένα βιβλίο. Ο Πέτρος είναι άνδρας. Η Μαρία είναι γυναίκα. Ο Γιώργος είναι αξιωματικός. ΄Εχει αυτοκίνητο. Ο Αύγουστος είναι μήνας. Η θάλασσα έχει αέρα. Η Αθήνα έχει ένα ανάκτορο. Ο Γιάννης είναι αγόρι. Ο δάσκαλος είναι ΄Ελληνας.

34 *Read the following passage and translate it into English.*

΄Εχει μια εφημερίδα. Η δεσποινίδα έχει μια γούνα. Η γλάστρα έχει ένα άνθος. Η γυναίκα έχει μία γραφομηχανή. ΄Εχουμε ένα αυτοκίνητο. ΄Εχουν ένα γκαράζ. Το γυμνάσιο έχει ένα γυμναστήριο. Ο ψαράς έχει ένα δίχτυ. Το άλογο είναι ζώο. Το ψαλίδι είναι αντικείμενο. Η Μαρία έχει μία θαλαμηγό (γιοτ).

35 *Read the following passage and translate it into Greek.*

The woman has a fur coat . John has a typewriter. The young lady has a disc . The highschool has a gymnasium and a cafeteria. The boy has a newspaper. December is a month. The flowerpot has a flower. Peter is a man. George is a boy. Maria is a woman.

36 Demostrative pronouns - Δεικτικές αντωνυμίες.
(dhi-kti-kés a-nto-ni-mi-es)

In English, this, that, these and those are used to point out persons or objects which are near or far. They are called demonstrative pronoums or simply demostratives. They are used also as demonstrative abjectives before a noun (see sectoin 215).

In Greek we use:

Singular (near)

αυτός	(a-ftós)	this (for one masuline person or object that is near to us).
αυτή	(a-fti)	this (for one feminine person or object that is near to us).
αυτό	(a-ftó)	this (for one neuter person or object that is near to us).

Plural (near)

αυτοί	(a-fti)	these (for masculine persons or objects that are near to us).
αυτές	(a-ftés)	these (for feminine persons or objects that are near to us).
αυτά	(a-ftá)	these (for neuter persons or objects that are near to us).

37 We must notice two things.

a. When a demonstrative pronoun is used before a noun we insert the definite article between the pronoun and the noun.

Sing.: π.χ. Αυτός ο δίσκος.
Αυτή η γυναίκα.
Αυτό το θρανίο.

Plur.: π.χ. Αυτοί οι αριθμοί.
Αυτές οι γραφομηχανές.
Αυτά τα βιβλία.

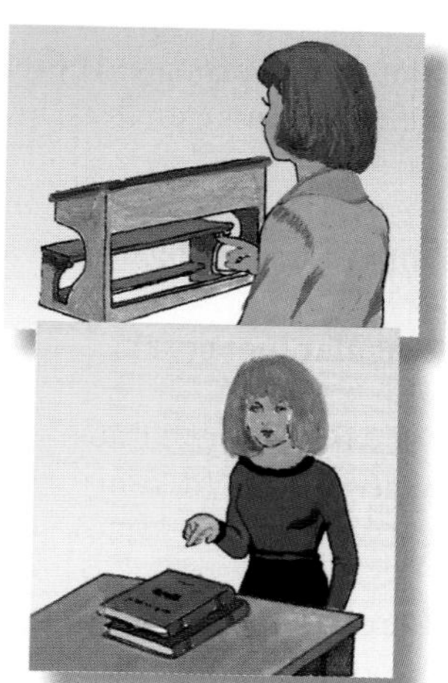

b. When the demonstrative pronouns are defined similar to the adjective that have the same endings (see more in section 216).

38 The demonstrative pronouns are declined like the adjectives that have the same endings (see more in section 216).

39 In Greek we use:

Singular (near)

τούτος	(tú-tos)	this (masc. near to us)
τούτη	(tú-ti)	this (fem. near to us)
τούτο	(tú-to)	this (neut. near to us)

Plural (near)

τούτοι	(tú-ti)	these (masc. near to us)
τούτες	(tú-tes)	these (fem. near to us)
τούτα	(tú-ta)	these (neut. near to us)

Sing.: π.χ. Τούτος ο δίσκος.
Τούτη η γυναίκα.
Τούτο το θρανίο.

Plur.: π.χ. Τούτοι οι αριθμοί.
Τούτες οι γυναίκες.
Τούτα τα βιβλία.

40 Closeness is expressed by the word **εδώ** (e-dhó) = here.
Remoteness is expressed by the word **εκεί** (e-ki) = there.

41 For persons or objects that are not near to us but, at a distance, in Greek we use:

Singular (not near)

εκείνος	(e-ki-nos)	that (masc. not near to us)
εκείνη	(e-ki-ni)	that (fem. not near to us)
εκείνο	(e-ki-no)	that (neut. not near to us)

Plural (not near)

εκείνοι	(e-ki-ni)	those (masc. not near to us)
εκείνες	(e-ki-nes)	those (fem. not near to us)
εκείνα	(e-ki-na)	those (neut. not near to us)

Sing.: π.χ. Εκείνος ο άνδρας.
Εκείνη η γυναίκα.
Εκείνο το αγόρι.

Plur.: π.χ. Εκείνοι οι αριθμοί.
Εκείνες οι γραφομηχανές.
Εκείνες οι γυναίκες.
Εκείνα τα βιβλία.

42 Λεξιλόγιο

εδώ	e-dhó	here
εκεί	e-ki	there
ο ζητιάνος	zi-tiá-nos	beggar
ο ζωγράφος	zo-ghrá-fos	painter
η ζακέτα	za-ké-ta	jacket
το ζαχαροπλαστείο	za-kha-ro-pla-sti-o	confectionary
ο καβαλάρης	ka-va-lá-ris	rider
η ζέβρα	zé-vra	zebra
το θέατρο	thé-a-tro	theater
η ζώνη	zó-ni	belt, zone
το κουδούνι	ku-dhú-ni	bell, door-bell
ο καθρέπτης	ka-thré-ptis	mirror
η θέση	thé-si	seat, place, position
το ινστιτούτο	in-sti-tú-to	institute
το εργαλείο	er-ga-li-o	tool, instrument
η θήκη	thi-ki	case, box, chest
η καρέκλα	ka-ré-kla	chair
το καλάθι	ka-lá-thi	basket
ο σταυρός	stav-rós	cross
το καπέλο	ka-pé-lo	hat
ο σκύλος	ski-los	dog
το σκυλί	ski-li	dog
η καθηγήτρια	ka-thi-gi-tri-a	professor (fem.), teacher
το σπίτι	spi-ti	house, home
το λεξικό	le-ksi-kó	lexicon, dictionary

43 *Read the following sentences out loud.*

Αυτός εδώ ο δίσκος. Αυτή η γυναίκα. Αυτό το θρανίο. Αυτοί οι αριθμοί. Αυτές οι γραφομηχανές. Αυτές οι γυναίκες. Αυτά τα βιβλία.
Τούτος ο δίσκος. Τούτη η γυναίκα. Τούτο το θρανίο. Τούτοι οι αριθμοί. Τούτες οι γυναίκες. Τούτα τα βιβλία.
Εκείνος εκεί ο άνδρας. Εκείνη η γυναίκα. Εκείνο το αγόρι. Εκείνες οι γραφομηχανές. Εκείνες οι γυναίκες. Εκείνα τα βιβλία.

44 *Read the following sentences out loud, then translate them into English.*

Εκείνος ο δίσκος είναι εκεί.
Αυτό το βιβλίο είναι εδώ.

Εκείνος είναι ζητιάνος. Τούτος ο άνδρας είναι ζωγράφος. Εκείνη η ζακέτα και αυτή η ζώνη. Αυτό το ζαχαροπλαστείο. Εκείνος ο καβαλάρης. Η ζέβρα είναι ζώο. Το θέατρο έχει ένα κουδούνι. Αυτός ο καθρέφτης. Εκείνη η θέση. Εκείνος ο σκύλος. Εκείνο το σκυλί. Τούτο το βιβλίο. Τούτο το λεξικό.

45 *Copy the following sentences.*

Εκείνο το σπίτι. Αυτό το καπέλο. Τούτος ο σταυρός. Εκείνη η θήκη. Τούτα τα βιβλία. Αυτή η γυναίκα είναι καθηγήτρια. Αυτή η γυναίκα. Εκείνο το καλάθι. Το ινστιτούτο είναι εκεί. Το εργαλείο είναι εδώ.

46 *Translate the above sentences into English.*

47 *Fill in the missing words.*

Αυτός _______ ο δίσκος. Εκείνη η _________. _________το θρανίο. Αυτοί _______ αριθμοί. _______ οι γυναίκες. Τούτος ο _________. Τούτη ________γυναίκα. Η ζέβρα _______ζώο. Το σπίτι ______ ένα _______. Εκείνη _______η θέση. Τούτο ____ βιβλίο _______ένα λεξικό. Αυτή η ________ είναι καθηγήτρια. Το καπέλο, ____ζώνη και η ________ είναι εδώ.

48 Note for the teacher.

The students will have some difficulity in using the plural of demontrative proniuns since they do not know the plural from of the nouns yet. This form was meant for a later stage. However you may give the students some plural forms of the nouns in the vocabularies for extra practice at home or in class. Our objective is not to teach many things at the same time.

Διάλογος (dhi-á-lo-gos) - Dialogue.

Question : Τι είναι αυτό;
Answer: Αυτό είναι βιβλίο.

Ερώτηση : Τι είναι εκείνο;
Απάντηση : Εκείνο είναι ζώο.

Έχετε μία εφημερίδα;
Βεβαίως, έχουμε.
Όχι, δεν έχουμε.

Είναι ο Γιάννης εκεί;
Όχι, δεν είναι.
Ναι, είναι.

Τι είναι εκεί, παρακαλώ;
Εδώ είναι το ξενοδοχείο "η Ακρόπολη".
Είναι εκεί ο κύριος Φωκάς;
Όχι, δεν είναι.
Δεν είναι;
Είναι εκεί η κυρία Φωκά;
Ναι, είναι.
Μάλιστα, είναι.
Δεν έχετε χρήματα;
Ναι, βεβαίως, έχω.
Έχετε ένα τσιγάρο;
Όχι, δεν έχω.
Δεν είμαι καπνιστής.
Δεν είστε καπνιστής;
Μπράβο.

50 It is very easy in Greek to form a question simply by putting the question mark (;) at the end of the sentence.

π.χ. Εγώ έχω ένα αυτοκίνητο.
΄Εχω αυτοκίνητο.
΄Εχω αυτοκίνητο;

Είναι καθηγητής.	Είναι ζωγράφος.
Είναι καθηγητής;	Είναι ζωγράφος;

As you see there is no need to make any change in the word order.

51 We form **negative questions** by using the negative partical δεν (dhén) (=no, not) at the beginning of the question.

π.χ. ΄Εχετε αυτοκίνητο;
Δεν έχετε ένα αυτοκίνητο;
Δεν έχετε τσιγάρα;
Δεν είστε καθηγητής;
Δεν είναι εδώ η Μαρία;
Δεν είναι εκεί ο Γιώργος;
Δεν έχετε χρήματα;

52 We give a **negative answer** simply by using either
a. the partical of negation **όχι** (ó-khi) (=no, not) or
b. όχι, followed by **δεν.**

΄Εχετε μία εφημερίδα;
΄Οχι.
΄Οχι, δεν έχω.

΄Εχετε τσιγάρα;
΄Οχι.
΄Οχι, δεν έχω.

53 We answer in the affirmative:
a. by using the word **ναι** (ne = yes), or
b. by using the word **μάλιστα** (ma-li-sta = yes) or,
c. by using the word **βεβαίως** (ve-vé-os) or **βέβαια** (vé-ve-a = surely, certainly).

΄Εχετε ένα ψαλίδι;	΄Εχετε σπίρτα;
Ναι, έχω.	Ναι, έχω.
Μάλιστα, έχω.	Μάλιστα, έχω.

΄Εχετε οικογένεια; Βεβαίως, έχω. Βέβαια, έχω.	Είναι ΄Ελληνες; Βεβαίως, είναι. Βέβαια, είναι.
Είστε δάσκαλος; Βέβαια, είμαι. Μάλιστα, είμαι.	Είναι δασκάλα; Βέβαια, είναι. Μάλιστα, είναι.

54 *Read the following aloud.*

Είναι η Μαρία ηθοποιός;	Όχι, δεν είναι.
Δεν είναι η Μαρία ηθοποιός;	Ναι, είναι.

The answer to the question is formed independently from the positive or negative form of the question.

π.χ.	Δεν έχετε σπίρτα; ΄Εχετε σπίρτα;	Ναι, έχω. Ναι, έχω.
	Δεν έχετε οικογένεια; ΄Εχετε οικογένεια;	Όχι, δεν έχω. Όχι, δεν έχω.
	Είναι εκεί ο Γιώργος; Δεν είναι εκεί ο Γιώργος;	Ναι, είναι. Ναι, είναι.
	΄Εχετε χρήματα; Δεν έχετε χρήματα;	Όχι, δεν έχω. Όχι, δεν έχω.
	Είστε εσείς η καθηγήτρια; Δεν είστε εσείς η καθηγήτρια;	Μάλιστα, είμαι. Μάλιστα, είμαι.

55 Λεξιλόγιο

δεν	dhen	not, no
όχι	ó-khi	no, not
η ερώτηση	e-ró-ti-si	question
ο διάλογος	dhi á-lo-gos	dialogue
η άρνηση	ár-ni-si	denial, refusal , negation
τι	ti	what?
ναι	ne	yes
παρακαλώ	pa-ra-ka-ló	please
η οικογένεια	i-ko-yé-ni-a	family
το ξενοδοχείο	kse-no-do-khi-o	hotel
ο κύριος	ki-ri-os	mister, Mr.
η κυρία	ki-ri-a	madam, Mrs.

ή	i	or
τα χρήματα	khri-ma-ta	money
το χρήμα (sing.)		
βεβαίως	ve-vé-os	surely, certainly
βέβαια	vé-ve-a	surely, certainly
το τσιγάρο	tsi-gá-ro	cigarette
ο καπνιστής	ka-pni-stis	smoker
μπράβο	brá-vo	bravo, good for you
το σπίρτο (sing.)	spir-to	match
τα σπίρτα (plur.)	spir-ta	matches
η Ελληνίδα	e-li-ni-dha	greek woman
η δασκάλα	dha-ská-la	teacher (female)
ο ηθοποιός	i-tho-pi-ós	actor
η ηθοποιός	i-tho-pi-ós	actress
μάλιστα	má-li-sta	yes (empahatic)
η Ακρόπολη	a-kró-po-li	the Acropolis

56 *Translate into Greek.*

a. What is this? This is a book. That is an animal. Have you got a newspaper? Certainly we have. No, we don't. Is John there please? No, he is not. Yes, he is.

b. What is there please? This is the Acropolis hotel. Is Mr. Focas there please? No, he is not. Is he not? Is Mrs. Focas there? Yes, she is.

c. Have you got (any) money? Yes, of course I have. Have you (got) a cigarette? No, I haven't. I am not a smoker. Are you not a smoker? Bravo!

57 *Answer the following questions first in the affirmative and then in the negative.*

π.χ. Έχετε αυτοκίνητο;
Ναι.
Ναι, έχω.
Μάλιστα, έχω.
Βέβαια, έχω.

Έχετε αυτοκίνητο;
Όχι.
Δεν έχω.
Όχι, δεν έχω.

Είστε καθηγητής;	Είναι δικηγόρος;
Είναι καθηγήτρια;	Είστε ηθοποιός;
Είναι ζωγράφος;	Είναι δασκάλα;
Έχει οικογένεια;	Είστε Ελληνίδα;
Έχουν σπίτι;	Είναι καπνιστής;

58 *Answer the following questions first in a positive way and then in a negative way.*

π.χ. Δεν έχετε αυτοκίνητο; — Ναι.
Ναι, έχω.
Μάλιστα, έχω.
Βέβαια, έχω.

Δεν έχετε αυτοκίνητο; — Όχι.
Όχι, δεν έχω.
Δεν έχω.

Δεν έχουν χρήματα;
Δεν έχει τσιγάρα;
Δεν έχετε σπίρτα;
Δεν έχετε ένα βιβλίο;
Δεν έχετε μια εφημερίδα;
Δεν έχουν οικογένεια;

Δεν είναι Έλληνας;
Δεν είστε ζωγράφος;
Δεν είναι καπνιστής;
Δεν είναι εκεί;
Δεν είναι καθηγήτρια;
Δεν είναι το ξενοδοχείο η "Ακρόπολη";

59 *Fill in the blanks.*

Τι ______ εκείνο; Εκείνο______βιβλίο. Είναι _______ ζώο; Ναι, _______.Τι ______ εκεί, παρακαλώ; Εδώ _______ το ξενοδοχείο η ______________. Είναι _______ ο κύριος Σμιθ; Όχι, _______ δεν είναι. Είναι _______ η _______ Σμιθ; _______ είναι. Μάλιστα, ______________. Δεν_______χρήματα; Ναι, _______ έχω. _______ ένα τσιγάρο; _______, δεν έχω. Δεν _______ καπνιστής. _______ είστε καπνιστής; Όχι, _____ είμαι. Έχετε _______ ένα ψαλίδι; Ναι, _____. Μάλιστα, _____. Έχετε σπίρτα; _______ έχω. Μάλιστα, ______. οικογένεια, _______ έχω. Όχι, _______ έχω. _______ Ελληνίδα; _______ είναι. Όχι, _______ είναι. Είστε _______; Ναι, ____. _______ δασκάλα; Βέβαια, _______. Μάλιστα, _______.

60 *Write a short dialogue of your own.*

61 Interrogative pronouns - Ερωτηματικές αντωνυμίες.
(e-ro-ti-ma-ti-kés a-nto-ni-mi-es)

The interrogative pronouns are:

a.	τι;	(ti) what?
b.	ποιος;	(pios) who, which, which one (masc.)
	ποια;	(pia) " " " " (fem.)
	ποιο;	(pio) " " " " (neut.)
c.	πόσος;	(pósos) how much (masc.)
	πόση;	(pósi) how much (fem.)
	πόσο;	(póso) how much (neut.)

62

a. Τι είναι αυτό εδώ; Αυτό είναι βιβλίο.
Τι είναι εκείνο; Εκείνο είναι γραφείο.
Τι είναι εκεί; Εκεί είναι ένα σπίτι.
Τι είναι αυτό το κτίριο; Αυτό το κτίριο είναι το γυμνάσιο.
Τι ζώο είναι εκείνο; Είναι ζέβρα.

b. The interrogative pronoun is indeclinable.

c. The genitive **τίνος** (ti-nos) whose? is the same for all three genders. It introduces certain every day expressions.

π.χ. Τίνος είναι αυτό το αυτοκίνητο;
Τίνος είναι αυτή η ζακέτα;
Τίνος είναι αυτό το ξενοδοχείο;
Τίνος είναι αυτό το σπίτι;
Τίνος είναι αυτή η γούνα;
Τίνος αδελφή είναι η Μαρία;

d. Τι however introduces certain idiomatic expressions which are useful in every day life (*).

π.χ. Τι τρέχει; (ti tré-khi) What is the matter?
Τι συμβαίνει; (ti sim-vé-ni) What is going on?
Τι καιρό κάνει; (ti ke-ró ká-ni) How is the weather like?
Τι ώρα είναι; (ti ó-ra i-ne) What time is it?
Προς τι; (pros ti) What for?

63 Ποίος, ποία, ποίο, are formal, but ποιος, ποια, ποιο are used in the spoken living language.

N.B. The word **ποιο** should not be confused with the word **πιο** (pio) = more
See about it in section 92 and 300.

Ποιος είναι ο Πέτρος;	Εγώ είμαι ο Πέτρος.
Ποια είναι η Μαρία;	Εγώ είμαι η Μαρία.
Ποιο είναι το αγόρι;	Εγώ είμαι το αγόρι.

64 Πόσος είναι ο καφές;
Ο καφές είναι ένα κιλό.

Πόση είναι η απόσταση;
Η απόσταση είναι ένα χιλιόμετρο.

Πόσο είναι το γάλα;
Το γάλα είναι ένα λίτρο.

(*) Enrich your Greek by learning useful expressions. For this reason buy the book by Dr. Athan. Delikostopoulos, GREEK IDIOMS, Athens 1976, Published by Efstathiadis Group S.A.

65 Useful expressions.

Πόσο κάνει ________ ;	How much is it ?
Πόσο κοστίζει ________; (ko-sti-zi)	How much does it cost?

Πόσο κάνει η λεμονάδα, παρακαλώ;
Η λεμονάδα κάνει τριακόσιες δραχμές.
Πόσο κοστίζει ένα κιλό ζάχαρη;
Ένα κιλό ζάχαρη κοστίζει διακόσιες δραχμές.
Πόσο είναι το ένα εισιτήριο;
Το εισιτήριο είναι (κοστίζει) εκατό δραχμές.

66 Λεξιλόγιο

ο λόγος	ló-gos	reason, speech, word
προς	pros	to, toward(s), for
ο καιρός	ke-rós	weather, time
η ώρα	ó-ra	time, hour
η απόσταση	a-pó-sta-si	distance
η λεμονάδα	le-mo-ná-dha	lemonade
το κτίριο	kti-ri-o	building, edifice
το λίτρο	li-tro	liter
κάνω	ká-no	to do, to make, to be, etc.
συμβαίνω	si-mvé-no	to happen, to occur, to take place
τρέχω	tré-kho	to run, to flow
η ζάχαρη	zá-kha-ri	sugar
τριακόσιες	tri-a-kó-sies	three hundred
η δραχμή	dra-khmi	drachma
οι δραχμές	dra-kh-més	drachmas
το χιλιόμετρο	khi-lió-me-tro	kiliometer
το εισιτήριο	i-si-ti-ri-o	ticket, entrance ticket
το κρύο	kri-o	cold, cold weather
κοστίζω	ko-sti-zo	to cost, be expensive
ο καφές	ka-fés	coffee
διακόσιες	dia-kó-sies	two hundred
τριάντα	tri-á-nda	thirty
η ζέστη	zé-sti	heat, warmth
το γάλα	gá-la	milk

67 Oral practice

a. *Read carefully.* **b.** *Try to memorize as many sentences as you can in order that you understand how a Greek sentence is structured.*

Τι είναι αυτή εκεί; Αυτή εκεί είναι γυναίκα. Τι είναι εκείνη η γυναίκα; Εκείνη η γυναίκα είναι ηθοποιός. Δεν είναι καθηγήτρια; Όχι, είναι ηθοποιός. Τι είναι αυτό εδώ το κτίριο; Αυτό εδώ το κτίριο είναι γυμνάσιο.
Ποια η αιτία; Ποιος ο λόγος; Τι τρέχει; Τι συμβαίνει; Τι καιρό κάνει; Τι ώρα είναι; Προς τι; Τι κρύο! Τι ζέστη!
Πόσο κάνει ο καφές; Ο καφές κάνει πεντακόσιες δραχμές. Πόσο κάνει η λεμονάδα; Η λεμονάδα κάνει τριακόσιες δραχμές. Πόσο κοστίζει ένα εισιτήριο; Ένα εισιτήριο κοστίζει εκατό δραχμές.

68 *Answer the questions.*

π.χ. Πόσο κάνει μια λεμονάδα, παρακαλώ;
Μια λεμονάδα κάνει τριακόσιες δραχμές.
Πόσο κοστίζει ένα κιλό ζάχαρη;
Πόσο είναι το εισιτήριο;
Πόση είναι η απόσταση;
Πόσο κάνει ένας καφές;
Πόσο κάνει το κιλό το κρέας;

69 *Arrange the words in groups so that you can form questions.*

π.χ. κάνει
πόσο
λεμονάδα
μια
παρακαλώ

Πόσο κάνει μία λεμονάδα, παρακαλώ;
or Παρακαλώ, πόσο κάνει μια λεμονάδα;

1. κιλό
πόσο
κοστίζει
ένα
ζάχαρη

2. εισιτήριο;
είναι
το
πόσο

3. απόσταση;
η
είναι
πόση

4. καιρό
κάνει;
τι

5. καφές;
πόσο
κάνει
ένας
ο

6. το
κιλό
κάνει
πόσο
καφές;
ο

7. αυτό
εδώ;
είναι
τι

8. είναι
ώρα
τι

70 *Your teacher will dictate to you the following sentences. Write them down carefully, then check your spelling. Correct your mistakes. Write the misspelled words many times.*

Τι είναι αυτό εδώ; Αυτό είναι το δίχτυ. Τι είναι εκείνο; Εκείνο είναι το κτίριο. Ποιο είναι το γυμνάσιο; Εκείνο είναι το γυμνάσιο. Τι είναι εκεί; Εκεί είναι ένα σπίτι. Τι ζώο είναι εκείνο; Εκείνο το ζώο είναι μια αλεπού. Τι έχει η γλάστρα; Η γλάστρα έχει ένα άνθος.
Τι τρέχει; Τι συμβαίνει; Τι καιρό κάνει; Τι ώρα είναι; Τι ζέστη! Τι κρύο! Ποιος είναι ο δάσκαλος; Ποιος είναι ο Πέτρος; Εγώ είμαι ο Πέτρος. Ποια είναι η ηθοποιός; Εκείνη είναι η ηθοποιός. Ποιο είναι το αγόρι; Το αγόρι είναι ο Γιάννης.

71 *Translate into Greek.*

What is this? This is a book .What is that? That is a builing . What is that animal?
That animal is a fox.
What is the matter? What is going on ? What is the weather like? What time is it please? What for?
Who is the teacher? Who is that boy over there? How much does a liter of milk cost?
How much is it?

72 *Form ten sentences of your own. Submit them to your teacher for correction.*

73 The noun

In the introductory part, Appendix One (sections 482 -486) we discussed cases, genders, numbers and declensions.
We define a noun in order to point out changes in case, number and gender. To define a noun is to give the grammatical infection of it.
Greek nouns are divided into three main categories, called declensions. A declension (η κλίση - kli-si) is the way in which the cases are formed.
More about cases see in section 482.

The three declensions according to the gender are :

a. The declension of the masculine : αρσενικά (ar-se-ni-ká)
b. The declension of the feminine : θηλυκά (thi-li-ká)
c. The declension of the neuter : ουδέτερα (ou-dhé-tera)

74 In presenting the declensions of the Greek nouns we wiil try to avoid details thaat will confuse the student. We will simplify things so that learning will be an easy task and a rewarding experience.

We put emphasis on that the greek language has two forms. The puristic (καθαρεύουσα ka-tha-ré-vu-sa) form and the demotic (δημοτική dhe-mo-ti-ki) one. The former is the launguage used in official state documents, church documents and in newspaper articles. The latter is the spoken lauguage. There is a strong tendency to use demotic in modern literature. One should admit that demotic is the living language of every day life.

The first one is a disciplined form of language. The second one is very difficult to be expressed in rules of general value. However in this book we will try, to provide a standard demotic grammar form of modern Greek. We are following a course that will enable the student to understand the lauguage in it's written and spoken form. (See in the preface of this book p.g. 7).

In order to make things easier in declining a noun we use only the three cases since we consider them " active" ones. They are : η ονομαστική, η γενική and η αιτιατική. (See more about cases in sections 482 and 13 ff).

75 Η πρώτη κλίση.

Masculine (αρσενικά ar-se-ni-ká) nouns that end in - ας or in - ης.

π.χ.	ο ταμίας	(ta-mi-as)	cashier, treasurer
	ο ναύτης	(náf-tis)	sailor
	ο μαθητής	(ma-thi-tis)	pupil, student

	Ενικός	Πληθυντικός
ον. :	ο ταμίας	οι ταμίες
γεν. :	του ταμία	των ταμιών
αιτ. :	τον ταμία	τους ταμίες
ον. :	ο ναύτης	οι ναύτες
γεν. :	του ναύτη	των ναυτών
αιτ. :	το ναύτη	τους ναύτες
ον. :	ο μαθητής	οι μαθητές
γεν. :	του μαθητή	των μαθητών
αιτ. :	το μαθητή	τους μαθητές

ο καφετζής	(ka-fe-dzis)	coffee-house keeper
ο μανάβης	(ma-ná-vis)	green grocer, fruit or vegetable seller

ον. :	ο καφετζής	οι καφετζήδες
γεν. :	του καφετζή	των καφετζήδων
αιτ. :	τον καφετζή	τους καφετζήδες
ον. :	ο μανάβης	οι μανάβηδες
γεν. :	του μανάβη	των μανάβηδων
αιτ. :	το μανάβη	τους μανάβηδες

Note also the following groups.

group one

e.g.	ο πίνακας	(pi-na-kas)	blackboard
	ο αγώνας	(a-gó-nas)	struggle, contest, fight
	ο κανόνας	(ka-nó-nas)	rule, canon

Ενικός

ον. :	ο πίνακας	ο αγώνας	ο κανόνας
γεν. :	του πίνακα	του αγώνα	του κανόνα
αιτ. :	τον πίνακα	τον αγώνα	τον κανόνα

Πληθυντικός

ον. :	οι πίνακες	οι αγώνες	οι κανόνες
γεν. :	των πινάκων	των αγώνων	των κανόνων
αιτ. :	τους πίνακες	τους αγώνες	τους κανόνες

group two:

ο πατέρας	(pa-té-ras)	father
ο δαίμονας	(dhé-mo-nas)	demon,
ο ΄Ελληνας	(é-li-nas)	the Greek man
ο μήνας	(mi-nas)	month
ο άνδρας	(án-dhras)	man

ον. :	ο πατέρας	οι πατέρες	ο άνδρας	οι άνδρες
γεν. :	του πατέρα	των πατέρων	του άνδρα	των ανδρών
αιτ. :	τον πατέρα	τους πατέρες	τον άνδρα	τους άνδρες

77 Λεξιλόγιο

In groups according to their grammatical inflection

ο ταμίας	ta-mi-as	cashier, treasurer
ο κτηματίας	kti-ma-ti-as	land owner, farmer
ο ταραξίας	ta-ra-ksi-as	agitator, trouble maker
ο καρχαρίας	kar-kha-ri-as	shark
ο λοχίας	lo-khi-as	sergeant

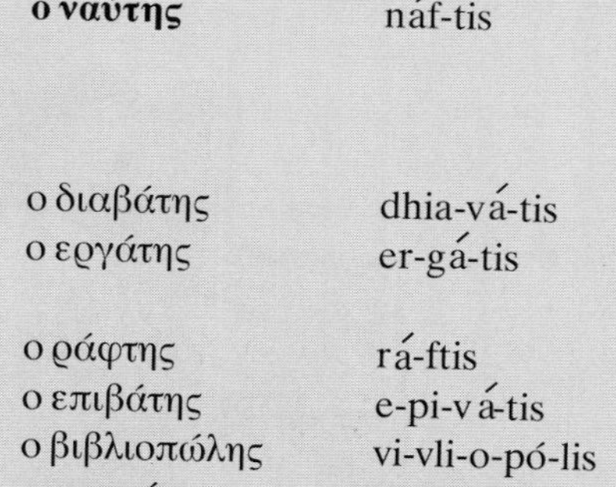

ο ναύτης	náf-tis	sailor
ο διαβάτης	dhia-vá-tis	passer-by
ο εργάτης	er-gá-tis	worker, workman
ο ράφτης	rá-ftis	tailor
ο επιβάτης	e-pi-vá-tis	passenger
ο βιβλιοπώλης	vi-vli-o-pó-lis	book-seller
ο προφήτης	pro-phi-tis	prophet
ο ειρηνοδίκης	i-ri-no-di-kis	justice of peace
ο παντοπώλης	pa-ndo-pó-lis	grocer

ο κυβερνήτης	ki-ver-ni-tis	commandant, master, skipper, captain
ο κλέφτης	klé-ftis	thief
ο πελάτης	pe-lá-tis	customer
ο πολίτης	po-li-tis	citizen
ο τεχνίτης	te-khni-tis	artisan, craftsman
ο μεσίτης	me-si-tis	mediator, agent, broker, intermediary

ο μαθητής	ma-thi-tis	pupil, student

ο πωλητής	po-li-tis	seller, salesman
ο αγοραστής	a-go-ra-stis	buyer, purchaser
ο θαυμαστής	thav-ma-stis	admirer
ο εθελοντής	e-the-lo-ntis	volunteer
ο βουλευτής	vu-lef-tis	member of the parliament, congressman
ο δανειστής	dha-ni-stis	lender
ο διοικητής	dhi-i-ki-tis	commandant, commander
ο προσκυνητής	pro-ski-ni-tis	worshipper, pilgrim
ο ποιητής	pi-i-tis	poet
ο πολεμιστής	po-le-mi-stis	warrior, fighter

ο καφετζής	ka-fe-dzis	coffee-house keeper

ο παπουτσής	pa-pou-tsis	shoemaker, shoe-repairer, cobbler
ο κουβαλητής	ku-va-li-tis	carrier

The man who cares much about his family is called κουβαλητής, he brings home many things.

ο μανάβης	ma-ná-vis	green grocer, fruit or vegetable seller

ο βαρκάρης	var-k á-ris	boatman
ο μουσαφίρης	mu-sa-fi-ris	guest, visitor
ο περιβολάρης	pe-ri-vó-l á-ris	gardener
ο χασάπης	kha-s á-pis	butcher
ο τσαγκάρης	tsa-ng á-ris	cobbler
ο νοικοκύρης	ni-ko-ki-ris	house owner, master of the house, landlord, the head of the family

ο πίνακας	pi-na-kas	blackboard, painting
ο γείτονας	yi-to-nas	neighbour
ο άρχοντας	ár-kho-ntas	ruler, gentleman
ο φύλακας	fi-la-kas	guard
ο αγώνας	a-gó-nas	struggle, contest
ο αγκώνας	an-gó-nas	elbow
ο χειμώνας	khi-mó-nas	winter
ο λειμώνας	li-mó-nas	meadow
ο κανόνας	ka-nó-nas	rule, canon
ο ηγεμόνας	i-ge-mó-nas	ruler, sovereign
ο πατέρας	pa-té-ras	father
ο δαίμονας	dhé-mo-nas	demon
ο Έλληνας	é-li-nas	the Greek man
ο μήνας	mi-nas	month
ο άνδρας	án-dhras	man

78 *Fill in the blanks by using the right case of each noun.*

π.χ. ο ταμίας
του ______ (ταμία)
τον ______ (ταμία)

1. ο λοχίας — οι ________
του_________ — των ________
το _________ — τους ________

2. ο καρχαρίας — οι ________
του ________ — των ________
τον ________ — τους ________

3. ο κτηματίας — οι ________
του ________ — των ________
τον ________ — τους ________

4. ο ταραξίας — οι ________
του ________ — των ________
τον ________ — τους ________

5. ο ναύτης — οι ________
του ________ — των ________
το ________ — τους ________

6. ο ράφτης — οι ________
του ________ — των ________
το ________ — τους ________

7. ο κλέφτης — οι ________
του ________ — των ________
τον ________ — τους ________

8. ο πελάτης — οι ________
του ________ — των ________
τον ________ — τους ________

9. ο μαθητής — οι ________
του ________ — των ________
το ________ — τους ________

10. ο πωλητής — οι ________
του ________ — των ________
τον ________ — τους ________

11. ο πολεμιστής — οι ________
___________ — ___________
___________ — ___________

12. ο ποιητής — οι ________
___________ — ___________
___________ — ___________

13. ο καφετζής — οι ________
___________ — ___________
___________ — ___________

14. ο παπουτσής — οι ________
___________ — ___________
___________ — ___________

15. ο μανάβης — οι ________
___________ — ___________
___________ — ___________

16. ο χασάπης — οι ________
___________ — ___________
___________ — ___________

17. ο νοικοκύρης — οι ________
___________ — ___________
___________ — ___________

18. ο τσαγκάρης — οι ________
___________ — ___________
___________ — ___________

19. ο πίνακας — οι ________
___________ — ___________
___________ — ___________

20. ο γείτονας — οι ________
___________ — ___________
___________ — ___________

21. ο άρχοντας οι _________
___________ ___________
___________ ___________

22. ο φύλακας οι _________
___________ ___________
___________ ___________

23. ο αγώνας οι _________
___________ ___________
___________ ___________

24. ο χειμώνας οι _________
___________ ___________
___________ ___________

25. ο κανόνας οι _________
___________ ___________
___________ ___________

26. ο ηγεμόνας οι _________
___________ ___________
___________ ___________

27. ο πατέρας οι _________
___________ ___________
___________ ___________

28. ο ΄Ελληνας οι _________
___________ ___________
___________ ___________

29. ο μήνας οι _________
___________ ___________
___________ ___________

30. ο άνδρας οι _________
___________ ___________
___________ ___________

79 *Form the plural in the corresponding case.*

1. του λοχία ___________
   του καρχαρία ___________
   του κτηματία ___________
   του ταραξία ___________

2. του ναύτη ___________
   του ράφτη ___________
   του κλέφτη ___________
   του πελάτη ___________

3. του μαθητή ___________
   του πωλητή ___________
   του πολεμιστή ___________
   του ποιητή ___________

4. του καφετζή ___________
   του παπουτσή ___________
   του μανάβη ___________
   του χασάπη ___________

5. του νοικοκύρη ___________
   του τσαγκάρη ___________
   του πίνακα ___________
   του γείτονα ___________

6. του άρχοντα ___________
   του φύλακα ___________
   του αγώνα ___________
   του χειμώνα ___________

7. του κανόνα ___________
   του ηγεμόνα ___________
   του πατέρα ___________

8. του ΄Ελληνα ___________
   του μήνα ___________
   του άνδρα ___________

80 *Form and write the plural in the corresponding case.*

1. Το λοχία, τον καρχαρία, τον κτηματία, τον ταραξία, το ναύτη, το ράφτη, τον κλέφτη, τον πελάτη, το μαθητή, τον πωλητή, τον πολεμιστή, τον ποιητή, τον καφετζή, τον παπουτσή, το μανάβη, το χασάπη.

2. Το νοικοκύρη, τον τσαγκάρη, τον πίνακα, το γείτονα, τον άρχοντα, το φύλακα, τον αγώνα, το χειμώνα, τον κανόνα, τον ηγεμόνα, τον πατέρα, τον Έλληνα, το μήνα, τον άνδρα.

81 *Translate into English or into your mother tongue.*

1. Το βιβλίο του μαθητή. Ο καφές του καθηγητή.
Η ζάχαρη του καφετζή. Οι δραχμές του ταμία.
Η ερώτηση του αγοριού. Η απάντηση της δασκάλας.
Το αυτοκίνητο του άρχοντα. Ο δικηγόρος του Έλληνα.

2. Ο αέρας του χειμώνα. Ο αδελφός του λοχία.
Το αμπέλι του κτηματία. Το εισιτήριο του αγώνα.
Η ζώνη του χασάπη. Το άλογο του πολεμιστή.
Το σπίτι του Έλληνα. Το γάλα του πελάτη.
Τα χρήματα του γείτονα. Το καπέλο του ναύτη.

3. Το γυμναστήριο του άνδρα. Ο καθρέφτης του ράφτη.
Η αίτηση του ποιητή. Το ανάκτορο του άρχοντα.
Το αεροπλάνο του ηγεμόνα. Το ζαχαροπλαστείο του πατέρα.
Τα σπίρτα του φύλακα. Τα τσιγάρα του παπουτσή.
Το κρύο του χειμώνα. Το αυτοκίνητο του καθηγητή.

82 Telling the time.

Το ρολόι δείχνει την ώρα. Το ρολόι έχει δώδεκα ώρες. Κάθε ώρα έχει εξήντα λεπτά. Κάθε λεπτό έχει εξήντα δευτερόλεπτα. Η ημέρα και η νύχτα : το εικοσιτετράωρο. Το εικοσιτετράωρο έχει είκοσι τέσσερις ώρες.
Το πρωί, το μεσημέρι, το απόγευμα, το βράδυ, τα μεσάνυχτα. Κάθε ώρα και κάθε στιγμή το ρολόι δείχνει την ώρα.
Μία, μία και πέντε, μία και δέκα, μία και τέταρτο ή μία και δεκαπέντε. Μία και είκοσι, μία και είκοσι πέντε, μία και μισή ή μία και τριάντα. Μιάμιση.
Δύο παρά είκοσι πέντε, δύο παρά είκοσι, δύο παρά τέταρτο, δύο παρά δέκα, δύο παρά πέντε, δύο. Τρεις ακριβώς. Τέσσερις, πέντε, έξι, επτά, οκτώ, εννέα (εννιά), δέκα, ένδεκα, δώδεκα.

83 *Read the above text aloud. Repeat each sentence many times. Learn the numerals by heart.*

84 Λεξιλόγιο

ρολόι	ro-ló-i	watch, clock
δείχνει	dhi-khni	it shows
δύο (δυο)	di-o (dhió)	two
τρεις (τρία)	tris (tri-a)	three
τέσσερις (τέσσερα)	té-se-ris (té-se-ra)	four
πέντε	pé-nde	five
έξι	é-ksi	six
επτά	e-ptá	seven
οκτώ	o-któ	eight
εννέα	e-né-a	nine
δέκα	dhé-ka	ten
ένδεκα	én-dhe-ka	eleven
δώδεκα	dhó-dhe-ka	twelve
δεκατρία	dhe-ka-tri-a	thirteen
δεκατέσσερα	dhe-ka-té-se-ra	fourteen
δεκαπέντε	dhe-ka-pé-nde	fifteen
δεκαέξι (δεκάξι)	dhe-ka-é-ksi	sixteen
δεκαεπτά	dhe-ka-e-ptá	seventeen
δεκαοκτώ	dhe-ka-o-któ	eighteen
δεκαεννιά	dhe-ka-e-niá	nineteen
είκοσι	i-ko-si	twenty
είκοσι ένα	i-ko-si é-na	twenty one

είκοσι δύο	i-ko-si dhi-o	twenty two
τριάντα	tri-á-nda	thirty
σαράντα	sa-rá-nda	forty
πενήντα	pe-ni-nda	fifty
εξήντα	e-ksi-nda	sixty
η ώρα (οι ώρες)	ó-ra (pl. ó-res)	hour(s)
κάθε	ká-the	every, each
το λεπτό	le-ptó	minute
τα λεπτά	le-ptá	minutes, money
το δευτερόλεπτο	dhe-fte-ró-le-pto	a second
τα δευτερόλεπτα	dhe-fte-ró-le-pta	seconds
η ημέρα (μέρα)	i-mé-ra	day
η νύκτα (νύχτα)	ni-kta (ni-khta)	night
το εικοσιτετράωρο	i-ko-si-te-trá-o-ro	24 hours, day and night
το πρωί	pro-i	morning
το μεσημέρι	me-si-mé-ri	noon
το απόγευμα	a-pó-yev-ma	afternoon
το βράδυ	vrá-dhi	evening
τα μεσάνυχτα	me-sá-ni-khta	midnight
η στιγμή	stig-mi	moment, instant
η μισή	mi-si	half (fem.)
μιάμιση	miá-mi-si	one thiry
παρά	pa-rá	to (in relation to time /before)
το τέταρτο	té-ta-rto	quarter

85 Useful expressions.

Μία στιγμή, παρακαλώ.	Just a moment please.
προ μεσημβρίας (π.μ.)	ante meridiem : a.m. πρίν το μεσημέρι.
μετά μεσημβρίαν (μ.μ.)	post meridiem : p.m. μετά το μεσημέρι.

(η μεσημβρία me-sim- vri-a = το μεσημέρι = noon)

N.B.

a. In the morning, in the afternoon, in the evening, at noon, at midnight etc. In Greek they do not require any preposition.

In the morning.	Το πρωί.
In the afternoon.	Το απόγευμα.
At noon.	Το μεσημέρι.

b. One οξεία (´) put next to a number implies minutes.

π.χ. 10:30´ =ten thirty.

86 We tell the time in Greek as following:

a. The words "past" (or "after") are substituted by the words "παρά".
For the first thirty minutes of a given hour e.g. from 2.30΄ to 3:
We form the sentence by starting with **hours**. Then we use the word **"και"** and minutes.

e.g. Ten minutes past (after) two.
Δύο και δέκα.

Twenty minutes past two
Δύο και είκοσι.

Half past two or two thirty.
Δύο και μισή ή δυόμισι ή δύο και τριάντα.

b. The word "to" (or "before") is substituted by the word "παρά".
For the second thirty minutes of a given hour e.g. from 2.30΄ to 3:
We form the sentence by starting with the **following hour.** Then we use the word **"παρά"** and minutes.

e.g. Twenty five minutes to three.
Τρεις παρά είκοσι πέντε.

Twenty minutes to three.
Τρεις παρά είκοσι.

A quarter to three.
Τρεις παρά τέταρτο.

Ten minutes to three.
Τρεις παρά δέκα.

Five minutes to three.
Τρεις παρά πέντε.

Three o' clock.
Τρεις η ώρα.

87 *Take off your wrist watch, put it on the table and write on a piece of paper various time combinations. Try to express them in Greek.*

88 *Give the answers.*

Τι ώρα είναι; Τι δείχνει το ρολόι; ΄Εχει το ρολόι δώδεκα ώρες; ΄Εχει κάθε ώρα εξήντα λεπτά; ΄Εχει κάθε λεπτό εξήντα δευτερόλεπτα; ΄Εχει το εικοσιτετράωρο είκοσι τέσσερις ώρες;

89 *Tell the time in Greek:*

5 π.μ.	5.20΄	5.35΄	5.53΄
5.05΄	5.23΄	5.40΄	5.55΄
5.10΄	5.25΄	5.45΄	5.57΄
5.15΄	5.30΄	5.50΄	6 π.μ.

90 *For departures and arrivals of airplanes, trains, ships etc. time is given on a 24 hour basis:*

e.g. 5 μ.μ. = 17.00 12 μ.μ.=24.00

UNIT 9

91 More about time.

Τι ώρα είναι, σας παρακαλώ;
Η ώρα είναι μία ακριβώς.
Σας ευχαριστώ πολύ. Στη μία έχω μάθημα.
Δεν έχετε ρολόι;
΄Εχω, αλλά δεν πάει καλά. Πότε πηγαίνει μπροστά και πότε πίσω.
Είναι χαλασμένο.

Τι πρόγραμμα έχεις απόψε;
Στις επτά έχω μια συνάντηση.
Και μετά τι έχεις;
Μετά έχω διάβασμα ως (μέχρι) τις δέκα.

Το πρωί ξυπνάω στις 6 και τέταρτο. Στις 7 παρά 10΄ παίρνω το λεωφορείο και στις 8 παρά 5΄ είμαι στο σχολείο.
Εγώ είμαι στο Πανεπιστήμιο μία ώρα πιο αργά.
Από τις 12 το μεσημέρι μέχρι τη μία είμαι στο εστιατόριο.
Κάθε βράδυ είμαι στο σπίτι. Κάθε πρωί είμαι στο σχολείο. Το μεσημέρι είμαστε στο εστιατόριο. Το απόγευμα έχουμε διάβασμα.
Πόσα λεφτά έχεις; ΄Εχω δέκα δραχμές. Πόσα χρήματα έχετε; ΄Εχω πενήντα δραχμές. ΄Εχετε λεφτά επάνω σας; ΄Οχι, δεν έχω λεφτά. ΄Εχω, αλλά είναι στο σπίτι.

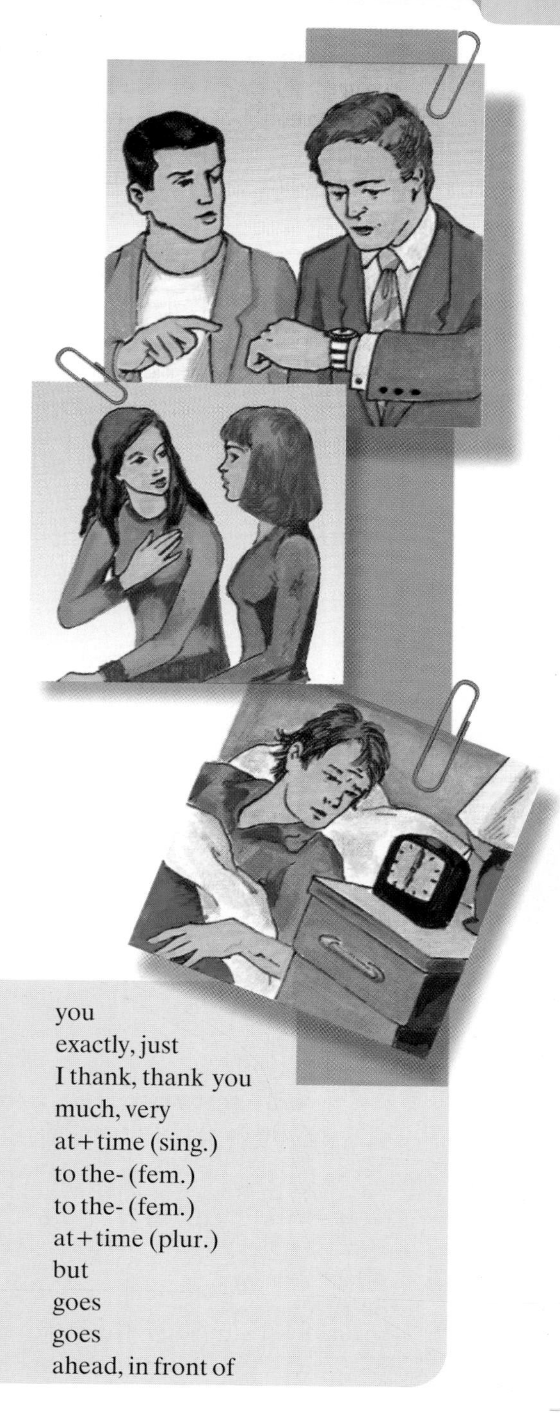

92 Λεξιλόγιο

σας	sas	you
ακριβώς	a-kri-vós	exactly, just
ευχαριστώ	ef-kha-ri-stó	I thank, thank you
πολύ	po-li	much, very
στη	sti	at+time (sing.)
στην	stin	to the- (fem.)
(εις την)	(is tin)	to the- (fem.)
στις	stis	at+time (plur.)
αλλά	a -lá	but
πάει	pá-i	goes
πηγαίνει	pi-yé-ni	goes
μπροστά	bro-stá	ahead, in front of

πίσω	pi-so	back
χαλασμένο	kha-la-smé-no	out of order
το πρόγραμμα	pró-gra-ma	programme, schedule
απόψε	a-pó-pse	tonight
η συνάντηση	si-ná-ndi-si	date, appointment, meeting
μετά	me-tá	after
το διάβασμα	dhiá-va-sma	reading, studying
ως	os	till, until, up to, to, as far as
έως	é-os	till, until, up to, to, as far as
μέχρι(ς)	mé-khri(s)	till, until, up to, as far as
ξυπνώ	ksi-pnó	I awake, I get up
πότε	pó-te	sometimes, at times
παίρνω	pér-no	I get, I take, I receive
το λεωφορείο	le-o-fo-ri-o	bus
το σχολείο	skho-li-o	school
στο	sto	at, to + place (neut.)
εις το	is to	at, to + place (neut.)
το Πανεπιστήμιο	pa-ne-pi-sti-mi-o	University
αργά	ar-yá	late
πιο*	pio	more
από	a-pó	from
ο χρόνος	khró-nos	time, year
πόσα;	pó-sa	how many (neut. plur.)
επάνω	e-pá-no	on

93 Useful expressions

Ο χρόνος είναι χρήμα	Time is money
Τι ώρα;	At what time?
από ____ έως (ως)	from(time) ____ till (time)
από ____ έως (ως)	from(place) ____ as far as (place)

π.χ. Από τις δέκα ως τις δώδεκα το μεσημέρι.
Απο εδώ ως εκεί είναι δέκα χιλιόμετρα.

επάνω σας	on you, with you
πιο αργά	later (more late)
το ρολόι πάει (πηγαίνει) μπροστά.	The watch is fast.

(*) See Section 63.

΄Εχω διάβασμα. — I have to study
Παίρνω το λεωφορείο. — I take the bus
κάθε μέρα (ή κάθε ημέρα) — every day

94 *Translate into Greek.*

The distance from here is one kilometer . I am home every evening. Time is money. From eight in the morning till three o ’clock in the afternoon we are at school. I have got a watch but it is out of order. Sometimes it is fast. Sometimes it is slow. I take the bus at seven 0’ clock sharp.I don’t have money (on me), but I have money at home. At what time do you get up? Sometimes at six, sometimes later.

95 *Answer the questions orally .*

΄Εχετε χρήματα (λεφτά) επάνω σας;
Το ρολόι πηγαίνει μπροστά ή πίσω;
Τι ώρα είναι, σας παρακαλώ πολύ;
Είσαι στο Πανεπιστήμιο κάθε μέρα;
Τι πρόγραμμα έχετε απόψε;
Στις δέκα το πρωί ακριβώς ή πιο αργά;
Είναι το ρολόι χαλασμένο;
Πόσα βιβλία έχεις στο σπίτι;
Τι ώρα ξυπνώ κάθε πρωί;
΄Εχετε σχολείο κάθε μέρα;

96 *Fill in the blanks.*

Τι ώρα ______ παρακαλώ; Η ______ είναι τρεις ______ . Σας ______ πολύ. Δεν ____ ρολόι; ΄Εχω, αλλά ______ πάει μπροστά και πότε ______ πίσω. Τι ______ έχετε απόψε; Στις ______ έχω μία ______ . Και ______ τι έχετε;

Μετά τις ______ έχω _______. Από τις ______ ως τις ______ είμαι στο σπίτι. Κάθε πρωί ______ στο σχολείο. Το απόγευμα έχουμε ______. Πόσα λεφτά ______; ΄Εχω _____ _δραχμές. ΄Εχω χρήματα, είναι στο ______.

Ο χρόνος είναι ______. Από το σπίτι ______ το ______ είναι ένα ______. Κάθε ______ παίρνω το ______ στις επτά ______. Έχετε ______ επάνω σας; Πότε ξυπνώ στις ______ και πιο αργά.

97 *Arrange the words provided into groups in order to form questions.*

π.χ. έχετε
σας;
χρήματα
επάνω

Έχετε χρήματα επάνω σας;

1. πηγαίνει
καλά
το
ρολόι
πίσω
η

2. πολύ
ώρα
σας
είναι
παρακαλώ
τι

3. είναι
ημέρα
στο
Πανεπιστήμιο
κάθε

4. τι
απόψε
πρόγραμμα
έχετε
παρακαλώ

5. χαλασμένο
το
είναι
ρολόι
εδώ
εκεί

6. πόσο
από
είναι
έως

7. έχετε
ημέρα
σχολείο
κάθε

8. διάβασμα
απόψε
πολύ
έχετε

98 *Form ten sentences of your own. Submit them to your teacher for correction.*

99 Η Ελλάδα.

Η Ελλάδα είναι ωραία χώρα. Έχει θαυμάσια θάλασσα. Δεν είναι βασίλειο. Είναι δημοκρατία. Το καλοκαίρι κάνει ζέστη. Πότε-πότε βρέχει. Εκεί η ζωή και η τροφή είναι καλή.

Η χαρά της Άννας είναι μεγάλη. Μαθαίνει ελληνικά. Η Άννα είναι μαθήτρια. Η μητέρα της Άννας, η κυρία Γρηγορίου, είναι Ελληνίδα. Είναι καθηγήτρια. Η αλήθεια είναι ότι είναι ωραία γυναίκα. Σαν καθηγήτρια έχει πείρα. Διδάσκει πολύ καλά.

Τι χρώμα έχει η σημαία της χώρας; Τα χρώματα της σημαίας της Ελλάδας είναι δύο, μπλε και άσπρο.

Τι γνώμη έχετε; Είναι η ελληνική γλώσσα εύκολη; Είμαι της γνώμης ότι η ελληνική γλώσσσα είναι εύκολη. Η κόρη μου είναι φοιτήτρια. Διαβάζει κάθε μέρα πολλές ώρες.

100 Λεξιλόγιο

Ελλάδα	e-lá-dha	Greece, Hellas
η ωραία	o-ré-a	beautiful (fem.)
η χώρα	khó-ra	country
η θαυμάσια	thav-má-si-a	wonderful, fine (fem.)
η βασιλεία	va-si-li-a	kingdom, domain
η δημοκρατία	dhi-mo-kra-ti-a	democracy, republic
το καλοκαίρι	ka-lo-ké-ri	summer
κάνω (κάμω)	ká-no (ká-mo)	I do, I make
λίγο	li-go	some, a little
η ζωή	zo-i	life
η καλή	ka-li	good, fine (fem.)
η χαρά	kha-rá	joy
η Άννα	Á-na	Ann
η μεγάλη	me-gá-li	big, great (fem.)
μαθαίνω	ma-thé-no	I learn, I study
τα Ελληνικά	e-li-ni-ká	the Greek language, Greek
η μητέρα	mi-té-ra	mother
η μαθήτρια	ma-thi-tri-a	school-girl, student
η αλήθεια	a-li-thia	truth
ότι	ó-ti	that
σαν (ως)	san (os)	as, like
πείρα	pi-ra	experience
διδάσκω	dhi-dá-sko	to teach

καλά	ka-lá	well
το χρώμα	khró-ma	colour
σημαία	si-mé-a	flag
το μπλε	ble	blue
το άσπρο	á-spro	white
η γνώμη	gnó-mi	opinion
η Ελληνική	e-li-ni-ki	Greek (fem.)
η γλώσσα	ghló-sa	language, tongue
η εύκολη	é-fko-li	easy (fem.)
η κόρη	kó-ri	daughter
η φοιτήτρια	fi-ti-tri-a	student (fem.)
διαβάζω	dhia-vá-zo	I read, I study
η φορά	fo-rá	time

101 Useful expressions.

Κάνει ζέστη.	It is hot.
Πότε-πότε βρέχει .	Sometime it rains.
Μαθαίνω Ελληνικά.	I learn Greek.
Η αλήθεια είναι ότι	The truth is that
΄Εχει πείρα.	He/she has experience.
Διδάσκει πολύ καλά.	He teaches very well.
Τι χρώμα έχει	What is the colour of
Τι γνώμη έχετε;	What is your opinion?
Είμαι της γνώμης	My opinion is
πολλές φορές	many times

102 *Answer the questions.*

1. Τι χώρα είναι η Ελλάδα;
2. Τι θάλασσα έχει η Ελλάδα;
3. Είναι βασίλειο ή δημοκρατία;
4. Κάνει ζέστη το καλοκαίρι;
5. Βρέχει πότε-πότε;
6. Είναι η ζωή καλή εκεί;

103 *Translate into Greek .*

Mary is very happy because she's learning Greek. Mrs. Georgiou is a Greek woman. She is a high school teacher. The truth is that she teaches well. She has got experience as a teacher.

104 *Fill in the blanks.*

Τι ________ έχετε; Είναι ________ ελληνική ________ εύκολη; Είμαι ________ γνώμης ότι η _________ γλώσσα είναι εύκολη. Η κόρη ________ είναι __________. Διαβάζει κάθε ________ πολλές ________. Τι ________ έχει η ________ της Ελλάδας; Τα ________ της σημαίας ________ Ελλάδας είναι δύο, ________ και ________.

105 *Put the words into the right order.*

π.χ.	Ελληνίδα ωραία είναι μία	Είναι μία ωραία Ελληνίδα.

1. φοιτήτρια / όχι / είναι / και / καθηγήτρια
2. πολλές / ημέρα; / κάθε / βρέχει / φορές
3. ζέστη / καλοκαίρι / λίγο / το / κάνει
4. χρώματα / η / σημαία; / έχει / Ελληνική / τι
5. πείρα / διδάσκει / καλά / και / πολύ / έχει
6. Η / θαυμάσια / Ελλάδα / θάλασσα / μπλε / έχει

7. είναι
η
δεν
πείρα
έχει
αλήθεια

8. γνώμης
ότι
γυναίκα
ωραία
είναι
είμαι

9. Η
γλώσσα
και
εύκολη
είναι
Ελληνική

10. χαρά
η
μεγάλη
είναι
Ελληνικά
της
μαθαίνει

11. Είμαι
ότι
γνώμης
η τροφή
είναι
καλή
της

106 *Translate into English or your mother tongue.*

1. Έχει πείρα και διδάσκει πολύ καλά.
2. Η Ελλάδα έχει θαυμάσια γαλανή θάλασσα.
3. Βρέχει πολλές φορές κάθε μέρα;
4. Τι χρώματα έχει η Ελληνική σημαία;
5. Είμαι της γνώμης ότι είναι ωραία γυναίκα.
6. Το καλοκαίρι κάνει πολλή ζέστη εκεί.
7. Η αλήθεια είναι ότι δεν έχει πολλή πείρα.
8. Η Ελληνική γλώσσα είναι ωραία και εύκολη.
9. Είναι φοιτήτρια και όχι καθηγήτρια.
10. Μαθαίνει Ελληνικά. Η χαρά της είναι μεγάλη.
11. Είμαι της γνώμης ότι η ζωή εκεί είναι καλή.
12. Είναι μία ωραία Ελληνίδα.

107 *Write a short dialogue of your own.*

108 More about nouns.

Feminine (θηλυκά thi-li-ká) nouns that end in -α or in -η.

1. η χώρα	khó-ra	country
2. η χαρά	kha-rá	joy
3. η γλώσσα	ghló-sa	language, tongue
4. η ζέστη	zé-sti	heat, warmth
5. η ζωή	zo-i	life
6. η αλήθεια	a-li-thia	truth
7. η πείρα	pi-ra	experience
8. η μαμά	ma-má	mummy, mum, mammy
9. η μητέρα	mi-té-ra	mother

	Ενικός	Πληθυντικός
1. ον. :	η χώρα	οι χώρες
γεν. :	της χώρας	των χωρών
αιτ. :	τη(ν)* χώρα	τις χώρες

N.B. According to η χώρα you may infect the nouns: η ώρα, η φοιτήτρια, η μαθήτρια, η κυρία, η σημαία, η καθηγήτρια, as well as η μαρμελάδα (marmelade), η ημέρα (day), η γραβάτα (tie), η γέφυρα (bridge), η οικία (house), η ρίζα (root), η πάπια (duck), η χήνα (goose), η καρέκλα (chair), η πένα (pen), η βαλίτσα (suitcase), η κιμωλία (chalk), η ποικιλία (variety).

2. η χαρά	οι χαρές
της χαράς	των χαρών
τη χαρά	τις χαρές

N.B. To this group you may add the nouns η φορά, η φρουρά (guard, garrison).

3. η γλώσσα	οι γλώσσες
της γλώσσας	των γλωσσών
τη γλώσσα	τις γλώσσες

N.B. According to η γλώσσα you may inflect the nouns η θάλασσα (sea), η αίθουσα (hall, classroom), η μούσα (muse).

4. η ζέστη	οι ζέστες
της ζέστης	των ζεστών
τη ζέστη	τις ζέστες

N.B. The following nouns belong also to this group: η κόρη (daughter), η φήμη (fame), η τέχνη (art), η μελάνη (ink), η νύφη (bride), η ζώνη (belt), η λύπη (sorrow), η τύχη (luck), η μύτη (nose), η νίκη (victory), η πηγή (fountain), η τόλμη (boldness).

(*)See section 13a

5. η ζωή | οι ζωές
της ζωής | των ζωών
τη ζωή | τις ζωές

N.B. The following nouns are inflected in the same way:
η τροφή (food), η φωνή (voice), η βροχή (rain), η τιμή (honour, price), η αδελφή (sister), η ψυχή (soul), η πηγή (spring,source), η γραμμή (line), η κραυγή (cry), η σιωπή (silence), η Κυριακή (Sunday).

6. η αλήθεια | οι αλήθειες
της αλήθειας | των αληθειών
την αλήθεια | τις αλήθειες

N.B. Η βασιλεία (kingdom) and η ευσέβεια (piety) are inflected in the same way.

7. η πείρα | οι πείρες
της πείρας | των πειρών
την πείρα | τις πείρες

N.B. The following nouns are inflected in the same way : η μοίρα (fate, destiny), η πρώρα (prow), η σφαίρα (bullet, sphere, globe), η σφύρα (hammer).

8. η μαμά | οι μαμάδες
της μαμάς | των μαμάδων
τη μαμά | τις μαμάδες

Also : η γιαγιά (grandmother)

9. Note also the following nouns :

a. Η Ελλάδα, η γυναίκα, η νύχτα (night), η ταυτότητα (indentity card), η εφημερίδα, η εβδομάδα (week), η εικόνα (picture).

η μητέρα | οι μητέρες
της μητέρας | των μητέρων
τη μητέρα | τις μητέρες

b. η τάξη (class, order), η ζάχαρη (sugar).

η τάξη | οι τάξεις
της τάξης | των τάξεων
την τάξη | τις τάξεις

109 *Fill in the blanks by using the right case of each noun. Regarding the article's final n (-ν) see section 13a.*

π.χ. η χώρα
της χώρας
τη χώρα

1. η ώρα — οι __________
της __________ — των __________
την __________ — τις __________

2. η ημέρα — οι __________
της __________ — των __________
την __________ — τις __________

3. η μαθήτρια — οι __________
της __________ — των __________
τη __________ — τις __________

4. η σημαία — οι __________
της __________ — των __________
τη __________ — τις __________

5. η χαρά — ____________
____________ — ____________
____________ — ____________

6. η φορά — ____________
____________ — ____________
____________ — ____________

7. η ζέστη — ____________
____________ — ____________
____________ — ____________

8. η γνώμη — ____________
____________ — ____________
____________ — ____________

9. η κόρη — ____________
____________ — ____________
____________ — ____________

10. η νίκη — ____________
____________ — ____________
____________ — ____________

11. η ζωή — ____________
____________ — ____________
____________ — ____________

12. η φωνή — ____________
____________ — ____________
____________ — ____________

13. η βροχή — ____________
____________ — ____________
____________ — ____________

14. η αδελφή — ____________
____________ — ____________
____________ — ____________

15. η αλήθεια — ____________
____________ — ____________
____________ — ____________

16. η βασιλεία — ____________
____________ — ____________
____________ — ____________

17. η πείρα — ____________
____________ — ____________
____________ — ____________

18. η σφαίρα — ____________
____________ — ____________
____________ — ____________

19. η μαμά — ____________
____________ — ____________
____________ — ____________

20. η γιαγιά — ____________
____________ — ____________
____________ — ____________

21. η γυναίκα ____________
____________ ____________
____________ ____________

22. η μητέρα ____________
____________ ____________
____________ ____________

23. η εφημερίδα ____________
____________ ____________
____________ ____________

24. η εβδομάδα ____________
____________ ____________
____________ ____________

25. η τάξη ____________
____________ ____________
____________ ____________

26. η ζάχαρη ____________
____________ ____________
____________ ____________

110 *Give the plural in the corresponding case.*

1. της χώρας ____________
   της γέφυρας ____________
   της χήνας ____________

2. της ρίζας ____________
   της γραβάτας ____________
   της έδρας ____________

3. της χαράς ____________
   της φοράς ____________
   της φρουράς ____________

4. της γλώσσας ____________
   της θάλασσας ____________
   της αίθουσας ____________

5. της ζέστης ____________
   της τόλμης ____________
   της βρύσης ____________
   της τύχης ____________

6. της λύπης ____________
   της μελάνης ____________
   της φήμης ____________
   της τέχνης ____________

7. της ζωής ____________
   της φωνής ____________
   της τροφής ____________
   της βροχής ____________
   της κραυγής ____________

8. της τιμής ____________
   της αδελφής ____________
   της φυγής ____________
   της πηγής ____________
   της σιωπής ____________

9. της αλήθειας ____________
   της ευσέβειας ____________
   της βασιλείας ____________

10. της τιμής ____________
    της μοίρας ____________
    της πρώρας ____________

11. της μαμάς ____________
    της γιαγιάς ____________

12. της τάξης ____________
    της ζάχαρης ____________

13. της μητέρας ____________
της γυναίκας ____________
της νύχτας ____________

14. της εφημερίδας ____________
της εβδομάδας ____________
της εικόνας ____________

111 *Form the plural in the corresponding case.*

1. Τη χώρα, τη γέφυρα, τη χήνα, την πένα, τη ρίζα, τη γραβάτα, την ώρα, την έδρα, τη χαρά, τη φορά, τη φρουρά, τη γλώσσα, τη θάλασσα, την αίθουσα, τη ζέστη, την τόλμη, τη βρύση, την τύχη, τη λύπη, τη φήμη, την τέχνη, τη ζωή, τη φωνή, την τροφή, τη βροχή, την κραυγή.

2. Την τιμή, την αδελφή, την ψυχή, την πηγή, τη σιωπή, την αλήθεια, την ευσέβεια, τη βασιλεία, την πείρα, τη μοίρα, την πρώρα, τη μαμά, τη γιαγιά, τη ζάχαρη, τη μητέρα, τη γυναίκα, τη νύχτα, την εφημερίδα, τη βδομάδα, την εικόνα, την ταυτότητα.

112 *Translate into English or your mother tongue.*

1. Η γλώσσα της χώρας.
Η τιμή της αδελφής.
Η σιωπή της γιαγιάς.
Η τάξη της κυρίας.
Η ώρα της ημέρας.

Η μητέρα της φοιτήτριας.
Η βροχή της Κυριακής.
Η εικόνα της αλήθειας.
Η κραυγή της χαράς.
Η πηγή της φήμης.

2. Η ταυτότητα της καθηγήτριας.
Η λύπη της γυναίκας.
Η πείρα της ζωής.
Η εφημερίδα της αλήθειας.
Η φήμη της αδελφής.

Η μαμά της γιαγιάς.
Η νύχτα της βροχής.
Η γραβάτα της καθηγήτριας.
Η φρουρά της νύχτας.
Η φωνή της μητέρας.

3. Η γυναίκα της σιωπής.
Η πένα της αλήθειας.
Η μοίρα της βασιλείας.
Η λύπη της ζωής.
Η οικία της φοιτήτριας.

Η γέφυρα της χώρας.
Η ζέστη της χώρας.
Η γιαγιά της μαμάς.
Η θάλασσα της χαράς.
Η ρίζα της λύπης.

UNIT 12

113 ΄Εχω έναν αδελφό. Είναι δάσκαλος. ΄Εχει τρεις γιους. Ο ένας είναι έμπορος και ο άλλος γιατρός. Ο τρίτος γιος ήθελε να γίνει καλόγερος, αλλά τελικά έγινε ταχυδρόμος και πρόεδρος του χωριού.

Η οικογένεια το καλοκαίρι πηγαίνει στο νησί με το πλοίο. Στον κάμπο του νησιού υπάρχει ένας πύργος και πιο πέρα ένας φάρος. Εκεί κοντά στο βουνό, μετά τον πόλεμο και τους σεισμούς, κτίσανε ένα ωραίο σπίτι με ανθόκηπο και λαχανόκηπο γύρω-γύρω.

Στην εξοχή ζει κανείς μακριά από το θόρυβο. Υπάρχουν πολλά πουλιά, αηδόνια, δέντρα, ζώα και λουλούδια, τριαντάφυλλα. ΄Εχουν ένα άλογο, ένα σκυλί, ένα αρνί και ένα μικρό καράβι με πανιά. Τρώνε τυρί, βούτυρο, αβγά, σύκα, αμύγδαλα, λάχανα, σέλινο, ροδάκινα, ως και ψωμί καμωμένο από αλεύρι, νερό και αλάτι του νησιού.

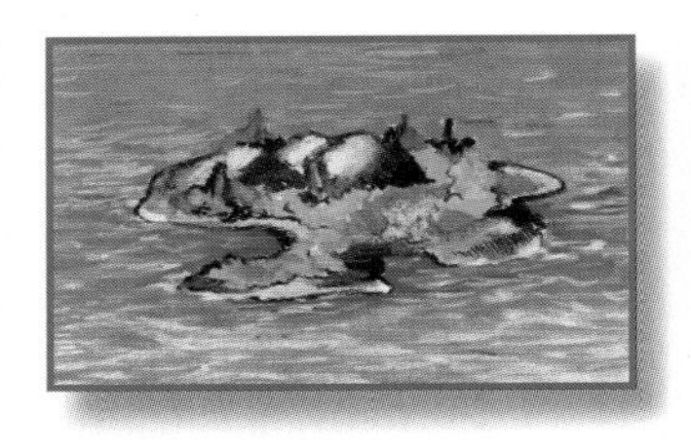

Στο νησί ο ήλιος λάμπει όλη τη μέρα, ο άνεμος φυσά, τα σύννεφα φεύγουν και ο ύπνος είναι ελαφρύς. Στο νησί υπάρχει σχολείο και βιβλιοπωλείο. Δεν υπάρχει όμως νοσοκομείο.

114 Λεξιλόγιο

ο γιος	son	το δέντρο	tree
ο άλλος	the other	το λουλούδι	flower
ο γιατρός	doctor	το τριαντάφυλλο	rose
ο έμπορος	merchant	το αρνί	lamb
ο τρίτος	the third (m.)	το μικρό	small (neut.), little
ο καλόγερος	monk	το καράβι	ship, boat
έγινε	became (he)	το πανί	cloth, sail, linen, fabric
ο ταχυδρόμος	postman	το τυρί	cheese
ο πρόεδρος	president	το αβγό	egg
το χωριό	village	το βούτυρο	butter
πού;	where?	το σύκο	fig
πηγαίνει	goes	το αμύγδαλο	almond
το νησί	island	το λάχανο	cabbage
τα λάχανα (λαχανικά)	greens, vegetables	το σέλινο	celery
το καράβι	boat, ship	το ροδάκινο	peach
ο κάμπος	plain, field	το αλεύρι	flour
ο φάρος	lighthouse	το ψωμί	bread
πότε;	when	το νερό	water
ο σεισμός	earthquake	ο ήλιος	sun

το ωραίο	beautiful	ο ανθόκηπος	flower garden
το σύννεφο	cloud	ο ύπνος	sleep
ο λαχανόκηπος	vegetable garden, kitchen garden	ο ελαφρύς	light (m.)
		το βιβλιοπωλείο	bookshop, bookstore
η εξοχή	country	πολλά	many (pl.neut.)
ο θόρυβος	noise	το νοσοκομείο	hospital
όμως	but, though, however	το φυτό	plant
το πουλί	bird	το αηδόνι	nightingale

115 Useful expressions.

ο ένας _ _ _ _ _ ο άλλος	the one _ _ _ _ _ the other
ήθελε να γίνει	wanted to become
αλλά τελικά	but finally
πηγαίνει με καράβι	he goes by boat
υπάρχει	there is
υπάρχουν	there are
πιο πέρα	farther are
εκεί κοντά	near there
μετά τον πόλεμο	after the war
κτίσανε	they built
γύρω-γύρω	all around
ζει κανείς	one lives
μακριά από	away from
τρώνε	they eat
ψωμί καμωμένο από	bread made of

ο ήλιος λάμπει	the sun shines
ο άνεμος φυσά	the wind blows
όλη τη μέρα	all day long
τα σύννεφα φεύγουν	the clouds go away
ο ύπνος είναι ελαφρύς	sleep is light
δεν υπάρχει όμως	but there is not

116 *Answer the questions.*

1. Έχετε έναν αδελφό και μια αδελφή;
2. Πόσους γιους έχει ο αδελφός σας;
3. Τι είναι οι γιοι του αδελφού σας;
4. Ποιος ήθελε να γίνει καλόγερος;
5. Τι έγινε τελικά;

6. Πού πηγαίνει η οικογένεια το καλοκαίρι;
7. Με τι πηγαίνει η οικογένεια στο νησί;
8. Πού είναι ο πύργος;
9. Τι είναι πιο πέρα;
10. Πού κτίσανε το ωραίο σπίτι;

11. Πότε κτίσανε το ωραίο σπίτι;
12. Τι έχει το σπίτι γύρω-γύρω;
13. Πού ζει κανείς μακριά από το θόρυβο;
14. Τι υπάρχουν κοντά στο σπίτι στην εξοχή;
15. Τι ζώα έχει η οικογένεια στο σπίτι στην εξοχή;

16. Έχει η οικογένεια ένα μικρό καράβι με πανιά;
17. Τι τρώνε καμωμένο από αλεύρι, νερό και αλάτι του νησιού;
18. Τρώνε τυρί, βούτυρο και αβγά;
19. Τρώνε ροδάκινα και σύκα;
20. Τι κάνουν ο ήλιος και ο άνεμος στο νησί;

21. Τι κάνουν τα σύννεφα;
22. Τι είναι ο ύπνος στο νησί;
23. Υπάρχει νοσοκομείο στο νησί;
24. Υπάρχει σχολείο και βιβλιοπωλείο;
25. Είναι ο τρίτος γιος πρόεδρος του χωριού;

117 *Translate into Greek.*

1. The one son became a merchant and the other a physican.
2. The third son wanted to become a monk.
3. He finally became the postman and the president of the community.
4. During the summer the family goes by boat to the island.
5. They built there a beautiful house after the war and earthquakes.

6. There is a flower and a kitchen garden all around the house.
7. In the country one lives without noise.
8. There are many birds, animals and there are trees planted near the house.
9. There is a horse, a dog and a lamb.
10. They eat cheese, butter, eggs and vegetables.

11. They eat bread made of flour, water and salt of the island.
12. The sun shines all day long.
13. The wind blows and the clouds go away.
14. Sleep is light on the island.
15. There is a school and a bookstore on the island, but there is no a hospital.

118 *Put the words in the right order.*

π.χ. ο πύργος;
πού
ο
είναι

Πού είναι ο πύργος;

1. τρίτος
να
γιος
ο
καλόγερος
ήθελε
γίνει

2. έγινε
και
του
τελικά
ταχυδρόμος
πρόεδρος
χωριού

3. οικογένεια
το καλοκαίρι
νησί
στο
πηγαίνει
με
το πλοίο

4. τον
νησιού
πύργος
κάμπο
ένας
του
υπάρχει
στο

5. στο
τον
πέρα
ένας
υπάρχει
πιο
φάρος
κάμπο

6. τους σεισμούς
τον πόλεμο
μετά
και
κτίσανε
ένα
ωραίο
σπίτι

7. σπίτι
ανθόκηπο
λαχανόκηπο
γύρω
το
έχει
και
γύρω

8. στην
εξοχή
ζει
από
μακριά
το
θόρυβο
κανείς

9. πολλά
πουλιά
ζώα
και
φυτά
δέντρα
λουλούδια
υπάρχουν

10. είναι
το ψωμί
από
νερό
αλάτι
και
αλεύρι
καμωμένο

11. ο ήλιος
όλη
την
ημέρα
στο
το
νησί
λάμπει

12. στο
φυσά
τα
σύννεφα
φεύγουν
νησί
και
ο άνεμος

119 More about nouns.

A. Masculine nouns that end in -ος.
B. Feminine nouns that end in -ος.
C. Neuter nouns that end in -ο or -ι.

A. 1. ο αδελφός
2. ο φάρος
3. ο άνθρωπος

B. 4. η οδός
5. η είσοδος

C. 6. το νερό
7. το δέντρο
8. το σύννεφο
9. το νησί
10. το καλοκαίρι

1.	**Ενικός**	**Πληθυντικός**
ον.:	ο αδελφός	οι αδελφοί
γεν.:	του αδελφού	των αδελφών
αιτ.:	τον αδελφό	τους αδελφούς

N.B. According to ο αδελφός you may inflect the nouns: ο γιατρός, ο γιος, ο σεισμός as well as ο θεός (god), ο κυνηγός (hunter), ο λαός (people), ο λογαριασμός (account, bill), ο ουρανός (sky) etc.

2.	
ο φάρος	οι φάροι
του φάρου	των φάρων
το φάρο	τους φάρους

N.B. To this group you may add the nouns: ο κάμπος, ο πύργος, ο ταχυδρόμος, ο ύπνος, ο θρόνος, ο γέρος (old man), ο στόλος (fleet), ο ώμος (shoulder), ο Άγγλος (Englishman), ο Γάλλος (Frenchman), ο κήπος (garden), ο δρόμος (street) etc.

3.	
ο άνθρωπος	οι άνθρωποι
του ανθρώπου	των ανθρώπων
τον άνθρωπο	τους ανθρώπους

N.B. According to ο άνθρωπος you may inflect the nouns: ο ήλιος, ο άνεμος, ο έμπορος, ο θόρυβος, ο πόλεμος, ο πρόεδρος as well as: ο απόστολος (apostle), ο δήμαρχος (mayor), ο διάβολος (devil), ο διάδρομος (corridor), ο θάνατος (death), ο κάτοικος (inhabitant, resident), ο κίνδυνος (risk, danger), ο ανθόκηπος, ο λαχανόκηπος, ο καλόγερος, ο ανήφορος (ascent, steep), ο αυλόγυρος (the wall of a courtyard), ο κατήφορος (slope, declivity), ο άγγελος (angel) etc.

4. η οδός	οι οδοί
της οδού	των οδών
την οδό	τις οδούς

5. η είσοδος	οι είσοδοι
της εισόδου	των εισόδων
την είσοδο	τις εισόδους

N.B. According to η είσοδος you may inflect the nouns: η έξοδος (exit), ο οδός (avenue), η πρόοδος (progress), η νόσος (illness, disease), η νήσος (island), η ψήφος (vote), η άβυσσος (abyss), η περίμετρος (perimeter), η διάμετρος (diameter) etc.

6. το νερό	τα νερά
του νερού	των νερών
το νερό	τα νερά

N.B. The ονομαστική and αιτιατική cases of the neuter nouns are always the same : το νερό, το νερό, τα νερά, τα νερά.
To this group you may include the nouns : το βουνό, το αβγό, το φυτό, το φτερό (wing, feather), το νοικοκυριό (household) etc.

7. το δέντρο	τα δέντρα
του δέντρου	των δέντρων
το δέντρο	τα δέντρα

N.B. According to το δέντρο you may inflect the following nouns: το βιβλίο, το ζώο, το σύκο, το βιβλιοπωλείο, το σχολείο, το θρανίο, το νοσοκομείο, το πλοίο, το φύλλο (leaf), το πεύκο (pine-tree), το θηρίο (wild beast), το στοιχείο (element) etc.

8. το σύννεφο	τα σύννεφα
του σύννεφου	των σύννεφων
το σύννεφο	τα σύννεφα

N.B. To this group you may add the nouns : το τριαντάφυλλο, το θέατρο, το αμύγδαλο, το λάχανο, το ροδάκινο, το σέλινο, το άλογο, το βούτυρο, το σίδερο (iron), το δάχτυλο (finger), το παράπονο (complaint), το χαμόγελο (smile), το πρόσωπο (face) etc.

9. το νησί	τα νησιά
του νησιού	των νησιών
το νησί	τα νησιά

N.B. According to το νησί you may inflect the following nouns: το ψωμί, το τυρί, το σκυλί, το πουλί, το πανί, το αρνί, το παιδί (child), το αφτί (ear), το κλειδί (key), το ποτήρι (glass), το κερί (wax, candle), το κρασί (wine), το μαλλί (wool), το κορμί (body), το σφυρί (hammer).

10. το καλοκαίρι — τα καλοκαίρια
του καλοκαιριού — των καλοκαιριών
το καλοκαίρι — τα καλοκαίρια

In like manner you may inflect the following nouns : το αλάτι, το αλεύρι, το λουλούδι, το αηδόνι, το τραγούδι (song), η γέφυρα (bridge) , το χιόνι (snow), το χείλι (lip), το φρύδι (eyebrow), το ποτήρι (glass).

120 *Fill in the blanks by using the right case of each noun (of both forms of the language). Make the necessary changes.*

πχ. ο αδελφός
του αδελφού
τον αδελφό

1. ο σεισμός ---------
--------- ---------
--------- ---------

2. ο θεός ---------
--------- ---------
--------- ---------

3. ο λαός ---------
--------- ---------
--------- ---------

4. ο ύπνος ---------
--------- ---------
--------- ---------

5. ο στόλος ---------
--------- ---------
--------- ---------

6. ο δρόμος ---------
--------- ---------
--------- ---------

7. ο θόρυβος ---------
--------- ---------
--------- ---------

8. ο πόλεμος ---------
--------- ---------
--------- ---------

9. η οδός ---------
--------- ---------
--------- ---------

10. η λεωφόρος ---------
--------- ---------
--------- ---------

11. το φυτό ---------
--------- ---------
--------- ---------

12. το σχολείο ---------
--------- ---------
--------- ---------

13. το θέατρο ---------
--------- ---------
--------- ---------

14. το παιδί ---------
--------- ---------
--------- ---------

15. το κλειδί ___________
___________ ___________
___________ ___________

16. το κρασί ___________
___________ ___________
___________ ___________

17. το τραγούδι ___________
___________ ___________
___________ ___________

18. το χιόνι ___________
___________ ___________
___________ ___________

121 *Form the plural in the corresponding case.*

1. του γιατρού ___________
   του γιου ___________
   του λογαριασμού ___________
   του ουρανού ___________

2. του φάρου ___________
   του κάμπου ___________
   του θρόνου ___________
   του στόλου ___________

3. του κήπου ___________
   του δρόμου ___________
   του ανθρώπου ___________
   του ήλιου ___________

4. του δημάρχου ___________
   του διαβόλου ___________
   του θανάτου ___________
   του κατοίκου ___________

5. του αγγέλου ___________
   του αποστόλου ___________
   της εισόδου ___________
   της εξόδου ___________

6. της λεωφόρου ___________
   της νόσου ___________
   της νήσου ___________
   της ψήφου ___________

7. της οδού ___________
   του νερού ___________
   του αβγού ___________
   του φυτού ___________

8. του φτερού ___________
   του νοικοκυριού ___________
   του δέντρου ___________
   του ζώου ___________

9. του βιβλίου ___________
   του σχολείου ___________
   του πλοίου ___________
   του στοιχείου ___________

10. του αλόγου ___________
    του δακτύλου ___________
    του προσώπου ___________
    του θεάτρου ___________

11. του αρνιού ___________
    του αφτιού ___________
    του κεριού ___________
    του κρασιού ___________

12. του αλατιού ___________
    του λουλουδιού ___________
    του τραγουδιού ___________
    του γεφυριού ___________

122 *Form the plural in the corresponding case.*

1. Τον αδελφό, το γιατρό, το γιο, το σεισμό, το θεό, τον κυνηγό, το λαό, το λογαριασμό, τον ουρανό, το φάρο, τον κάμπο, τον πύργο, τον ταχυδρόμο, τον ύπνο, το θρόνο, το στόλο, τον ώμο, το δρόμο, τον άνθρωπο, τον άνεμο, τον έμπορο, το θόρυβο, τον πόλεμο, τον πρόεδρο, το δήμαρχο, τον απόστολο, το διάβολο, το διάδρομο, το θάνατο, τον κάτοικο, τον κίνδυνο, τον καλόγερο.

2. Τον ανθόκηπο, το λαχανόκηπο, τον ανήφορο, τον αυλόγυρο, τον κατήφορο, τον άγγελο, την είσοδο, την έξοδο, τη λεωφόρο, την πρόοδο, τη νόσο, την ψήφο, την άβυσσο, την οδό, το νερό, το αβγό, το φυτό, το φτερό, το νοικοκυριό, το δέντρο, το ζώο, το φύλλο, το τριαντάφυλλο, το άλογο, το βούτυρο, το δάχτυλο, το παράπονο, το πρόσωπο.

3. Το νησί, το ψωμί, το τυρί, το σκυλί, το πουλί, το πανί, το αρνί, το παιδί, το αφτί, το κλαδί, το γυαλί, το κερί, το κρασί, το μαλλί, το κορμί, το σφυρί, το καλοκαίρι, το αλάτι, το αλεύρι, το λουλούδι, το αηδόνι, το τραγούδι, το γεφύρι, το χιόνι, το χείλι, το φρύδι, το ποτήρι.

UNIT 14

123 Διάλογοι

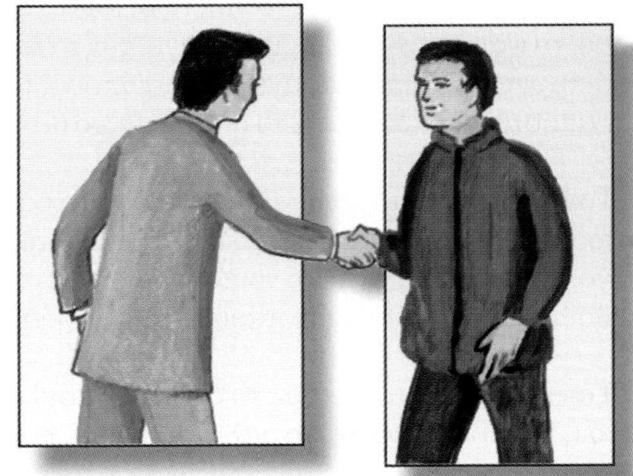

1. Καλημέρα σας.
   Καλημέρα σας.
   Τι γίνεστε; Είστε καλά;
   Είμαι πολύ καλά. Ευχαριστώ.
   Εσείς, πώς είστε;
   Θαυμάσια. Ευχαριστώ.

2. Πόσο του μηνός έχουμε σήμερα;
   (Πόσο έχει ο μήνας σήμερα;)
   Σήμερα έχουμε τρεις του μηνός.
   Χθες είχαμε δύο του μηνός, και προχθές πρώτη του μηνός.
   Πρώτη του μηνός, δύο του μηνός, τρεις του μηνός, τέσσερις του μηνός, πέντε του μηνός, ..., είκοσι του μηνός, τριάντα του μηνός.

3. Τι μέρα έχουμε σήμερα;
   Σήμερα έχουμε Σάββατο, τρεις του μηνός.
   Χθες είχαμε Παρασκευή, δύο του μηνός και προχθές Πέμπτη, πρώτη του μηνός.
   Η εβδομάδα έχει επτά ημέρες. Η πρώτη ημέρα της εβδομάδας είναι η Κυριακή. Η δεύτερη ημέρα είναι η Δευτέρα. Η τρίτη ημέρα είναι η Τρίτη. Η τέταρτη ημέρα είναι η Τετάρτη.

4. Το έτος, ο χρόνος, έχει τέσσερις εποχές και δώδεκα μήνες. Οι εποχές είναι ο χειμώνας, η άνοιξη, το καλοκαίρι και το φθινόπωρο. Κάθε εποχή έχει τρεις μήνες. Οι μήνες είναι (ο) Ιανουάριος, Φεβρουάριος, Μάρτιος, Απρίλιος, Μάιος, Ιούνιος, Ιούλιος, Αύγουστος, Σεπτέμβριος, Οκτώβριος, Νοέμβριος και Δεκέμβριος.

5. Χθες ήταν Κυριακή. Τι μέρα είναι σήμερα; Σήμερα είναι Δευτέρα. Χθες ήμουν στην εκκλησία. Σήμερα είμαι στην εργασία. Χθες ήσουν στην εξοχή. Σήμερα είσαι στο σχολείο. Ο Γιώργος χθες ήταν στο νησί. Σήμερα είναι εδώ. Χθες ήμασταν στην εκκλησία. Εσείς ήσασταν στην εξοχή. Αυτοί ήταν στο νησί.

6. Χθες είχα μια συνάντηση. Δεν είχα εργασία. Ήταν Κυριακή. Είχες εσύ εργασία; Όχι. Ο Γιώργος όμως είχε. Η Μαρία δεν είχε. Πέρυσι είχαμε αυτοκίνητο. Φέτος δεν έχουμε. Εσείς είχατε αυτοκίνητο; Βέβαια είχαμε. Το έχουμε ακόμα. Αυτοί έχουν αυτοκίνητο. Πέρυσι δεν είχαν.

124 The past forms of the auxiliary verbs έχω and είμαι.

Ο Παρατατικός του έχω και είμαι. (see more about the past forms in section 494.)

εγώ είχα	I had	εγώ ήμουν	I was
εσύ είχες	you had	εσύ ήσουν	you were
αυτός είχε	he had	αυτός ήταν	he was
αυτή είχε	she had	αυτή ήταν	she was
αυτό είχε	it had	αυτό ήταν	it was
εμείς είχαμε	we had	εμείς ήμασταν	we were
εσείς είχατε	you had	εσείς ήσασταν	you were
αυτοί είχαν	they had	αυτοί ήταν	they were
αυτές είχαν	they had	αυτές ήταν	they were
αυτά είχαν	they had	αυτά ήταν	they were

Σημείωση : Εγώ είχα. Είχα.
Ερώτηση : Είχα εγώ; Είχα;
Απάντηση : Εγώ δεν είχα. Δεν είχα.
Αρνητική ερώτηση : Εγώ δεν είχα; Δεν είχα;

125 Λεξιλόγιο

καλημέρα	good morning	το έτος	year
πώς;	how?	η εποχή	season
θαυμάσια	fine (adv.)	η άνοιξη	spring
του μηνός	of the month	το φθινόπωρο	autumn, fall
σήμερα	today	ο Ιανουάριος	January
χθες	yesterday	ο Φεβρουάριος	Febuary
ο πρώτος	first (m.)	ο Μάρτιος	March
η πρώτη	first (f.)	ο Ιούνιος	June
το πρώτο	first (n.)	ο Ιούλιος	July
προχθές	the day before yesterday	ο Σεπτέμβριος	September
		ο Οκτώβριος	October
το Σάββατο	Saturday	ο Νοέμβριος	November
η Παρασκευή	Friday	η εκκλησία	church
η Πέμπτη	Thursday	η εργασία	work
η Δευτέρα	Monday	εδώ	here
η Τρίτη	Tuesday	πέρυσι	last year
η Τετάρτη	Wednesday	φέτος	this year
ο δεύτερος	second (m.)	ακόμη	still, yet
η δεύτερη	second (f.)	ακόμα	still, yet
το δεύτερο	second (n.)	η σημείωση	note
ο τρίτος	third (m.)	αρνητική	negative (adj. f.)
η τρίτη	third (f.)	το τρίτο	third (n.)

126 Useful expressions.

Καλημέρα σας.	Good morning to you.
Πώς είστε;	How are you?
Είστε καλά;	Are you well?
Πολύ καλά.	Very well.
Εσείς, πώς είστε;	(you) How are you?
Θαυμάσια. Ευχαριστώ.	Fine. Thank you
Πόσο έχει ο μήνας σήμερα;	What is the date today?
Πόσο του μηνός έχουμε σήμερα;	What is the date today?
Σήμερα έχουμε...	Today is the...
Τι μέρα είναι σήμερα;	What day is today?

127 *Answer the questions.*

1. Πόσο έχει ο μήνας σήμερα;
2. Τι κάνετε; Είστε καλά;
3. Εσείς πώς είστε;
4. Πόσο του μηνός είχαμε χθες;
5. Πόσες ημέρες έχει ο μήνας Μάιος;

6. Τι μέρα έχουμε σήμερα;
7. Πόσες ημέρες έχει η εβδομάδα;
8. Ποια είναι η πρώτη ημέρα της εβδομάδας;
9. Η Τετάρτη τι ημέρα της εβδομάδας είναι;
10. Πόσες εποχές έχει ο χρόνος;

11. Πόσους μήνες έχει ο χρόνος;
12. Πόσους μήνες έχει ο χειμώνας;
13. Ποιοι είναι οι μήνες της άνοιξης;
14. Ποιοι είναι οι μήνες του καλοκαιριού και ποιοι του φθινόπωρου;
15. Πού ήσασταν χθες το πρωί;

16. Ήσουν προχθές στην εκκλησία;
17. Είχατε πέρυσι αυτοκίνητο;
18. Είχες χθες εργασία;
19. Ήταν ο Γιώργος στο σχολείο χθες;
20. Είχαν χθες θαυμάσιο καιρό;

128 *Translate the above questions into English or into your mother tongue.*

129 ***a.*** *Write in Greek ten sentences of your own using the Παρατατικός tense of the verbs έχω, είμαι i.e. είχα, ήμουν.*

b. *Translate into Greek.*

How are you. Are you well? Very well. Thanks you. What is the date today? Today is Monday, the third of June.

UNIT 15

130 Στην κορυφή αυτού του βουνού υπάρχει ένα ηφαίστειο. Το ηφαίστειο έχει έναν κρατήρα με μεγάλο βάθος. Λόγω του ηφαιστείου εκεί κοντά δεν υπάρχουν δάση και άνθη την άνοιξη.

Είναι καλός ρήτορας, αλλά συμπεριφέρεται ως δικτάτορας. Έχει κακό χαρακτήρα. Είναι τρελός, νομίζει ότι είναι αυτοκράτορας και σωτήρας του έθνους.

Δεν είμαι καλά. Αισθάνομαι ένα βάρος στο πάνω μέρος του στήθους. Θα είμαι άρρωστος. Θα έχω πυρετό. Δεν έχω χρήματα για φάρμακα. Θα έχω αύριο. Αύριο θα είμαι καλά. Μεθαύριο θα είμαι στο γραφείο.

Πόσων χρόνων (ή ετών) είστε; Αύριο θα είμαι ακριβώς είκοσι πέντε. Θα έχω ηλικία είκοσι πέντε ετών. Ο Γιάννης πόσων ετών (χρόνων) είναι; Είναι δεκαπέντε ετών. Στις είκοσι Ιανουαρίου θα έχει γενέθλια. Θα είναι δεκαέξι ετών.
Γιατί έχει πυρετό; Διότι είναι άρρωστος. Γιατί θα είναι στην εκκλησία; Διότι είναι Κυριακή. Γιατί νομίζει ότι είναι αυτοκράτορας; Διότι είναι τρελός. Γιατί είναι τρελός; Είναι κληρονομικό. Και ο παππούς του ήταν τρελός.

131 Ο Μέλλοντας του είμαι και έχω.

(For more details check section 495.)

εγώ θα έχω	I will have	εγώ θα είμαι	I will be
εσύ θα έχεις	you will have	εσύ θα είσαι	you will be
αυτός θα έχει	he will have	αυτός θα είναι	he will be
αυτή θα έχει	she will have	αυτή θα είναι	she will be
αυτό θα έχει	it will have	αυτό θα είναι	it will be
εμείς θα έχουμε	we will have	εμείς θα είμαστε	we will be
εσείς θα έχετε	you will have	εσείς θα είσαστε	you will be
αυτοί θα έχουν	they will have	αυτοί θα είναι	they will be (m.)
αυτές θα έχουν	they will have	αυτές θα είναι	they will be (f.)
αυτά θα έχουν	they will have	αυτά θα είναι	they will be (n.)

Σημείωση: Εγώ θα έχω.
Ερώτηση : Εγώ θα έχω; Θα έχω;
Άρνηση : Εγώ δε θα έχω. Δε θα έχω.
Αρνητική ερώτηση : Εγώ δε θα έχω; Δε θα έχω;

132 Λεξιλόγιο

η κορυφή	top, summit	αισθάνομαι	to feel
το όρος	mountain	το βάρος	weight, heaviness
το ηφαίστειο	volcano	άνω	upper, above, over
ο κρατήρας	crater	το μέρος	place, part
μεγάλο	big, great (adj. n.)	το στήθος	chest, bosom, breast
το βάθος	depth	ο άρρωστος	sick, patient, ill (m.)
το δάσος	forest, wood	θα	shall, will
το άνθος	flower	θα είμαι	I shall be
ο ρήτορας	orator	θα έχω	I shall have
ο πυρετός	fever	μεθαύριο	the day after tomorrow
συμπεριφέρομαι	to behave	φάρμακο	medicine
δικτάτορας	dictator	αύριο	tomorrow
ο τρελός	crazy	γιατί	why?
νομίζω	to think	η ηλικία	age
ο αυτοκράτορας	emperor	τα γενέθλια	birthday
ο σωτήρας	saviour	κληρονομικό	hereditary (n.)
διότι	because	το έθνος	nation
ο παππούς	grandfather	το τείχος	wall (as a fortification)

133 Useful expressions.

αυτού του όρους	this mountain's
λόγω του	because of
συμπεριφέρομαι σαν	I behave as
νομίζει ότι είναι	he thinks that he is
δεν αισθάνομαι καλά	I don't feel well
πόσων χρόνων;	How old?
πόσων ετών;	How old?
θα έχω γενέθλια	I shall have my birthday.
είναι τα γενέθλιά μου	it is my birthday
είναι κληρονομικό	it is hereditary, it runs in the family
ο παππούς του	his grandfather

134 More about nouns.

a. Masculine nouns that end in - ας
b. Neutral nouns that end in-ος

I. 1. ο ρήτορας
2. ο κρατήρας

II. 3. το έθνος

1. ο ρήτορας — οι ρήτορες
   του ρήτορα — των ρητόρων
   τον ρήτορα — τους ρήτορες

The nouns ο δικτάτορας and ο αυτοκράτορας are inflected in like manner (See section 76. a and b.)

2. ο κρατήρας — οι κρατήρες
   του κρατήρα — των κρατήρων
   τον κρατήρα — τους κρατήρες

The noun ο σωτήρας is inflected in like manner.

3. το έθνος — τα έθνη
   του έθνους — των εθνών
   το έθνος — τα έθνη

N.B. According to το έθνος you may inflect the nouns: το δάσος, το βάρος, το μέρος, το στήθος, το τείχος etc.

4. το όρος — τα όρη
   του όρους — των ορέων
   το όρος — τα όρη

N.B. The nouns το βάθος and το άνθος are inflected in like mannner.

135 *Answer the questions.*

1. Τι υπάρχει στην κορυφή αυτού του όρους;
2. Έχει το ηφαίστειο έναν κρατήρα;
3. Πόσο βάθος έχει ο κρατήρας;
4. Γιατί δεν υπάρχουν δάση εκεί κοντά;
5. Γιατί ο ρήτορας συμπεριφέρεται ως δικτάτορας;

6. Γιατί νομίζει ότι είναι αυτοκράτορας;
7. Τι νομίζει ότι είναι;
8. Δεν είστε καλά; Τι αισθάνεστε;
9. Πού αισθάνεστε το βάρος;
10. Γιατί θα έχετε πυρετό;

11. Πότε θα έχετε χρήματα για τα φάρμακα;
12. Θα είστε καλά αύριο;
13. Θα είναι μεθαύριο στο γραφείο;
14. Πόσων χρόνων θα είναι η Μαρία αύριο;
15. Τι ηλικία θα έχει η Μαρία αύριο;

16. Πότε θα είναι δεκαέξι ετών ο Γιάννης;
17. Πότε θα έχει γενέθλια η Άννα;
18. Γιατί δε θα είστε στο γραφείο αύριο;
19. Γιατί νομίζει ότι είναι ο σωτήρας του έθνους;
20. Τι ήταν ο παππούς του;

136 *Translate into Greek.*

1. There is a volcano on the top of that mountain
2. The crater of the volcano is of great depth.
3. Because of the volcano there are no forests around there.
4. He behaves as a dictator.
5. He thinks that he is an emperor.

6. Why does he think that he is a saviour of the nation?
7. I don't feel well.
8. How old will Ann be tomorrow?
9. I shall have money for the medicine tomorrow.
10. I shall be thirty one on the twenty first of June.

11. Why will they be at the church tomorrow?
12. He is crazy. It runs in the family.
13. His grandfather was crazy.
14. I shall not be sick tomorrow. I will be well.
15. She feels something at the upper part of her chest.

137 *Put the words in the right order.*

π.χ. είστε
χρόνων
πόσων

Πόσων χρόνων είστε;

1. γιατί
τρελή;
είναι

2. είναι
γιατί
κληρονομικό;

3. άρρωστος;
είναι
γιατί

4. νομίζει
είναι
σωτήρας
έθνους
του
και
αυτοκράτορας
ότι

5. Αισθάνομαι
βάρος
ένα
στήθους
του
μέρος
στο
άνω

6. θα
μεθαύριο
στο
γραφείο
είμαι

7. Αύριο
είμαι
πέντε
ετών
είκοσι
ακριβώς
θα

8. θα
γενέθλια
είκοσι
Ιανουαρίου
στις
έχει

9. Γιατί
είναι
στην
αύριο;
εκκλησία
θα

10. στην
αυτού
ένα
υπάρχει
όρους
κορυφή
του
ηφαίστειο

11. έχει
κρατήρα
βάθος
μεγάλο
με
το
έναν
ηφαίστειο

12. καλός
αλλά
ως
δικτάκτορας
συμπεριφέρεται
ρήτορας
είναι

138 *Fill in the blanks by using the right case of each noun.*

π.χ. ο ρήτορας
του ρήτορα
το ρήτορα

1. ο δικτάτορας | οι δικτάτορες

__________ | __________

__________ | __________

2. ο αυτοκράτορας | οι αυτοκράτορες

__________ | __________

__________ | __________

3. ο κρατήρας | οι κρατήρες

__________ | __________

__________ | __________

4. ο σωτήρας | οι σωτήρες

__________ | __________

__________ | __________

5. το δάσος	τα δάση	6. το βάρος	τα βάρη
__________	__________	__________	__________
__________	__________	__________	__________
7. το στήθος	τα ________	8. το τείχος	τα ________
__________	__________	__________	__________
__________	__________	__________	__________
9. το βάθος	τα ________	10. το άνθος	τα ________
__________	__________	__________	__________
__________	__________	__________	__________

UNIT 16

139 Γράφω και διαβάζω κάθε μέρα. Δε διαβάζω μόνο βιβλία και εφημερίδες. Η αδελφή μου η Μαρία επίσης γράφει και διαβάζει κάθε μέρα.
Εγώ είμαι φοιτητής. Αυτή είναι φοιτήτρια. Εγώ πηγαίνω στο Κολέγιο με το λεωφορείο. Η Μαρία πηγαίνει στο Πανεπιστήμιο με το τρένο. Ο πατέρας πηγαίνει στην εργασία του με το αυτοκίνητό του. Οδηγεί καθημερινώς τριάντα χιλιόμετρα. Η μητέρα δεν οδηγεί. Πηγαίνει εδώ κοντά για ψώνια με τα πόδια. Την Κυριακή δε διαβάζουμε, δε γράφουμε. Πηγαίνουμε όλοι μαζί στην εξοχή. Αγαπούμε τον καθαρό αέρα.

Εγώ αγαπώ το Κολέγιο. Ο πατέρας αγαπά την εργασία. Δεν αργούμε ποτέ το πρωί. Η Μαρία όμως αργεί καμιά φορά.
Εσείς οδηγείτε;
Όχι προς το παρόν. Δεν οδηγώ. Αποτελώ σαφώς εξαίρεση του κανόνα. Οι εφημερίδες γράφουν καθημερινώς για τόσα και τόσα ατυχήματα. Οι γείτονές μας τις προάλλες είχαν ένα σοβαρό ατύχημα.

Κατά τη διάρκεια του χειμώνα η οδήγηση είναι επικίνδυνη εξαιτίας του χιονιού. Το συμφέρον επιβάλλει σύνεση. Οι ελαιώνες και οι πευκώνες, δεξιά και αριστερά της εθνικής οδού και σε μεγάλη ακτίνα, είναι γεμάτοι από κατεστραμμένα αυτοκίνητα.

140 Λεξιλόγιο

γράφω	to write	ο κανόνας	rule
μόνο	only	το ατύχημα	accident
ο φοιτητής	student	ο γείτονας	neighbour
το Κολέγιο	college	μας	our
πηγαίνω	to go	το σοβαρό	serious
με	with, by, in, though	κατά	during
το τρένο	train	η διάρκεια	duration
σε	to, in, into, at, about towards	ο χειμώνας	winter
		το συμφέρον	interest
του	his	επιβάλλω	to impose, to inflict
οδηγώ	to drive	επίσης	also,too
καθημερινώς	every day	το χιόνι	snow
για	for, by, of	αγαπώ	to love

τα ψώνια	provisions, shopping	το πόδι	foot
μαζί	together	ελαιώνας	olive grove
η σύνεση	prudence	πευκώνας	pine-tree grove
ο καθαρός	neat, clean, clear	δεξιά	on (to) the right
	pure	αριστερά	on (to) the left
ο αέρας	air	καμιά	nobody, somebody (f.)
αργώ	to be late	η εθνική	national (f.)
η ακτίνα	ray, radius	ο γεμάτος	full (m.)
το παρόν	the present	κατεστραμμένο	smashed, destroyed,
αποτελώ	to form,to constitute		damaged
ασφαλώς	certainly	η εξαίρεση	exception

141 Useful expressions.

με το λεωφορείο	by bus
με το τρένο	by train
με το αυτοκίνητο	by car
εδώ κοντά	near by
πηγαίνω για ψώνια	I go shopping
με τα πόδια	on foot
όλοι μαζί	all together
αργώ σε κάτι	I am late for
καθαρός αέρας	fresh air
μερικές φορές	some times
προς το παρόν	for the time being
είμαι η εξαίρεση	I am the exception
για τόσα και τόσα	about so many
τις προάλλες	a few days ago,the other day
κατά τη διάρκεια (+ γενική)	during the

142 The verb

The indicative Mood - Η οριστική έγκλιση

Mood (έγκλιση) is the from of the verb expresses the speaker's attitude. (See section 491). The indicative mood is used when the action or state expressed is considered a fact.

Active Verbs in - ω

The present tense (About the present tense see section 493.)

a. In the inflection of a verb the stem (το θέμα) is very important. e.g. γράφω I write, γράφ-ω, γράφ = the stem, -ω = the ending. The ending changes according to the person.

γράφ-ω	γράφ-ουμε
γράφ-εις	γράφ-ετε
γράφ-ει	γράφ-ουν

b. Contracted Verbs

To this category belong all verbs which bear the accent on ώ, in the first person singular in the present tense. The contracted verbs (συνηρημένα ρήματα) are divided into two groups. You may see the difference in the second singular.

π.χ. αγαπώ, αγαπάς
οδηγώ, οδηγείς

First group: αγαπώ I love (αγαπά-ω). The letter a of stem " blends" with the ending ώ.
So ά+ω = ώ, ά+εις = άς, ά+ει = ά, α+ομε = ούμε, ά+ετε = άτε, ά+ουν = ούν.

αγαπώ	αγαπούμε ή αγαπάμε
αγαπάς	αγαπάτε
αγαπά ή αγαπάει	αγαπούν ή αγαπάν(ε)

Second group: οδηγώ I drive (οδηγέ-ω). The letter ε of the stem, "blends" with the ending ω.
So έ+ώ = ώ, έ+εις=είς, έ+ει=εί, έ+ομε=ούμε, έ+ετε=είτε, έ+ουν =ούν.

οδηγώ	οδηγούμε
οδηγείς	οδηγείτε
οδηγεί	οδηγούν

c.	**Ερώτηση**	**Άρνηση**	**Αρνητική Ερώτηση**
γράφω	γράφω;	δε γράφω	δε γράφω;
αγαπώ	αγαπώ;	δεν αγαπώ	δεν αγαπώ;
οδηγώ	οδηγώ;	δεν οδηγώ	δεν οδηγώ;

143 More about nouns (Review).

1. **Masculine** nouns that end in -ώνας π.χ. ο χειμώνας, ο γείτονας. We have already discussed about them in section 76 a and b as well as in section 77.

ο χειμώνας	οι χειμώνες
του χειμώνα	των χειμώνων
το χειμώνα	τους χειμώνες

N.B. The nouns ο αγώνας, ο κανόνας, ο ελαιώνας, ο πευκώνας are inflected in like manner.

ο γείτονας	οι γείτονες
του γείτονα	των γειτόνων
το γείτονα	τους γείτονες

2. Feminine nouns that end in -όνα, π.χ. η εικόνα (More about them in section 108 § 9).

η εικόνα	οι εικόνες
της εικόνας	των εικόνων
την εικόνα	τις εικόνες

3. Feminine nouns that end in - ίδα, π.χ. η εφημερίδα. (More about them in section 108 § 9).

N.B. The noun η ακτίνα is infleced in like manner.

4. Neutral nouns that end in - ον.

π.χ.	το συμφέρον	τα συμφέροντα
	του συμφέροντος	των συμφερόντων
	το συμφέρον	τα συμφέροντα

144 *Answer the questions.*

1. Τι κάνω κάθε μέρα;
2. Διαβάζω μόνο βιβλία;
3. Τι κάνει η αδελφή μου η Μαρία κάθε μέρα;
4. Τι είμαι εγώ; Τι είναι αυτή;
5. Πού πηγαίνω εγώ κάθε μέρα;

6. Πώς πηγαίνω εγώ στο Κολέγιο;
7. Πώς πηγαίνει η Μαρία στο Πανεπιστήμιο;
8. Πού πηγαίνει ο πατέρας με το αυτοκίνητό του;
9. Πόσα χιλιόμετρα οδηγεί καθημερινώς;
10. Οδηγεί η μητέρα;

11. Πού πηγαίνει με τα πόδια;
12. Τι δεν κάνουμε την Κυριακή;
13. Πού πηγαίνουμε όλοι μαζί την Κυριακή;
14. Γιατί πηγαίνουμε στην εξοχή;
15. Αργείτε καμιά φορά το πρωί;

16. Γιατί δεν οδηγείτε αυτοκίνητο;
17. Αποτελείτε εξαίρεση του κανόνα;
18. Τι γράφουν οι εφημερίδες καθημερινώς;
19. Τι είχαν οι γείτονές μας τις προάλλες;
20. Γιατί είναι η οδήγηση επικίνδυνη το χειμώνα;

21. Το συμφέρον τι επιβάλλει;
22. Πού είναι οι ελαιώνες και οι πευκώνες;
23. Με τι είναι γεμάτοι οι ελαιώνες και οι πευκώνες;
24. Πού είναι τα κατεστραμμένα αυτοκίνητα;
25. Γιατί είναι κατεστραμμένα τα αυτοκίνητα;

145 *Translate into Greek.*

1. I don't read only books, I also read newspapers.
2. My sister Mary read and writes too every day.
3. I am a student. I attend a College.
4. Mary is a student too. She attends the University.
5. Father goes to his work every day by car.

6. He drives thirty kilometres each day.
7. Mother does not drive.
8. She goes shopping on foot.
9. On Sunday we go all together out in the country.
10. We love fresh air.

11. Mary's father loves his work.
12. My father and I are never late in the morning.
13. For the time being my mother does not drive.
14. The other day our neighbours had a very serious accident.
15. During winter driving is dangerous.

146 *Arrange words in the right order.*

1. τη
   του
   οδήγηση
   κατά
   είναι
   χειμώνα
   διάρκεια
   η
   επικίνδυνα

2. εφημερίδες
   καθημερινώς
   οι
   τόσα
   γράφουν
   για
   τα
   ατυχήματα

3. η
   πηγαίνει
   εδώ
   για
   με
   τα
   πόδια
   ψώνια
   κοντά
   μητέρα

4. διαβάζω
   και
   δεν
   μόνο
   βιβλία
   εφημερίδες
   αλλά

5. η
   Μαρία
   στο
   Πανεπιστήμιο
   πηγαίνει
   τρένο
   με το

6. ο
   οδηγεί
   χιλιόμετρα
   τριάντα
   καθημερινώς
   πατέρας

7. δεν
το
αλλά
τρένο
το
με
λεωφορείο
πηγαίνουμε
με

8. το
δεν
ποτέ
στην
μου
εργασία
αργώ
πρωί

9. οι
είναι
από
αυτοκίνητα
κατεστραμμένα
γεμάτοι
ελαιώνες

147 *Fill in the blanks by using the right case of each noun.*

1. ον. : ο χειμώνας — οι __________
   γεν. : του __________ — των __________
   αιτ. : το __________ — τους __________

2. ο γείτονας — __________
   __________ — __________
   __________ — __________

3. η εικόνα — __________
   __________ — __________
   __________ — __________

4. η εφημερίδα — __________
   __________ — __________
   __________ — __________

5. το συμφέρον — τα__________
   __________ — __________
   __________ — __________

6. το παρόν — τα __________
   __________ — __________
   __________ — __________

UNIT 17

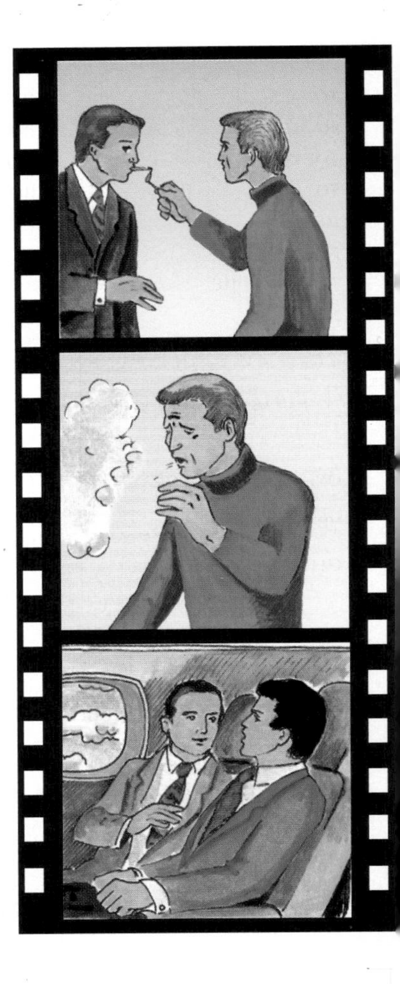

148 Ένας κύριος με πλησιάζει και μου λέει:

Καπνίζετε;
Όχι, δεν καπνίζω.
Έχετε φωτιά;
Βεβαίως, έχω.
Ανάβω ένα σπίρτο και του δίνω φωτιά. Το σπίρτο βγάζει μια δυνατή φλόγα. Ο καπνός δεν ενοχλεί τον καπνιστή. Πειράζει όμως εμένα. Με πιάνει βήχας.

Ο τυπογράφος, ο ψαράς, ο σκαφτιάς, ο κουρέας, ο γιατρός, ο μάγειρας, ο κτίστης είναι άνθρωποι οι οποίοι (που) κοπιάζουν και βγάζουν το ψωμί τους.
Τι κάνει ο καθένας απ' αυτούς;
Ο τυπογράφος τυπώνει βιβλία, περιοδικά και εφημερίδες. Ο ψαράς ψαρεύει. Πιάνει ψάρια και ζει. Ο σκαφτιάς σκάβει. Ο κουρέας κουρεύει και χτενίζει. Ο γιατρός θεραπεύει ανθρώπους. Ομάγειρας μαγειρεύει φαγητά. Ο κτίστης κτίζει σπίτια. Ο τζόκεϊ είναι ιππέας, ιππεύει άλογα στον ιππόδρομο.

Ταξιδεύετε συχνά;
Τι επάγγελμα έχετε; Είστε μεταφορέας; Όχι, δεν είμαι. Είμαι εισαγωγέας. Πηγαίνω στο εξωτερικό. Μαθαίνω πού υπάρχουν ωραία πράγματα. Λογαριάζω τις τιμές και φέρνω πράγματα στην Ελλάδα, στον Πειραιά. Κερδίζω αρκετά χρήματα για να ζω καλά.

149 Λεξιλόγιο

πλησιάζω	to approach, to get closer
λέω	to tell,say
καπνίζω	to smoke
η φωτιά	fire
ανάβω	to light up
δίνω	to give
βγάζω	to emit, to give off (out)
η δυνατή	strong (fem.)
η φλόγα	flame
καπνός	smoke, tobacco
ενοχλώ	to bother, to annoy
πειράζω	to disturb, to trouble

πιάνω	to catch
ο βήχας	cough
ο τυπογράφος	printer
ο σκαφτιάς	digger
ο κουρέας	barber
ο μάγειρας	cook
ο κτίστης	builder
οι οποίοι	who,which
που	who,which (as a pronoun)
πού	where
κοπιάζω	to take pains
τους	their
ο καθένας	each one, everyone
τυπώνω	to print
το περιοδικό	magazine
ψαρεύω	to fish
το ψάρι	fish
ζω	to live
σκάβω	to dig
κουρεύω	to shear, I cut hair
χτενίζω	to comb
θεραπεύω	to cure, I attend
μαγειρεύω	to cook
το φαγητό	meal, food
χτίζω	to build
ο τζόκεϊ	jockey
ο ιππέας	horseman, rider
ιππεύω	to ride on horseback
ιππόδρομος	horse races, hippodrome
ταξιδεύω	to travel
συχνά	often
το επάγγελμα	profession, business, trade, vocation
μεταφορέας	conveyor, transporter
εισαγωγέας	importer
το εξωτερικό	abroad
το πράγμα	thing
υπολογίζω	to calculate, to reckon, to estimate, to consider
φέρνω	to bring
ο Πειραιάς	Piraeus
μαθαίνω	to earn
αρκετά	enough (n.)
τρώω	to eat
ακούω	to hear

150 Useful expressions.

με πλησιάζει κάποιος	one comes near me, approaches me
μου λέει	he tells me
ανάβω σπίρτο	I strike a match
πειράζει όμως εμένα	but it bothers me
με πιάνει βήχας	I start coughing
βγάζω το ψωμί μου	I make a living
ο καθένας απ' αυτούς	each one of them
Τι επάγγελμα έχετε;	what is your profession?
κερδίζω αρκετά	I earn enough
για να	in order to

151 More about verbs.

A: 1. a: λέω — λέμε
λες — λέτε
λέει — λένε ή λεν

b: ακούω — ακούμε
ακούς — ακούμε
ακούει — ακούνε ή ακούν

c: τρώω — τρώμε
τρως — τρώτε
τρώει — τρώνε

2. The verb ανάβω :

ανάβω — ανάβουμε
ανάβεις — ανάβετε
ανάβω — ανάβουν

3. The verb ζω (ζά+ω=ζω) :

ζω — ζούμε
ζεις — ζείτε
ζει — ζουν

4. πλησιάζω — πλησιάζουμε
πλησιάζεις — πλησιάζετε
πλησιάζει — πλησιάζουν

5. καπνίζω — καπνίζουμε
καπνίζεις — καπνίζετε
καπνίζει — καπνίζουν

6. πηγαίνω — πηγαίνουμε
πηγαίνεις — πηγαίνετε
πηγαίνει — πηγαίνουν

7. τυπώνω — τυπώνουμε
τυπώνεις — τυπώνετε
τυπώνει — τυπώνουν

8. φέρνω — φέρνουμε
φέρνεις — φέρνετε
φέρνει — φέρνουν

9. κουρεύω — κουρεύουμε
κουρεύεις — κουρεύετε
κουρεύει — κουρεύουν

B:

	Ερώτηση	**Άρνηση**	**Αρνητική ερώτηση**
λέω	λέω;	δε λέω	δε λέω;
ακούω	ακούω;	δεν ακούω	δεν ακούω;
τρώω	τρώω;	δεν τρώω	δεν τρώω;
ανάβω	ανάβω;	δεν ανάβω	δεν ανάβω;
πλησιάζω	πλησιάζω;	δεν πλησιάζω	δεν πλησιάζω;
καπνίζω	καπνίζω;	δεν καπνίζω	δεν καπνίζω;
πηγαίνω	πηγαίνω;	δεν πηγαίνω	δεν πηγαίνω;
τυπώνω	τυπώνω;	δεν τυπώνω	δεν τυπώνω;
φέρνω	φέρνω;	δε φέρνω	δε φέρνω;
κουρεύω	κουρεύω;	δεν κουρεύω	δεν κουρεύω;
ζω	ζω;	δε ζω	δε ζω;

152 More about nouns. Review.

1. **Masculine** nouns that end in -ας, π.χ. ο βήχας, ο πίνακας (board, list), ο φύλακας (guardian, guard), ο κόλακας (flatterer), ο άρπαγας (usuper, plunderer).

2. **Masculine** nouns that end in -βας, π.χ. ο Άραβας (Arab)

3. **Feminine nouns** that end in -α, π.χ. η φλόγα, η σάρκα (flesh).

4. **Masculine** nouns that end in -έας, π.χ. ο εισαγωγέας, ο μεταφορέας, ο κουρέας, ο ιππέας, ο ιερέας (priest), ο φορέας (carrier), ο αλιέας (fisherman), ο εισαγγελέας (district attorney).

N.B. (See more in sections 76 and 77).

So we inflect

1. ο πίνακας	οι πίνακες
του πίνακα	των πινάκων
τον πίνακα	τους πίνακες
2. ο Άραβας	οι Άραβες
του Άραβα	των Αράβων
τον Άραβα	τους Άραβες
3. η φλόγα	οι φλόγες
της φλόγας	των φλογών
τη φλόγα	τις φλόγες
4. ο κουρέας	οι κουρείς
του κουρέα	των κουρέων
τον κουρέα	τους κουρείς

153 *Answer the questions.*

1. Τι μου λέει ο κύριος που με πλησιάζει;
2. Καπνίζετε;
3. Έχετε φωτιά;
4. Γιατί ανάβετε ένα σπίρτο;
5. Τι βγάζει το σπίρτο;

6. Τι κάνει ο καπνός στον καπνιστή;
7. Σας πειράζει ο καπνός;
8. Τι σας πιάνει; Γιατί;
9. Ποια επαγγέλματα ξέρετε;
10. Τι κάνει ο τυπογράφος;

11. Τι κάνει ο ψαράς;
12. Σκάβει ο κουρέας;
13. Τι κάνει ο γιατρός στους ανθρώπους;
14. Ποιος μαγειρεύει το φαγητό;
15. Τι κάνει ο τζόκεϊ στον ιππόδρομο;

16. Ταξιδεύετε συχνά;
17. Τι επάγγελμα έχετε;
18. Δεν είστε μεταφορέας;
19. Τι κάνει ο εισαγωγέας;
20. Κερδίζετε αρκετά χρήματα;

154 *Translate into Greek.*

1. A gentleman approaches me and tells me.
2. Do you smoke? Do you have fire?
3. Certainly I have.
4. I strike a match and I give him a fire.
5. The match gives off a flame.

6. Smoke does not bother the smoker.
7. But it bothers me. I start coughing.
8. Those are people who take pains in order to make a living.
9. What is each one doing?
10. The printer prints books and newspapers.

11. The fisherman fishes.
12. The barber cuts hair and combs them.
13. The physican cures the people.
14. The cook cooks meals.
15. What does a builder do?

16. I often travel. I am an importer.
17. I go abroad.
18. What do you do abroad?
19. I find beatiful things.
20. I earn enough money so that I can live well.

155 *Arrange words in the right word order.*

1. ένας
   με
   και
   λέει
   μου
   πλησιάζει
   κύριος

2. ανάβω
   σπίρτο
   του
   φωτιά
   δίνω
   και
   ένα

3. το
   βγάζει
   δυνατή
   φλόγα
   μια
   σπίρτο

4. ο
   δεν
   τον
   καπνιστή
   ενοχλεί
   καπνός

5. εμένα
   πάρα
   πειράζει
   πολύ
   όμως

6. με
   ένας
   βήχας
   δυνατός
   πιάνει

156 *Write your own sentences by using the Useful expressions of this unit.*

π.χ. Μη με πλησιάζετε, με πειράζει ο καπνός.

157 *Fill in the right person of the verbs.*

1. Ο τυπογράφος ___________ βιβλία και περιοδικά.
2. Ο κύριος με ___________ και μου ___________.
3. ___________ ένα σπίρτο και του ___________ φωτιά.
4. Το σπίρτο ___________ μια δυνατή φλόγα.
5. Ο καπνός δεν ___________ τον καπνιστή.
6. ___________ όμως εμένα πολύ.
7. Με ___________ δυνατός βήχας.
8. ___________ και ___________ το ψωμί τους.
9. Τι ___________ ο καθένας απ' αυτούς;
10. Ο κουρέας ___________ και ___________.

11. Βεβαίως ___________ συχνά.
12. Τι επάγγελμα ___________ ; ___________ μεταφορέας;
13. ___________ στο εξωτερικό. ___________ που ___________ ωραία πράγματα.
14. ___________ τις τιμές και ___________ τα πράγματα
15. Κερδίζει ___________ χρήματα για να ___________ καλά.

158 *Write your own sentences by using both forms of the nouns inflected in this unit.*

π.χ. Οι κουρείς δεν κερδίζουν αρκετά
Οι φλόγες ήταν μεγάλες.

159 *Write the accusative plural of the nouns in the demotic :*

ο Άραβας, η φλόγα, ο κουρέας, ο κόλακας, ο άρπαγας, ο βήχας, η σάρκα, ο ιππέας, ο ιερέας, ο μεταφορέας, ο εισαγγελέας.

160

Τι θέλετε;
Θέλω ένα νέο βιβλίο.
Τι σας αρέσει;
Μου αρέσουν τα μυθιστορήματα. Με ενδιαφέρει ένα βιβλίο με δράση.
Ξέρετε τον τίτλο του βιβλίου ή το όνομα του συγγραφέα;
Πώς τον λένε; Όχι, δεν ξέρω πως τον λένε. ΄Εχω ακούσει πολλά για το συγγραφέα. ΄Εχω διαβάσει τον τίτλο κάπου. ΄Εχω γράψει το όνομα. Νομίζω ότι το έχω φέρει μαζί μου. Για να δω. Τι κρίμα. ΄Εχω ξεχάσει το χαρτί. Πρέπει να το βρώ.

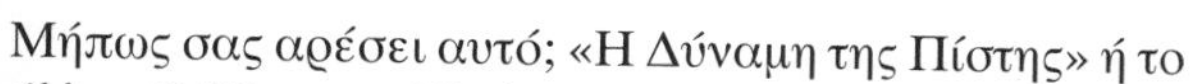

Μήπως σας αρέσει αυτό; «Η Δύναμη της Πίστης» ή το άλλο «Ο ΄Ηρωας»; Η κίνηση αυτών των βιβλίων είναι πολύ καλή. Οι πωλήσεις καθημερινά ανεβαίνουν.
Μπορώ να το έχω με έκπτωση;
Μπορείτε, αρκεί να πληρώσετε μετρητά.
Μπορεί κανείς να το αλλάξει αν δεν του αρέσει;
Βεβαίως, μπορεί. Η ισχύς της υποχρεώσεως αλλαγής είναι διάρκειας πέντε ημερών. ΄Εχω όμως την πεποίθηση ότι είναι πολύ καλό.

161 Λεξιλόγιο

θέλω	to want, to desire
το νέο	new (n).
αρέσω	to please, to satisfy (see in useful expressions)
το μυθιστόρημα	novel, fiction
η δράση	action
ξέρω	to know
ο τίτλος	title
το όνομα	name
ο συγγραφέας	author, writer
τον λένε	they call him
έχω ακούσει	to have heard
έχω διαβάσει	to have read
κάπου	somewhere
έχω γράψει	to have writen
έχω φέρει	to have brought
ξεχνώ	to forget
έχω ξεχάσει	to have forgotten
το χαρτί	paper
πρέπει	must, it is necessary

μήπως	to wonder if, perhaps, lest
η δύναμη	power, strength
η πίστη	belief, faith
το άλλο	the other one
ο ήρωας	hero
η κίνηση	motion, movement (here the selling)
αυτού	of this
πολύ	very, much
η πώληση	selling, sale
ανεβαίνω	to go up, to rise
μπορώ	I can, to be able, may
έκπτωση	reduction (in price)
αρκεί	it's enough
πληρώνω	to pay
τα μετρητά	cash
ο κανείς	one (m.)
η καμιά	one (f.)
αλλάζω	to change
η ισχύς	validity
η υποχρέωση	obligation
η αλλαγή	change
η πεποίθηση	confidence, assurance
ο τουρίστας	tourist (m.)
η τουρίστρια	tourist (f.)
πότε	ever?
το ψέμα	lie

162 Useful expressions.

Τι θέλετε;	What do you want?
Τι σας αρέσει;	What do you like?
Μου αρέσει	I like (one), I am fond of
Μου αρέσουν	I like (more than one)
Με ενδιαφέρει	I am interested in
Με ενδιαφέρει, ενδιαφέρομαι	I am interested in
Τι σας ενδιαφέρει;	What do you care about?
Πώς σας λένε;	How do you they call you?
Πώς σε λένε;	How do you they call you?
Με λένε=λέγομαι	They call me, my name is
Πώς τον λένε;	How do they call him?
Πώς τον λένε;	What is his name?
Τον λένε=λέγεται	They call him.
΄Εχω ακούσει πολλά για	I have heard many things about
Το έχω μαζί μου	I have it with me

Για να δώ	let me see
Τι κρίμα!	What a pity!
Πρέπει να το βρω	I must find it
Αρκεί να	It suffices that, it is enough that

163 More about verbs.

Besides the "present tense" the present is expressed also by the " present perfect tense". Ο παρακείμενος (the present perfect tense) represents an act as completed. The emphasis is on the fact that this moment the act is finished i.e. it is "perfect" (See setion 493).
Bear in mind that all perfect tenses are formed by the verb and the "active infinitive" of the main verb. More on this see section 247 where there also is a list of the most common verbs.

1. **ακούω =** I hear
   έχω ακούσει = I have heard

έχω ακούσει	έχουμε ακούσει
έχεις ακούσει	έχετε ακούσει
έχει ακούσει	έχουν ακούσει

2. **διαβάζω =** I read, I study
   έχω διαβάσει = I have read

έχω διαβάσει	έχουμε διαβάσει
έχεις διαβάσει	έχετε διαβάσει
έχει διαβάσει	έχουν διαβάσει

3. **γράφω =** I write
   έχω γράψει = I have written

έχω γράψει	έχουμε γράψει
έχεις γράψει	έχετε γράψει
έχει γράψει	έχουν γράψει

4. **φέρνω =** I bring
   έχω φέρει = I have brought

έχω φέρει	έχουμε φέρει
έχεις φέρει	έχετε φέρει
έχει φέρει	έχουν φέρει

5. **ξεχνώ =** I forget
   έχω ξεχάσει = I have forgotten

έχω ξεχάσει	έχουμε ξεχάσει
έχεις ξεχάσει	έχετε ξεχάσει
έχει ξεχάσει	έχουν ξεχάσει

6. **αγαπώ =** I love
   έχω αγαπήσει = I have loved

έχω αγαπήσει	έχουμε αγαπήσει
έχεις αγαπήσει	έχετε αγαπήσει
έχει αγαπήσει	έχουν αγαπήσει

7. **οδηγώ =** I drive
   έχω οδηγήσει = I have driven

έχω οδηγήσει	έχουμε οδηγήσει
έχεις οδηγήσει	έχετε οδηγήσει
έχει οδηγήσει	έχουν οδηγήσει

Be careful:

1. τρώω — I eat
   έχω φάει — I have eaten
2. λέω — I say
   έχω πει — I have said
3. πηγαίνω — I go
   έχω πάει — I have gone
4. ζω — I live
   έχω ζήσει — I have lived

164 Impersonal verbs with personal pronouns.

1.

με λένε	they call me	μας λένε	they call us
σε λένε	they call you	σας λένε	they call you
τον λένε	they call him	τους λένε	they call them
τη λένε	they call her	τις λένε	they call them
το λένε	they call it	τα λένε	they call them

π.χ. **α.** Με λένε Γιώργο. Σε λένε Μαρία. Τον λένε Γιάννη. Τη λένε Κική. Το λένε μολύβι. Μας λένε Έλληνες. Σας λένε τουρίστες. Τους λένε Άγγλους. Τις λένε τουρίστριες. Τα λένε μολύβια.

β. Πώς τον λένε; Δεν τον λένε Γιώργο. Δεν τη λένε Μαρία; Όχι, τη λένε Άννα.

2.

μου αρέσει	I like	μας αρέσει	we like
σου αρέσει	you like	σας αρέσει	you like
του αρέσει	he likes	τους αρέσει	they like
της αρέσει	she likes	τις αρέσει	they like
του αρέσει	it likes	τα αρέσει	they like

Σημείωση: **α.** Μου αρέσει κάτι — I like something
Μου αρέσει να κάνω κάτι — I like to do something
Μου αρέσουν — I like them

π.χ. Μου αρέσει το καλό φαγητό.
Μου αρέσει να διαβάζω.
Μου αρέσουν τα μυθιστορήματα.

β. Σας αρέσει;
Δε μου αρέσει.
Δε σας αρέσει;
Μου αρέσει.

3.

με ενδιαφέρει	I am interested (in)
σε ενδιαφέρει	you are interested
τον ενδιαφέρει	he is intersted
την ενδιαφέρει	she is interested
το ενδιαφέρει	it is interested
μας ενδιαφέρει	we are interested
σας ενδιαφέρει	you are interested
τους ενδιαφέρει	they are interested
τις ενδιαφέρει	they are interested
τα ενδιαφέρει	they are interested

Σημείωση: Σε ενδιαφέρει; — Are interested?
Δε με ενδιαφέρει. — I don't care
Δε σε ενδιαφέρει; — Don't you care?
Τι σε ενδιαφέρει; — What do you care about?

165 Special verbs.

Be careful when using one the following four special verbs.

1. **μπορώ**	I can , to be able to, I may
Μπορώ να τηλεφωνήσω;	May I make a telephone call?
Μπορείτε.	You may
Μπορώ να το κάνω.	I can do it
Μπορεί να μην έρθει.	He may not come
Μπορεί να μην πάει.	He may not go
Μπορεί να βρέξει.	It may rain
2. **θέλω**	I want, I desire
Τι θέλετε;	What do you want?
Θέλω το Γιώργο.	I want (I am looking for) George
Θέλω να τηλεφωνήσω.	I want to make a telephone call
Δε θέλω τίποτε.	I don't want anything
Πώς το θέλετε;	How do you want it?
3. **αρκεί**	It's enough, it suffices
Αρκεί, δε θέλω άλλο.	It's enough, I don't want any more
Αρκεί να έρθει.	Provided that he comes
Αρκεί να μη βρέξει.	Provided that it does not rain
4. **πρέπει**	It is necessary, I must
Πρέπει να είσαι προσεκτικός.	You must be careful
Πρέπει να το φας.	You must eat it
Δεν πρέπει να πας.	You must not go
Δεν πρέπει να το φας.	You must not eat it

166 More about nouns. Review.

Nouns of the third declension that end in -ς.

1. **Feminine** nouns that end in -η.

π.χ. η πίστη, η κίνηση, η δύναμη, η πώληση, η πεποίθηση, η υποχρέωση, η έκπτωση, η ζάχαρη κ.ά.

π.χ.

η πόλη	οι πόλεις
της πόλης	των πόλεων
την πόλη	τις πόλεις

2. **Masculine** nouns that end in -ης or -ας.

π.χ. **α.** ο πρύτανης (rector)

ο πρύτανης	οι πρυτάνεις
του πρύτανη	των πρυτάνεων
τον πρύτανη	τους πρυτάνεις

N.B. κύριε Πρύτανη κύριοι Πρυτάνεις

π.χ. **β.** ο ήρωας (hero)

ο ήρωας	οι ήρωες
του ήρωα	των ηρώων
τον ήρωα	τους ήρωες

3. **Neutral** nouns that end in -υ.

π.χ. το οξύ (acid)

το οξύ	τα οξέα
του οξέος	των οξέων
το οξύ	τα οξέα

167 *Answer the questions.*

1. Τι θέλετε;
2. Τι σας αρέσει;
3. Τι βιβλίο σάς ενδιαφέρει;
4. Ξέρετε τον τίτλο του βιβλίου;
5. Πώς τον λένε το συγγραφέα;

6. Έχετε ακούσει πολλά για το συγγραφέα;
7. Έχετε διαβάσει το βιβλίο αυτό;
8. Έχετε γράψει το όνομα κάπου;
9. Το έχετε φέρει μαζί σας;
10. Γιατί το έχετε ξεχάσει;

11. Μήπως σας αρέσει αυτό;
12. Είναι η κίνηση του βιβλίου καλή;
13. Ανεβαίνουν οι πωλήσεις καθημερινώς;
14. Μπορώ να το έχω με έκπτωση;
15. Μπορώ να το πληρώσω μετρητά;

16. Μπορεί κανείς να το αλλάξει αν δεν του αρέσει;
17. Πόσες μέρες είναι η ισχύς υποχρεώσεως αλλαγής;
18. Γιατί έχετε την πεποίθηση ότι είναι καλό;
19. Τι σας ενδιαφέρει, τι λένε οι άνθρωποι;
20. Δε σας ενδιαφέρει; Γιατί;

168 *Answer the questions.*

1. Δεν έχετε αγαπήσει ποτέ στη ζωή σας;
2. Έχετε οδηγήσει ποτέ αυτοκίνητο;
3. Δεν έχετε φάει ποτέ αυτό το φαγητό;
4. Δεν έχετε πει ποτέ ψέματα;
5. Έχετε πάει ποτέ στην Αθήνα;

6. Έχετε ζήσει στη εξοχή;
7. Δεν τη λένε Μαρία;
8. Πώς τους λένε;
9. Δε σας αρέσει το καλό βιβλίο;
10. Σας αρέσουν τα μυθιστορήματα;

11. Της αρέσει να διαβάζει;
12. Δε σας ενδιαφέρει; Γιατί;
13. Τι σε ενδιαφέρει;
14. Μπορώ να τηλεφωνήσω;
15. Μπορεί να μην έρθει;

16. Θέλετε να τηλεφωνήσετε;
17. Πρέπει να είμαι προσεκτικός;
18. Πρέπει να πάτε;
19. Δεν πρέπει να το φάω;
20. Δεν πρέπει να πάω;

169 *Translate into Greek.*

1. I have never heard that name.
2. He has never read this book.
3. She has never written this letter
4. We have brought them with us.
5. Why have you forgotten it?

6. She has eaten it.
7. I have said it.
8. They have gone there.
9. You have lived well.
10. How do they call him?

11. Do you like to read books?
12. I don't like to do it.
13. What do you care about?
14. I don't care about it.
15. May I telephone please?

16. He may not come tonight.
17. I can do it.
18. What do you want?
19. How do you want it?

20. It's enough. I don't want any more.
21. Provided that it does not rain.
22. You must be careful.
23. Must you go?
24. You must not do it.
25. I don't want anything.

170 *Form ten sentences by using the Useful expressions. of this unit:*

π.χ. Τι κρίμα. Δεν το έχω φέρει μαζί μου.

171 *Write sentences by using the present perfect tense of the the following verbs:*

ακούω, διαβάζω, γράφω, φέρνω, ξεχνώ, αγαπώ, οδηγώ, τρώω, λέω, πηγαίνω, ζω.

172 *Write sentences by using various combinations of the following impersonal and special verbs:*

μου λένε, μου αρέσει, με ενδιαφέρει, μπορώ, μπορεί, θέλω, αρκεί, πρέπει.

173 *Inflect the following nouns in both forms (if necessary):*

η πίστη, η κίνηση, η δύναμη, η ζάχαρη, η υποχρέωση, ο πρύτανης, ο ήρωας, το οξύ.

174

Καλημέρα σας.
Χαίρετε.
Τι έγινε χθες το απόγευμα; Δε σε είδα. Δεν πήγες στη συνάντηση;
Δεν είχα ακούσει καλά την ώρα και έγραψα στο καρνέ μου άλλη ώρα. Έτσι όταν πήγαινα μου πέρασε από το μυαλό η σκέψη ότι ήταν νωρίς. Έφτασα εκεί μια ώρα πιο μπροστά. Εκτός τούτου δεν υπήρχε χώρος για παρκάρισμα και οδηγούσα πολλή ώρα. Παντού έγραφε : «Απαγορεύεται η στάση». Έφερνα διαρκώς βόλτες. Έλεγα μέσα μου : «Τι ήθελα να πάρω το αυτοκίνητο;»
Τελικά γύρισα πίσω. Έφαγα κάτι ελαφρύ.
Άκουσα τα νέα στο ραδιόφωνο, διάβασα την εφημερίδα και πήγα για ύπνο.

175 Greetings.

When we get to a place we say:

Καλημέρα (σας).	Good morning (to you)
Χαίρετε!	Greetings!
Καλησπέρα (σας).	Good evening (to you)

When we leave a place we say:

Χαίρετε!	Good bye!
Καληνύχτα (σας).	Good night (to you)
Αντίο (σας).	Good bye.

When we go on a trip we say:

Καλή αντάμωση.	au revoir, so long
Στο καλό.	Good-bye, till we meet again
Έχετε γεια.	Bye-bye.

Between or among friends:

Γεια σου!	hello!
Γεια σας!	hello!

To an older, respected person or to a man's wife:

Τα σέβη μου.	My regards, my respects.
Τα σέβη μου στη σύζυγό σας.	My regards to your wife.
Χαιρετισμούς στον/στην	Greetings to
Χαιρετισμούς στην οικογένειά σου.	Greetings to your family.

176 Λεξιλόγιο

είδα	I saw	διαρκώς	continously
το καρνέ	note-book	η βόλτα	turn, spin, drive
όταν	when	μέσα	inside
περνώ	to pass	παίρνω	to take
το μυαλό	mind, brain	να πάρω	to take
η σκέψη	thought	γυρίζω	to turn
νωρίς	early	κάτι	something
φτάνω	to arrive	τα νέα	the news
εκτός	out	το ραδιόφωνο	radio
ο χώρος	space	το επείγον	urgent
το πάρκινγκ	parking	χαίρω	be glad
παντού	everywhere	συναντώ	to meet
απαγορεύω	to forbid	τελικά	finally
η στάση	bus stop		

177 Useful expressions.

Τι έγινε;	What happened?
Δε σε είδα.	I did not see you.
Μου πέρασε από το μυαλό.	It passed through my mind, it occured to me
μια ώρα πιο μπροστά	an hour earlier
εκτός τούτου	besides this
δεν υπήρχε	there was not
παντού έγραφε	everywhere, in every place was written
απαγορεύεται η στάση	stopping is not allowed
έφερνα διαρκώς βόλτες	I was going around the blocks
έλεγα μέσα μου	I was talking to myself
τι ήθελα να πάρω = γιατί πήρα	Why did I get
γυρίζω πίσω	I come back
πήγα για ύπνο	I went to bed
ξέρεις, σε ήθελα για κάτι	You know I wanted you about something
δεν πειράζει	it doesn't matter, never mind
χαίρομαι που	I am glad that I

178 The past tenses of the verb.

The past tenses of a verb are three : (see section 494):
ο παρατατικός (the imperfect), ο αόριστος (the aoristos or simple past) and ο υπερσυντέλικος (the past perfect).

As we have already mentioned (see section 142) the stem of the verb is the basis of the formation of the tenses. Two stems of the verb must be taken into account in the formation of tense, the present and the aorist stem.

The **present stem** (το θέμα αορίστου), is that part of the verb which is left when we strip off the ending - σα or -α (of the first person singular) of the aorist π.χ. διάβα-σα.

N.B. The **present stem** is the basis for the formation of the present and imperfect tenses with their moods and the durative future.

The **aorist stem** is the basis for the formation of the aorist tense (active) in its different moods (υποτακτική και προστακτική) and the punctual future.

179 Ο παρατατικός (the imperfect) indicates that the act expressed by the verb :

a. went on for some time in the past.
π.χ. Χθες βράδυ άκουγα καλά, σήμερα δεν ακούω.

b. was repeated in the past or it was customary
π.χ. Το καλοκαίρι διάβαζα πολύ κάθε μέρα.
Το καλοκαίρι δεν πήγαινα στο σχολείο, πήγαινα στη θάλασσα.

N.B. The nearest english tense,not in formation but in reference to time, is the "past continuous".

In order to from the «παρατατικός» we need :
a. the augment (if any, see below)
b. the stem
c. the ending -α

π.χ.	γράφω	γράφ-ω
	έ+γραφ+α=	έγραφα
	δένω (bind, tie)	δέν-ω
	έ+δεν+α=	έδενα
	ακούω	ακού-ω
	άκου+α=	άκουα και άκουγα

έγραφα	εγράφαμε	αγαπούσα	αγαπούσαμε
έγραφες	εγράφατε	αγαπούσες	αγαπούσαμε
έγραφε	έγραφαν	αγαπούσε	αγαπούσαν

γράφω	έγραφα	ξεχνώ	ξέχναγα
αγαπώ	αγαπούσα	τρώω	έτρωγα
οδηγώ	οδηγούσα	λέω	έλεγα
ακούω	άκουγα	πηγαίνω	πήγαινα
διαβάζω	διάβαζα	ζω	ζούσα
φέρνω	έφερνα		

Ο παρατατικός is built on the present stem. Since it is a secondary tense (see section 495) it difers from the present in having augment and secondary endings. Bear in mind that the imperfect tense is found only in the indicative (οριστική).

A. Augment (η αύξηση). Παρατατικός and αόριστος - can be recognized by the ending and what is called augment (if any). The αύξηση is of two kinds: συλλαβική (syllabic) and χρονική (temporal).

Syllabic augment: Verbs with an initial consonant prefix έ- by way of augment.

π.χ. γράφω έγραφα

Temporal augment: Verbs with an initial vowel or vowel letter group (βλ. σελ. 474).

π.χ. έρχομαι ήρθα
είμαι ήμουν

B. In the demotic (which we are following) :
The **augment** is mostly syllabic and if it is stressed it remains, (π.χ. γράφω, έγραφα), if it is not stresed it is omitted.

π.χ. ζω (εζούσα), ζούσα

Some verbs get augment η instead of ε.

π.χ.	θέλω	ήθελα	πίνω	(έπινα)	ήπια
	ξέρω	ήξερα	βρίσκω	(έβρισκα)	ήβρα

Those verbs that start with a vowel or a vowel letter group, should be kept unchangeable in all tenses.

π.χ.	ανάβω (to light, ignite)	άναβα	άναψα
	οδηγώ	οδηγούσα	οδήγησα
	ευχαριστώ (to thank)	ευχαριστούσα	ευχαρίστησα

There are three main exceptions : (see also above)

έχω	είχα
έρχομαι (I'm coming)	ήρθα
είμαι	ήμουν

N.B. βλέπω (see), έβλεπα, είδα

Also compound verbs take the syllabic stressed augment at the beginning of the main verbs (second part).

π.χ.		
	εκφράζω (to express)	εξέφραζα
	εγκρίνω (to aprove)	ενέκρινα
	ενδιαφέρω (to concern)	ενδιέφερα
	εμπνέω (to inspire)	ενέπνεα
	συμβαίνει (to happen)	συνέβαινε

180 Ο αόριστος (aorist or simple past)shows that the act was done in the past. There is no need to refer to exact time point of the past as it is required in the english : "past tense".

π.χ. Έγραψα το γράμμα.
Διάβασα την εφημερίδα.
Τηλεφώνησα πολλές φορές.

What has been said about the syllabic and the temporal augments holds true for the aorist too.

In order to form the «αόριστος» we need:
a. the augment (if any)
b. the stem
c. the ending - σα or - α

π.χ. 1. δένω
έ+δεσ+α= έδεσα

2. ακούω ακού-ω
άκου+σα = άκουσα

έδεσα	εδέσαμε	άκουσα	ακούσαμε
έδεσες	εδέσατε	άκουσες	ακούσατε
έδεσε	έδεσαν	άκουσε	άκουσαν

So we have :

γράφω	έγραφα	έγραψα
αγαπώ	αγαπούσα	αγάπησα
οδηγώ	οδηγούσα	οδήγησα
ακούω	άκουγα	άκουσα
διαβάζω	διάβαζα	διάβασα
φέρνω	έφερνα	έφερα
ξεχνώ	ξέχναγα	ξέχασα
τρώω	έτρωγα	έφαγα
λέω	έλεγα	είπα
πηγαίνω	πήγαινα	πήγα
ζω	ζούσα	έζησα

If, referring to acts, we make a comparison between the παρατατικός and αόριστος we may say that the aorist expresses, as it were, a snapshot of the past action, while the imperfect gives a motion picture.

π.χ. Χθες βράδυ άκουγα καλά.
Άκουσα τα νέα. (the news)

181 Ο υπερσυντέλικος (the past perfect) refers to an act completed at a certain, definite time in the past. It is equal to the english "past perfect".

είχα ακούσει	είχαμε ακούσει
είχες ακούσει	είχατε ακούσει
είχε ακούσει	είχαν ακούσει

π.χ.	ακούω	είχα ακούσει	οδηγώ	είχα οδηγήσει
	διαβάζω	είχα διαβάσει	τρώω	είχα φάει
	γράφω	είχα γράψει	λέω	είχα πει
	φέρνω	είχα φέρει	πηγαίνω	είχα πάει
	ξεχνώ	είχα ξεχάσει	ζω	είχα ζήσει

182 *Answer the questions.*

1. Πήγατε στη συνάντηση χθες βράδυ;
2. Τι συνέβη;
3. Γιατί πήγατε μία ώρα πιο νωρίς;
4. Τι σας πέρασε από το μυαλό όταν πήγατε εκεί;
5. Πόσο πιο μπροστά φτάσατε εκεί;

6. Υπήρχε χώρος για παρκάρισμα;
7. Οδηγούσατε πολλή ώρα;
8. Τι έγραφε παντού;
9. Γιατί φέρνατε διαρκώς βόλτες;
10. Τι λέγατε μέσα σας;

11. Τι κάνατε τελικά;
12. Τι είχατε γράψει στο καρνέ σας;
13. Είχατε φάει πριν να πάτε για ύπνο;
14. Πού ακούσατε τα νέα;
15. Τι έκανε ο Γιώργος;

16. Τι κάνατε όταν τηλεφώνησε ο Γιώργος;
17. Γιατί με θέλατε;
18. Ήταν σοβαρό και επείγον;
19. Πότε λέτε «τα σέβη μου»;
20. Χαίρεστε που με βλέπετε τώρα;

183 *Translate into Greek.*

1. What happened last hight?
2. I did not see you at the meeting.
3. It passed through my mind.
4. I went there an hour earlier.
5. Besides there was no space for parking.

6. "Stopping is not allowed" was written everywhere.
7. I was going (driving) around the block.
8. He was talking to himself.
9. Why did I bring the dog with me?
10. Finally I came back.

11. I ate something and I went to bed.
12. You know, I want you about something urgent.
13. Never mind. I am glad to meet you now.
14. Greetings to your family.
15. My respects to your wife.

184 *Write sentences of your own by using the Useful expressions. of this unit.*

185 *Practice orally by using the greek greetings.*

186 *Write sentences by using the imperfect, the simple past or the past perfect of the following verbs:*

γράφω, αγαπώ, οδηγώ, ακούω, διαβάζω, φέρνω, ξεχνώ, τρώω, λέω, πηγαίνω, ζω, βλέπω, καταφέρνω, δένω, περνώ, φτάνω, απαγορεύω, παίρνω, γυρίζω, χαίρω, συναντώ.

UNIT 20

187

Τι θα κάνεις αύριο το απόγευμα στις πέντε;
Θα γράφω τα μαθήματά μου.
Θα λύσω όλα τα προβλήματα ή μόνο ένα;
Θα λύσω τουλάχιστο τρία.
Θα έχεις λύσει τα προβλήματα στις επτά;
Όχι, θα τα έχω λύσει στις οκτώ.

Τι ώρα θα φτάσεις στην Αθήνα;
Θα φτάσω απόψε στις δέκα.
Τι θα κάνεις απόψε;
Θα φτάνω στην Αθήνα.
Τι ώρα θα έχεις φτάσει στο σπίτι σου;
Θα έχω φτάσει στις ένδεκα.

Πότε θα τη συναντήσεις;
Θα τη συναντήσω αύριο στις δώδεκα.
Πόσο θα την περιμένεις;
Θα την περιμένω δέκα λεπτά.
Θα έχεις τελειώσει στη μία;
Βεβαίως και θα έχω τελειώσει.

Μου τηλεφώνησε και μου είπε ότι τον ενδιαφέρει η πρότασή μου. Τον παρακάλεσα να συναντηθούμε αύριο. Μου είπε ότι δεν μπορεί αύριο. Θα μπορέσει όμως μεθαύριο ασφαλώς. Δώσαμε ραντεβού για μεθαύριο στις δέκα το πρωί. Ελπίζω να το κρατήσει.

188 Λεξιλόγιο

το πακέτο	packet, package
λύνω	to solve (a problem)
το μάθημα	lesson (homework)
όλα	all (adj. pl. n.)
το πρόβλημα	problem
το ελάχιστο	at least
τουλάχιστο	at least
πόσο	how much
περιμένω	to wait
τελειώνω	to finish
τηλεφωνώ	to telephone
η πρόταση	proposal, offer
ελπίζω	to hope
κρατώ	to keep, to hold

τότε	then
η διάθεση	disposition
το θέμα	subject, theme, question
το ραντεβού	appointment

189 Useful expressions.

Τα μαθήματά μου	my lessons, my homework
ή μόνο ένα	or only one
τον ενδιαφέρει η πρότασή μου	he is interested in my proposal
θα μπορέσει όμως	but he will be able
δίνω ένα ραντεβού	I make an appointment
έχω ένα ραντεβού	I have an appointment
κρατώ ένα ραντεβού	I keep an appointment
Τότε εγώ θα	Then I will
για όλα τα θέματα	about all matters

190 The future tenses of the verb.

The tenses of the verbs that express the future are three (section 495).
a. ο εξακολουθητικός μέλλοντας
b. ο στιγμιαίος μέλλοντας and
c. ο συντελεσμένος μέλλοντας

191 Ο εξακολουθητικός μέλλοντας.

Ο εξακολουθητικός μέλλοντας (the durative future) represents an act that will go on continously (i.e. without interruption) or repeatably in the future. The nearest english tense, not in formation but in reference to time, is the "future continuous". One should note that the εξακολουθητικός μέλλοντας in the "circle of future" corresponds to the παρατατικός in the "circle of the past", as far as analogy is concerned.

π.χ. Σήμερα το βράδυ θα γράφω.
This evening I shall be writing.

Από αύριο θα γράφω κάθε βράδυ.
Starting tomorrow I shall be writing every evening.

θα γράφω	θα γράφουμε
θα γράφεις	θα γράφετε
θα γράφει	θα γράφουν

So we have :

θα αγαπώ, θα οδηγώ, θα ακούω, θα διαβάζω, θα φέρνω, θα τρώω, θα λέω, θα πηγαίνω, θα ζω, θα βλέπω, θα καταφεύγω, θα δένω, θα περνώ, θα φτάνω, θα απαγορεύω, θα παίρνω, θα γυρίζω, θα χαίρομαι, θα συναντώ.

192 Ο στιγμιαίος μέλλοντας.

Ο στιγμιαίος μέλλοντας (the punctual future) shows that something will take place in the future.

π.χ. λύω (untie)

θα λύ-σω	θα λύ-σουμε
θα λύ-σεις	θα λύ-σετε
θα λύ-σει	θα λύ-σουν

π.χ. Θα λύσεις το πακέτο απόψε;
Όχι, δε θα το λύσω απόψε.
Θα το λύσω αύριο το πρωί.

So we have:
θα αγαπήσω,θα οδηγήσω,θα ακούσω, θα διαβάσω, θα φέρω, θα ξεχάσω, θα φάω, θα πω, θα πάω, θα ζήσω, θα δω, θα καταφύγω, θα δέσω, θα περάσω, θα φτάσω, θα απαγορεύσω, θα πάρω, θα γυρίσω, θα χαρώ, θα συναντήσω.

193 Ο τετελεσμένος μέλλοντας.

Ο τετελεσμένος μέλλοντας (the future perfect) indicates that an act will be completed at a certain time in the future or before it (see section 247).

π.χ. θα έχω λύσει

θα έχω λύσει	θα έχουμε λύσει
θα έχεις λύσει	θα έχετε λύσει
θα έχει λύσει	θα έχουν λύσει

π.χ. Πότε θα έχεις λύσει το πακέτο;
Θα έχω λύσει το πακέτο αύριο στις δέκα.

So we have:
θα έχω αγαπήσει, θα έχω οδηγήσει, θα έχω ακούσει, θα έχω διαβάσει, θα έχω φέρει, θα έχω ξεχάσει, θα έχω φάει, θα έχω πει, θα έχω ζήσει, θα έχω δει, θα έχω καταφύγει, θα έχω δέσει, θα έχω περάσει, θα έχω φτάσει, θα έχω απαγορεύσει, θα έχω πάρει, θα έχω γυρίσει, θα έχω χαρεί, θα έχω συναντήσει.

194 *Answer the questions.*

1. Τι θα κάνεις αύριο το απόγευμα στις πέντε;
2. Θα λύσεις όλα τα προβλήματα ή μόνο ένα;
3. Θα έχει λύσει τα προβλήματα στις επτά;
4. Τι ώρα θα φτάσει στην Αθήνα;
5. Τι θα κάνει στις δέκα απόψε;

6. Τι ώρα θα έχεις φτάσει στο σπίτι σου;
7. Πότε θα τη συναντήσεις;
8. Πόσο θα την περιμένεις;
9. Θα έχετε τελειώσει στη μία;
10. Είσαι βέβαιος γι' αυτό;

11. Πότε σου τηλεφώνησε;
12. Όταν σου τηλεφώνησε, τι σου είπε;
13. Γιατί τον ενδιαφέρει η πρότασή σου;
14. Τι τον παρακάλεσες;
15. Μπορεί αύριο, τι σου είπε;

16. Πότε θα μπορέσει;
17. Για πότε δώσατε ραντεβού;
18. Ελπίζεις ότι θα το κρατήσει;
19. Εσύ, θα το κρατήσεις το ραντεβού;
20. Θα σε δω αύριο το απόγευμα;

21. Πότε θα το έχεις δει;
22. Πότε θα έχεις ακούσει τη γνώμη του;
23. Πότε θα έχεις μάθει τις διαθέσεις του;
24. Πότε θα τον έχεις ρωτήσει για όλα τα θέματα;
25. Πότε θα έχεις γυρίσει στο σπίτι;

195 *Translate into Greek.*

1. I always keep my appointments.
2. I have an appointment for tomorrow.
3. I shall have asked him about it.
4. They are interested in my proposal.
5. She will have studied her lessons.

6. But he will be able to take it tonight.
7. I shall be writing my home work.
8. I shall solve at least four problems.
9. No, I shall have solved them at nine.
10. He will be arriving in Athens at ten o'clock.

11. I shall have arrived home by eight o'clock.
12. We shall meet at twelve tommorow.
13. How long will you wait for her?
14. I shall be waiting for her only ten minutes.
15. Of course I shall have finished it by one o'clock.

16. He called me and told me that he is interested in my proposal.
17. She asked me to meet him tomorrow.
18. He told me that he cannot finish it tomorrow.
19. We made an appointment for the day after tomorrow.
20. Do you hope that she will keep that appointmet?

21. Then I'll see you after two days.
22. Will you have seen him by then?
23. Of course, I'll have to know his opinion by then.
24. I hope that you 'll have asked him about all problems.
25. She will not have called me by ten o'clock tonight.

196 *Write your own sentences by using the useful expressions of this unit.*

197 *Practice orally in using the future tenses.*

198 *Write the three future tenses of the following verbs:*

π.χ. γράφω
θα γράφω θα γράψω θα έχω γράψει

συναντώ, χαίρω, γυρίζω, παίρνω, απαγορεύω, φτάνω, περνώ, δένω, καταφεύγω, βλέπω, λύ(ν)ω,ζω, πηγαίνω, λέω, τρώω, ξεχνώ, φέρνω, διαβάζω, ακούω, οδηγώ, αγαπώ.

199 *Inflect the three future tenses of five of the above verbs.*

200 *Make questions by using future tenses. Follow the examples.*

π.χ. Θα γυρίσω πίσω στις δέκα απόψε.
Θα γυρίσω πίσω στις δέκα απόψε;
Θα έχω γυρίσει πίσω στις δέκα απόψε;

201 Το κρέας του ελέφαντα δεν τρώγεται. Υπάρχουν όμως άνθρωποι στην Αφρική και στην Ασία, οι οποίοι τρώνε την καρδιά και το συκώτι του. Σήμερα δεν υπάρχουν ελέφαντες στην Ελλάδα. Λέγεται ότι υπήρχαν προ Χριστού. Ο ελέφαντας ζυγίζει πολλά κιλά.

Οι Ελληνίδες αγοράζουν ευχαρίστως βοδινό κρέας (το κρέας του βοδιού), μοσχαρίσιο κρέας (το κρέας του μοσχαριού), αρνίσιο κρέας (το κρέας του προβάτου) ή και το χοιρινό κρέας(το κρέας του χοίρου). Το αγοράζουν με το κιλό. Κάθε κιλό έχει χίλια γραμμάρια.

Οι Έλληνες τιμούν τους γέροντες. Οι γιοι τιμούν τους γονείς, τον πατέρα και τη μητέρα. Οι γονείς αγαπούν τα παδιά. Μερικές φορές τούς τραβούν τα αφτιά.

Οι πρέσβεις της Σπάρτης ζήτησαν από τους άρχοντες της Αθήνας «γην και ύδωρ». Οι Αθηναίοι δε φοβήθηκαν, δεν τους κόπηκαν τα ήπατα. Απάντησαν με πόλεμο.

Η Αθήνα είναι η πόλη του φωτός. Η θερμοκρασία σπάνια είναι κάτω του μηδενός. Την ημέρα των Χριστουγέννων τα πάντα είναι κλειστά.

202 Λεξιλόγιο.

το κρέας	meat	το συκώτι	liver
ο ελέφαντας	elephant	ο Χριστός	Christ
η Αφρική	Africa	προ	before
η Ασία	Asia	μετά	after
η καρδιά	heart	ζυγίζω	to weigh

αγοράζω	to buy
ευχαρίστως	gladly,with pleasure
το βόδι	bull, ox, steer
το βοδινό (κρέας)	beef
το μοσχάρι	calf
το αρνίσιο (κρέας)	mutton
ο χοίρος (το γουρούνι)	hog, swine
το χοιρινό (κρέας)	pork
χίλια (τα)	thousand
το γραμμάριο	gram.
τιμώ	to honour
ο γέροντας	old man
οι γονείς	parents
ο πατέρας	father
μερικές	some (f.)
τραβώ	to pull
ο πρεσβευτής ή πρέσβης	ambassador
η Σπάρτη	Sparta
ζητώ	to ask
η γη (η γης)	earth
το ύδωρ (το νερό)	water
η Αθήνα	Athens
οι Αθηναίοι	the Athenians
φοβάμαι	to be afraid of, to fear
απαντώ	to answer
το φως	light
η θερμοκρασία	temperature
σπάνια (σπανίως)	seldom
το μηδέν	zero
τα Χριστούγεννα	Christmas
το παν	everything (n.)
κλειστά	closed (n.pl.)

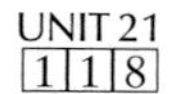
203 Useful expressions.

δεν τρώγεται	it cannot be eaten
λέγεται ότι	it is said that, they say that
προ Χριστού (π.Χ.)	before Christ (B.C.)
μετά Χριστόν (μ.Χ.)	after Christ (A.D.)
ζυγίζει	it weighs, it's weight is
αγοράζω με το κιλό	I buy by the kilo
μερικές φορές	some times
τραβώ το αφτί	I pull someone's ear
ζητώ από	I ask from, I demand (from)

«γην και ύδωρ»	"earth and water"
ζητώ «γην και ύδωρ» από μια χώρα	I want to subjugate the country
μου κόπηκαν τα ήπατα	I was frightened to death
τα πάντα είναι κλειστά	everything is closed (it's a holiday)

204 More about nouns. Review (in sections 76 and 77).

1. **Masculine** nouns that end in - ας.

π.χ. ο γέροντας (the old man), ο άρχοντας (nobleman, elder)

ο γέροντας	οι γέροντες	ο άρχοντας	οι άρχοντες
του γέροντα	των γερόντων	του άρχοντα	των αρχόντων
το γέροντα	τους γέροντες	τον άρχοντα	τους άρχοντες

2. **Masculine** nouns that end in - ας.

ο ΄Ελληνας	οι ΄Ελληνες
του ΄Ελληνα	των Ελλήνων
τον ΄Ελληνα	τους ΄Ελληνες
(ω) ΄Ελληνα	(ω) ΄Ελληνες

In the same way inflect ο βοσκός (shepherd).

3. **Masculine** nouns that end in - ρας.

π.χ. ο πατέρας

ο πατέρας	οι πατέρες
του πατέρα	των πατέρων
τον πατέρα	τους πατέρες
(ω) πατέρα	(ω) πατέρες

In the same way inflect ο άνδρας (man).

4. **Masculine** nouns that end in - ς.

π.χ. ο ελέφας ή ο ελέφαντας (elephant)

ο ελέφαντας	οι ελέφαντες
του ελέφαντα	των ελεφάντων
τον ελέφαντα	τους ελέφαντες

In the same way inflect ο τάπητας (carpet) and ο ανδριάντας (statue)

5. **Feminine** nouns that end in - ίδα (see sectiion 108 § 9)

π.χ. η Ελληνίδα

η Ελληνίδα	οι Ελληνίδες
της Ελληνίδας	των Ελληνίδων
την Ελληνίδα	τις Ελληνίδες
(ω) Ελληνίδα	(ω) Ελληνίδες

In the same way inflect η ελπίδα (hope), η εφημερίδα (see section 108 § 9).

6. **Feminine** nouns that end in - ρα (see section 108 § 9).

π.χ. η μητέρα

η μητέρα	οι μητέρες
της μητέρας	των μητέρων
τη μητέρα	τις μητέρες
(ω) μητέρα	(ω) μητέρες

In the same way inflect η θυγατέρα (daughter).

7. **Neutral** nouns that end in - ς.

π.χ. το κρέας (meat)

το κρέας	τα κρέατα
του κρέατος	των κρεάτων
το κρέας	τα κρέατα

In the same way inflect το πέρας (end) and το τέρας (monster). The noun το γήρας (old age) is inflected only in the singular.

8. **Neutral** nouns that end in - α.

π.χ. το σώμα (body)

το σώμα	τα σώματα
του σώματος	των σωμάτων
το σώμα	τα σώματα

In the same way inflect το κύμα (wave), το γράμμα (letter), το δέρμα (skin), το δράμα (drama), το χρήμα (money), το χρώμα (colour), το γάλα (milk), e.t.c.

9. Some **special neutral** nouns.

a. το φως (light)

το φως	τα φώτα
του φωτός	των φώτων
το φως	τα φώτα

b. το ον (being)

το ον	τα όντα
του όντος	των όντων
το ον	τα όντα

c. το μηδέν (zero, nothing). (N.B. no plural. If το μηδενικό then τα μηδενικά)

το μηδέν
του μηδενός
το μηδέν

d. το παν (everything)

το παν	τα πάντα
του παντός	των πάντων
το παν	τα πάντα

e. το σύμπαν (universe)

το σύμπαν	τα σύμπαντα
του σύμπαντος	των συμπάντων
το σύμπαν	τα σύμπαντα

205 Irregular nouns.

A. Here are some nouns which present certain irregularities :
Please note :

ο πρεσβευτής και ο πρέσβης (ambassador), του πρεσβευτή και του πρέσβη, τον πρεσβευτή και τον πρέσβη. In the plural : οι πρεσβευτές και οι πρέσβεις, των πρεσβευτών και των πρέσβεων, τους πρεσβευτές και τους πρέσβεις.

ο αμνός (lamb), του αμνού, τον αμνό . See also : το αρνί, του αρνιού, το αρνί.

ο υιός (son), του υιού, τον υιό, οι υιοί, των υιών, τους υιούς. See also : ο γιος, του γιου κ.λ.π.

ο Ιησούς (Jesus), του Ιησού, τον Ιησού, Ιησού.

ο νους (mind), του νου, (ή του νοός), το νου, οι νόες, των νόων, τους νόες.

η ηχώ (echo), της ηχώς, την ηχώ. end in the singular. In like manner inflect η Λητώ.

το ύδωρ (water), του ύδατος, τα ύδατα, των υδάτων, τα ύδατα. (See also : το νερό, του νερού κ.λ.π.).

το πυρ (fire), του πυρός, το πυρ, τα πυρά, των πυρών, τα πυρά. (See also : η φωτιά, της φωτιάς κ.λ.π.). However in the demotic : fire ! (mil.) = πυρ!

το ήπαρ (liver), του ήπατος, το ήπαρ, τα ήπατα, των ηπάτων, τα ήπατα. See also : το συκώτι. See the idiom : μου κόπηκαν τα ήπατα=I was frightened to death.

B. Some nouns are inflected only through their articles. They have no endings : ο Αδάμ (Adam), του Αδάμ, ο Δαβίδ (David), το Πάσχα (Easter). To this group belong all letters of the alphabet; το άλφα, του άλφα etc. and most foreign nouns e.g. το ρεκόρ, του ρεκόρ, το τραμ ,του τραμ, το τρόλεϊ, του τρόλεϊ. Also some nouns have only singular or only plural forms : e.g. ο Όλυμπος (Olympus), αι Αθήναι (as well as η Αθήνα), τα Χριστούγεννα (Christmas), των Χριστουγέννων etc.

206 *Answer the questions.*

1. Τρώγεται το κρέας του ελέφαντα;
2. Υπάρχουν άνθρωποι που τρώνε την καρδιά του ελέφαντα;
3. Τι άλλο τρώνε από τον ελέφαντα;
4. Υπάρχουν σήμερα ελέφαντες στην Ελλάδα;
5. Πότε λέγεται ότι υπήρχαν;

6. Πόσα κιλά ζυγίζει ο ελέφαντας;
7. Τι κρέατα αγοράζουν οι Ελληνίδες ευχαρίστως;
8. Τα αγοράζουν με το κιλό;
9. Πόσα γραμμάρια έχει το κιλό;
10. Τιμούν οι Έλληνες τους γέροντες;

11. Τιμάς τους γονείς σου;
12. Τι κάνουν οι γονείς τα παιδιά;
13. Τους τραβούν μερικές φορές τα αφτιά;
14. Τι ζήτησαν οι πρέσβεις της Σπάρτης;
15. Φοβήθηκαν οι άρχοντες της Αθήνας;

16. Γιατί δεν τους κόπηκαν τα ήπατα;
17. Με τι απάντησαν οι Αθηναίοι;
18. Είναι η Αθήνα πόλη του φωτός;
19. Πότε στην Αθήνα η θερμοκρασία είναι κάτω του μηδενός;
20. Είναι τα πάντα κλειστά την ημέρα των Χριστουγέννων;

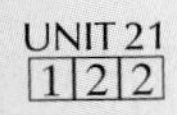

207 *Translate into Greek.*

1. Is the meat of the elephant edible?
2. There are people in Africa and Asia who eat the heart and the liver of an elephant.
3. Today there are no elephants in Greece.
4. They say that there were elephants in Greece before Christ.
5. An elephant weighs many kilos.

6. Greek women buy beef, veal, mutton and pork gladly.
7. They buy it by the kilo.
8. There are one thousand grams in every kilo.
9. Greeks honour old people.
10. Parents love their children.

11. Sometimes they pull their children's ears.
12. The ambassadors of Sparta asked that the Athenians should give them "earth and water".
13. They wanted to subjugate the country.
14. He was frightened to death.
15. The Athenians were not frightened.

16. Athens is the city of light.
17. The temperature in Athens is seldom under zero.
18. On Cristmas day everything is closed.
19. It happened in the year 150 B.C. and not 150 A.D.
20. Sometimes they pull their children's ears.

208 *Write sentences of your own by using the Useful expressions. of this unit.*

209 *Inflect the following nouns in both ways:*

ο γέροντας, ο Έλληνας, ο ποιμένας, ο πατέρας, ο ελέφαντας, ο τάπητας, ο ανδριάντας, η Ελληνίδα, η εφημερίδα, η μητέρα.

210 *Write sentences by using one of the words:*

το κρέας, το τέρας, το σώμα, το κύμα, το φως, το μηδέν, το παν.
π.χ. Σήμερα η θερμοκρασία είναι κάτω του μηδενός.

211 *If you think it necessary, familiarize yourself more with the irregular nouns in sections 205 A and B. (B. is more useful for everyday life).*

UNIT 22

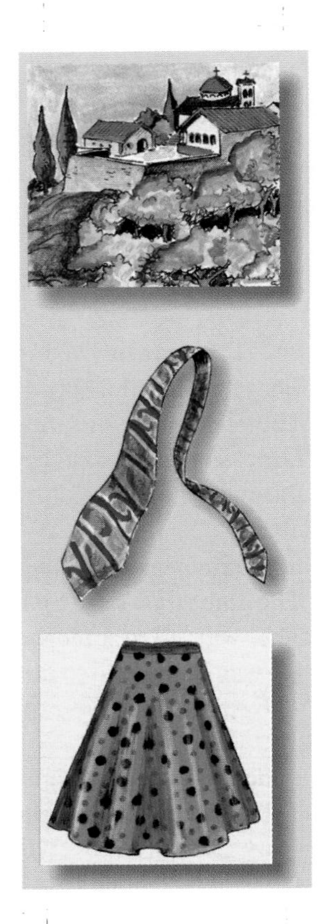

212 Σήμερα η ημέρα είναι θαυμάσια. Θα πάμε μια ωραία εκδρομή σ' ένα μοναστήρι εδώ κοντά. Είναι η όγδοη μέρα αφότου έφυγε ο γιος της. Ο ουρανός δεν είναι πλέον γκρίζος. Η θάλασσα είναι γαλάζια. Σας ευχαριστώ για το καλό που μου κάνατε.

Σας παρακαλώ, θέλω να αγοράσω ένα καλό πουκάμισο. Σας αρέσει ένα μπεζ ή καφέ; Όχι, θέλω ένα άσπρο. Ξέρετε, το λευκό χρώμα πάει με όλα τα κουστούμια. Η γραβάτα όμως πρέπει να ταιριάζει με το χρώμα και το σχέδιο του κουστουμιού. Μια ροζ, μοβ ή κρεμ γραβάτα είναι κάτι που δε συνηθίζεται. Οι νέοι, μοντέρνοι και δυναμικοί άνθρωποι φορούν όμως οτιδήποτε κομψό τούς αρέσει. Ό,τι τονίζει την προσωπικότητά τους.

Οι γυναίκες φορούν κομψά και χαριτωμένα ρούχα. Ωραία σχέδια και ευχάριστα χρώματα. Ένα φόρεμα μεταξωτό είναι τρέλα. Μια φούστα πουά εντυπωσιάζει. Μια μπλούζα βαμβακερή είναι ό,τι πρέπει για το πρωί. Μερικές προτιμούν ριγέ. Οι πιο νέες προτιμούν ανοιχτά χρώματα και άλλες σκούρα.

213 Λεξιλόγιο

η εκδρομή	excursion
το μοναστήρι	monastery
κοντά	near, close
όγδοος, όγδοη, όγδοο	the eighth
πλέον	more
γαλάζιος, γαλάζια, γαλάζιο	blue, azure
καλός, καλή, καλό	good, fine
πουκάμισο	shirt
μπεζ	beige
καφέ	brown
άσπρος, άσπρη, άσπρο	white
λευκός, λευκή, λευκό	white
το κουστούμι	suit
ταιριάζω	to match, to fit
το σχέδιο	design (n.)
ροζ	pink (colour)
μοβ	mauve, violet
κρεμ	cream (colour)

συνηθίζεται	it is in vogue
νέος, νέα, νέο	young
μοντέρνος, μοντέρνα, μοντέρνο	modern
δυναμικός, δυναμική, δυναμικό	dynamic
φορώ	to wear
ό,τι	all that, what
οτιδήποτε	anything, whatever
κομψός, κομψή, κομψό	graceful, elegant
τονίζω	to emphasize, to stress
η προσωπικότητα	personality
το ένδυμα, τα ρούχα	dress,clothes
χαριτωμένος, -ένη, -ένο	charming
ευχάριστος, -η, -ο	pleasant
το φόρεμα	dress
το μετάξι	silk
μεταξωτός, -ή, -ό	silken
η τρέλα	madness
τρελός, τρελή, τρελό	mad, crazy
η φούστα	skirt
πουά	spotted, with spots
εντυπωσιάζω	to make an impression
μπλούζα	blouse, shirtwaist
βαμβακερός, -ή, -ό	made of cotton
προτιμώ	to prefer
ριγέ	lined, stripped
ανοιχτός, ανοιχτή, ανοιχτό	open (colour = light)
σκούρος, σκούρα, σκούρο	dark

214 Useful expressions.

εδώ κοντά	close here
αφότου	since
δεν είναι πλέον	it is not anymore
για το καλό που μου κάνατε	for the good that you have done for me
κάνω καλό σε κάποιον	I do something good for someone
ταιριάζει	it matches, it is becoming
είναι της μόδας	it is in vogue, it is in fashion
δεν είναι της μόδας	it is not vogue, it is unfashionable
οτιδήποτε κομψό	whatever elegant
κάτι είναι τρέλα	it is delightful, charming, lovely
κάποιος είναι τρέλα	he is charming
κάποιος είναι τρελός	he is crazy
κάτι εντυπωσιάζει	it makes an impression

είναι ό,τι πρέπει για	it is what one needs for
ανοιχτό χρώμα	light colour
τα καταστήματα είναι ανοιχτά	the shops are open
σκούρο χρώμα	dark colour

215 Adjectives.

1. An adjective is a word used to describe or limit the meaning of a noun. An adjective modifies it's noun. In English an adjective is not changed to denote number and case.

N.B. In English the demonstrative adjectives (see sections 36 and 37) are the only ones that have different forms in the singular and plural : this, these, that ,those.

In Greek adjectives agree with their nouns in gender, number and case (see section 482, 483, 484 and 485).

π.χ.	ο καλός ζωγράφος	οι καλοί ζωγράφοι
	η καλή αδελφή	οι καλές αδελφές
	το καλό βιβλίο	τα καλά βιβλία

2. Position of adjectives.

a. When an adjective accompanies a noun with an article, the adjective usually stands between the articles and the noun as in English.

π.χ. ο καλός ζωγράφος
ένας καλός ζωγράφος

b. The adjectives may also follow the noun and have the article repeated with it.

π.χ. ο ζωγράφος ο καλός

c. We can put the adjectives after the verbs in a "predicative position"

π.χ. Ο ζωγράφος είναι καλός.
Αυτός ο ζωγράφος είναι καλός.

d. Many greek adjectives when preceded by the article are used as nouns.

π.χ.	οι καλοί	οι άρρωστοι
	οι σοφοί	οι βάρβαροι

3. Declension of adjectives.

Adjectives are declined according to the nouns they modify. Those that end in - ύς, or - ής, ο βαθύς (deep), ο σταχτής (grey), ο θαλασσής (sea like in colour) have their own declension (see 225).

216 More about adjectives.

1. Adjectives that end in - ός, - ή, - ό.

π.χ. ο καλός ζωγράφος
η καλή αδελφή
το καλό βιβλίο

ον. :	ο καλός	η καλή	το καλό
γεν. :	του καλού	της καλής	του καλού
αιτ. :	τον καλό	την καλή	το καλό
κλ. :	καλέ	καλή	καλό

ον. :	οι καλοί	οι καλές	τα καλά
γεν. :	των καλών	των καλών	των καλών
αιτ. :	τους καλούς	τις καλές	τα καλά
κλ. :	καλοί	καλές	καλά

N.B. Most of the adjectives ending in - ός, - ή, - ό, have a consonate (or consonants also before the ending.)

a. In the same way inflect most adjectives denoting colours:

ο άσπρος (white), η άσπρη, το άσπρο, ο μαύρος (black), ο κόκκινος (red), ο πράσινος (green), ο χρυσός (gold), ο γκρίζος (grey), ο ασημένιος (silver), ο κίτρινος (yellow).

N.B. Some colours are not inflected, they remain the same in form since they have no ending.

π.χ.	ο μπεζ	(beige), η μπεζ, το μπεζ
	ο μπλε	(blue), η μπλε, το μπλε
	ο καφέ	(brown), η καφέ, το καφέ
	ο κρεμ	(cream), η κρεμ, το κρεμ
	ο μοβ	(mauve), η μοβ, το μοβ
	ο ροζ	(pink), η ροζ, το ροζ

b. You should note that the demonstrative pronouns αυτός, αυτή, αυτό, τούτος, τούτη, τούτο, εκείνος, εκείνη, εκείνο (see section 36.) are inflected in the same way.

2. Adjectives that end in - ος, - α, - ο.

Adjectives ending in - ος that in their masculine have a vowel before the ending - ος form their feminine in - α.

π.χ.	ο νέος	(young), η νέα, το νέο
	ο παλιός	(old), η παλιά, το παλιό
	ο αστείος	(funny), η αστεία, το αστείο
	ο τέλειος	(perfect, complete), η τέλεια, το τέλειο

N.B. Note also : **a.** ο όγδοος (eighth) , η όγδοη, το όγδοο
b. ο μικρός (small), η μικρή, το μικρό
c. ο νεκρός (dead), η νεκρή, το νεκρό

But η Μικρά Ασία (Asia Minor).

π.χ.	ο νέος	η νέα	το νέο
	του νέου	της νέας	του νέου
	το νέο	τη νέα	το νέο
	οι νέοι	οι νέες	τα νέα
	των νέων	των νέων	των νέων
	τους νέους	τις νέες	τα νέα

N.B. The new book = Το νέο βιβλίο.

Τα νέα βιβλία = The new books
Τα νέα = The news

Τι νέα; Any news?
Τα νέα είναι καλά.
Τα νέα είναι άσχημα. (bad, ugly).

3. Adjectives that end in - ης, - ης, - ες.

ο συνεχής	(continuous, incessant), η συνεχής, το συνεχές
ο επιεικής	(lenient), η επιεικής, το επιεικές
ο διεθνής	(international), η διεθνής, το διεθνές
ο ασφαλής	(safe, sure), η ασφαλής, το ασφαλές
ο αληθής	(true), η αληθής, το αληθές
ο ευγενής	(noble), η ευγενής, το ευγενές
ο συνήθης	(usual), η συνήθης, το σύνηθες

Note also second forms also in dentist.

ο συνήθης	=	ο συνηθισμένος, η συνηθισμένη, το συνηθισμένο
ο ασφαλής	=	ο ασφαλισμένος, η ασφαλισμένη, το ασφαλισμένο
ο ευγενής	=	ο ευγενικός, η ευγενικιά, το ευγενικό
ο αληθής	=	ο αληθινός, η αληθινή, το αληθινό

π.χ.	ο συνεχής	η συνεχής	το συνεχές
	του συνεχούς	της συνεχούς	του συνεχούς
	το συνεχή	τη συνεχή	το συνεχές
	οι συνεχείς	οι συνεχείς	τα συνεχή
	των συνεχών	των συνεχών	των συνεχών
	τους συνεχείς	τις συνεχείς	τα συνεχή

Note that these adjectives have almost the forms for both masculine and feminine.

N.B. The adjectives συγγενής (relative) and ευγενής (polite) when used as nouns (masculine) form their genitive του συγγενή, τον ευγενή.

ο συνηθισμένος	η συνηθισμένη	το συνηθισμένο
του συνηθισμένου	της συνηθισμένης	του συνηθισμένου
το συνηθισμένο	τη συνηθισμένη	το συνηθισμένο
οι συνηθισμένοι	οι συνηθισμένες	τα συνηθισμένα
των συνηθισμένων	των συνηθισμένων	των συνηθισμένων
τους συνηθισμένους	τις συνηθισμένες	τα συνηθισμένα

4. Generally adjectives while inflected keep the accent on the same syllable as the nominative case of the masculine.

e.g. ο έτοιμος (ready), η έτοιμη, το έτοιμο

του έτοιμου	της έτοιμης	του έτοιμου
των ετοίμων	των ετοίμων	των ετοίμων
τους έτοιμους	τις έτοιμες	τα έτοιμα

5. Sometimes adjectives ending in - ος are nouns too . (3 above) e.g. ο άρρωστος (noun), ο κύριος (noun), οι βάρβαροι (noun).

In this case be carful with the accent . As nouns are stressed on the παραλήγουσα (the syllable before the last) in genetive singular and in genetive and accusative plural. As adjectives they keep the acccent on the same syllable in all cases (πτώσεις) (section 482).

e.g. Το κρεβάτι του άρρωστου παιδιού. (adj.)
Οι φυλές των βάρβαρων λαών. (adj.)

but : Η καρδιά του αρρώστου. (noun)
Ο γιατρός εξετάζει τους αρρώστους. (noun)
Οι επιδρομές των βαρβάρων. (noun)

217 *Answer the questions.*

1. Τι ημέρα είναι σήμερα;
2. Τι θα κάνουμε σήμερα;
3. Πού θα πάμε μια ωραία εκδρομή;
4. Πότε έφυγε ο γιος της;
5. Τι δεν είναι ο ουρανός πλέον;

6. Τι χρώμα είναι η θάλασσα;
7. Γιατί τα νέα είναι άσχημα;
8. Τι θέλετε να αγοράσετε;
9. Σας αρέσει ένα καφέ ή ένα μπλε;
10. Ποιο χρώμα πάει με όλα τα κουστούμια;

11. Με τι πρέπει να ταιριάζει η γραβάτα;
12. Ποια γραβάτα δε συνηθίζεται;
13. Τι φορούν οι νέοι δυναμικοί άνθρωποι;
14. Τι τονίζει την προσωπικότητά τους;
15. Τι ενδύματα φορούν οι γυναίκες;

16. Φορούν ωραία σχέδια και ευχάριστα χρώματα;
17. Τι είναι ένα μεταξωτό φόρεμα;
18. Τι κάνει μια φούστα πουά;
19. Τι είναι για το πρωί μια μπλούζα βαμβακερή;
20. Τι χρώματα προτιμούν οι νέες;

218 *Translate into Greek.*

1. Today is a lovely day.
2. We shall go on an excursion near us.
3. It is the eighth day since her son left.
4. The sky is not grey any more.
5. I am grateful to you for what you have done for me.

6. I want to buy a shirt.
7. What colour do you like?
8. No, I want a white.
9. You know, white colour becomes you.
10. I want a tie to match this suit.

11. A pink tie is not in vogue.
12. He wears whatever he likes.
13. This does not make a good impression.
14. Women wear elegant dresses.
15. This design is very nice.

16. I want a pleasant colour.
17. A silk dress is lovely.
18. I want a cotton blouse.
19. A skirt with spots is for youngwomen.
20. Do you prefer a light or a dark colour?

219 *Write your own sentences by using the Useful expressions of this unit.*

220 *Inflect the following adjectives:*

ο καλός, η άσπρη, το μαύρο, ο κόκκινος, η πράσινη, το γκρίζο, ο ασημένιος, η κίτρινη, το μπεζ, ο μπλε, η καφέ, το ροζ.

221 *Make sentences by using one of the following adjectives:*

ο νέος, ο παλιός, ο αστείος, ο τέλειος, η όγδοη, το μικρό, το ευγενικό, ο συνηθισμένος, η αληθινή.

UNIT 23

222 Ο ελληνικός καφές δεν είναι βαρύς. Είναι διαφορετικός από τον αμερικάνικο ή το γαλλικό. Οι Έλληνες πίνουν πολλούς καφέδες την ημέρα. Οι Αμερικανοί επίσης. Βάζουν όμως και γάλα. Ο ελληνικός καφές με γάλα δεν πίνεται. Δύο ή τρεις καφέδες ελληνικοί, αμερικάνικοι ή γαλλικοί δε βλάπτουν την υγεία. Κάνουν καλό. Πιο πολλοί δίνουν στα νεύρα. Οι Έλληνες πίνουν τον καφέ τους σε μικρό φλιτζάνι και τον απολαμβάνουν. Μπορεί κανείς να παραγγείλει ένα βαρύ γλυκό καφέ, έναν ελαφρύ ή ένα μέτριο.

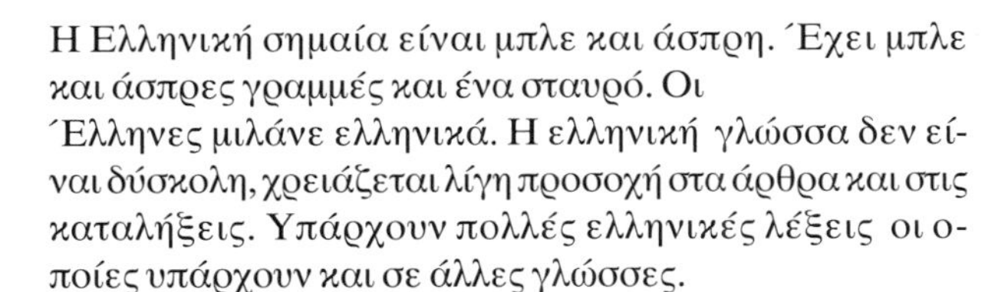

Η Ελληνική σημαία είναι μπλε και άσπρη. Έχει μπλε και άσπρες γραμμές και ένα σταυρό. Οι Έλληνες μιλάνε ελληνικά. Η ελληνική γλώσσα δεν είναι δύσκολη, χρειάζεται λίγη προσοχή στα άρθρα και στις καταλήξεις. Υπάρχουν πολλές ελληνικές λέξεις οι οποίες υπάρχουν και σε άλλες γλώσσες.

Οι Έλληνες είναι λαός φιλόξενος. Οι Ελληνίδες είναι μάλλον ωραίες γυναίκες. Όταν όμως δεν προσέχουν τη δίαιτά τους γίνονται χονδρές και άσχημες. Το ίδιο συμβαίνει με τις γυναίκες όλου του κόσμου, τις Αμερικανίδες, τις Αγγλίδες, τις Γερμανίδες, τις Γαλλίδες και τις Ιταλίδες.

223 Λεξιλόγιο

ελληνικός, ελληνική, ελληνικό	greek
βαρύς, βαριά, βαρύ	heavy
αμερικανικός, αμερικανική, αμερικανικό	american
διαφορετικός, διαφορετική, διαφορετικό	different
γαλλικός, γαλλική, γαλλικό	french
πίνω	to drink
πολύς, πολλή, πολύ	much
βάζω	to put
βλάπτω	to harm
η υγεία	health
το νεύρο	nerve

το φλιτζάνι	cup
απολαμβάνω	to enjoy
παραγγέλνω	to order
γλυκός, γλυκιά, γλυκό	sweet
ελαφρύς, ελαφριά, ελαφρύ	light
μέτριος, μέτρια, μέτριο	moderate
ομιλώ, μιλάω ή μιλώ	to speak
η ελληνική γλώσσα	the Greek language
δύσκολος, δύσκολη, δύσκολο	difficult
χρειάζομαι	to need, to want
λίγος, λίγη, λίγο	little
ολίγος, ολίγη, ολίγο	little
η προσοχή	attention
φιλόξενος, φιλόξενη, φιλόξενο	hospitable
μάλλον	rather
προσέχω	to pay attetion
η δίαιτα	diet
γίνομαι	to turn, to get, to grow, to become
χονδρός, χονδρή, χονδρό	fat
ίδιος, ίδια, ίδιο	same
όλος, όλη, όλο	all
ο κόσμος	world
η Αμερικανίδα	american woman
η Αγγλίδα	english woman
η Γερμανίδα	german woman
η Ιταλίδα	italian woman
η Γαλλίδα	french woman
φλύαρος, φλύαρη, φλύαρο	talkative

224 Useful expressions.

είναι διαφορετικό από	it is different than
μου δίνει στα νεύρα	it gets on my nerves
με κάνει νευρικό	it makes me nervous
δεν πίνεται	one cannot drink it
δε βλάπτουν την υγεία	they do not harm (our) health
κάνουν καλό	they do good (to our helth)
χρειάζεται λίγη προσοχή	a little attention is needed
είναι μάλλον	are rather
όταν όμως	but when
γίνονται χονδροί	they become fat
το ίδιο συμβαίνει με	the same happens with
όλου του κόσμου	of all the world

225 More about adjectives.

1. Adjectives that end in -υς, -ια, -υ.

e.g. ο βαθύς (deep), η βαθιά, το βαθύ

ο βαθύς	η βαθιά	το βαθύ
του βαθιού	της βαθιάς	του βαθιού
το βαθύ	τη βαθιά	το βαθύ
οι βαθιοί	οι βαθιές	τα βαθιά
των βαθιών	των βαθιών	των βαθιών
τους βαθιούς	τις βαθιές	τα βαθιά

In the same way inflect :

ο βαρύς (heavy), ο μακρύς (long), ο φαρδύς (wide), ο πλατύς (wide), ο ταχύς (quick, fast), ο παχύς (fat), ο τραχύς (harsh, rough).

N.B. **a.** ο ελαφρύς (light) has also another form ο ελαφρός, η ελαφριά, το ελαφρό.
b. ο γλυκός, η γλυκιά, το γλυκό (sweet)
c. ο ξανθός (blond), η ξανθιά, το ξανθό.

2. The adjective ο πολύς (much), η πολλή, το πολύ is irregular.

ο πολύς	η πολλή	το πολύ
του πολλού	της πολλής	του πολλού
τον πολύ	την πολλή	το πολύ
οι πολλοί	οι πολλές	τα πολλά
των πολλών	των πολλών	των πολλών
τους πολλούς	τις πολλές	τα πολλά

Note that the forms that have no υ are written with two λλ.

3. Another adjective.

ο μεγάλος	η μεγάλη	το μεγάλο
του μεγάλου	της μεγάλης	του μεγάλου
το μεγάλο	τη μεγάλη	το μεγάλο
οι μεγάλοι	οι μεγάλες	τα μεγάλα
των μεγάλων	των μεγάλων	των μεγάλων
τους μεγάλους	τις μεγάλες	τα μεγάλα

4. Adjectives that end in - ης, - ια, - ι.

Most of them denote colour and form their plural according to : οι βαθιοί, οι βαθιές, τα βαθιά.

π.χ. ο σταχτής (grey), η σταχτιά, το σταχτί.

N.B. Η στάχτη (ashes) is of grey colour = ο σταχτής,
η θάλασσα (sea) is blue= ο θαλασσής, η θαλασσιά, το θαλασσί,
το πορτοκάλι (orange) is orange- like in colour = ο πορτοκαλής, η πορτοκαλιά, το πορτοκαλί.
ο καφές (coffee) is coffee - like in colour = ο καφετής, η καφετιά, το καφετί.

ο σταχτής	η σταχτιά	το σταχτί
του σταχτιού*	της σταχτιάς	του σταχτιού
το σταχτή	τη σταχτιά	το σταχτί

5. a. Adjectives of nationality ending in -κός, -κή, -κό.

ο ελληνικός, η ελληνική, το ελληνικό

π.χ. ο ελληνικός καφές
η ελληνική σημαία
το ελληνικό χιούμορ

The stem of each one these adjectives is that of the corresponding country.

π.χ. η Αμερική (America)
ο αμερικανικός, η αμερικανική, το αμερικανικό(ν)
also ο αμερικάνικος, η αμερικάνικη, το αμερικάνικο

So we have:

η Αμερική	αμερικανικός, αμερικανική, αμερικανικό
η Γερμανία	γερμανικός, γερμανική, γερμανικό
η Αγγλία	αγγλικός, αγγλική, αγγλικό ή εγγλέζικος, εγγλέζικη, εγγλέζικο
η Γαλλία	γαλλικός, γαλλική, γαλλικό
η Ιταλία	ιταλικός, ιταλική, ιταλικό
η Ρωσία	ρώσικος, ρώσικη, ρώσικο

In the same way we form adjectives of the continents.

η Ευρώπη	ευρωπαϊκός, ευρωπαϊκή, ευρωπαϊκό
η Αφρική	αφρικανικός, αφρικανική, αφρικανικό
η Ασία	ασιατικός, ασιατική, ασιατικό
η Αμερική	αμερικανικός, αμερικανική, αμερικανικό

N.B.

η Αυστραλία	αυστραλιανός, αυστραλιανή, αυστραλιανό
also:	αυστραλέζικος, αυστραλέζικη, αυστραλέζικο

(*) also του σταχτή

b. Speaking about countries and continents we may refer to the names of the people.

We already know : η Ελλάδα, ο Έλληνας, η Ελληνίδα, τα ελληνικά

π.χ. Οι Έλληνες μιλάνε ελληνικά.
Τα ελληνικά είναι εύκολα.

So we have : ο Αμερικανός, η Αμερικανίδα, τα αμερικάνικα
ή ο Αμερικάνος, η Αμερικάνα, τα εγγλέζικα ή τα αμερικάνικα

ο Άγγλος	η Αγγλίδα	τα αγγλικά
ή Εγγλέζος	η Εγγλέζα	τα εγγλέζικα
ο Γερμανός	η Γερμανίδα	τα γερμανικά
ο Γάλλος	η Γαλλίδα	τα γαλλικά
ο Ρώσος	η Ρωσίδα	τα ρώσικα
ο Ιταλός	η Ιταλίδα	τα ιταλικά

226 *Answer the questions.*

1. Είναι ο ελληνικός καφές βαρύς;
2. Πίνετε πολλούς καφέδες την ημέρα;
3. Βάζετε γάλα στον καφέ σας;
4. Πίνεται ο ελληνικός καφές με γάλα;
5. Πόσοι καφέδες βλάπτουν την υγεία;

6. Κάνει καλό ένας καφές την ημέρα;
7. Πόσοι καφέδες σάς δίνουν στα νεύρα;
8. Πίνετε τον καφέ σας σε μικρό φλιτζάνι;
9. Απολαμβάνετε τον καφέ σας;
10. Τι καφέ παραγγείλατε, μέτριο ή ελαφρύ;

11. Πώς τον πίνετε τον καφέ σας, παρακαλώ;
12. Τι χρώματα έχει η ελληνική σημαία;
13. Τι γλώσσα μιλάνε οι Έλληνες;
14. Είναι δύσκολη γλώσσα τα ελληνικά;
15. Πού χρειάζεται λίγη προσοχή;

16. Είναι οι Έλληνες λαός φιλόξενος;
17. Είναι ωραίες γυναίκες οι Ελληνίδες;
18. Τι γίνεται όταν δεν προσέχουν τη δίαιτά τους;
19. Συμβαίνει το ίδιο με τις γυναίκες όλου του κόσμου;
20. Σας δίνουν οι φλύαρες γυναίκες στα νεύρα;

227 *Translate into Greek.*

1. Greek coffee is different from other coffees.
2. Greeks drink many cups of coffee every day.
3. Americans put milk in their coffee.
4. One cannot drink greek coffee with milk into it.
5. Two or three cups of coffee do not harm our health.

6. A cup of coffee will do me good.
7. Greeks drink their coffee in small cups.
8. Do you enjoy your coffee?
9. How did you order your coffee?
10. I always order my coffee moderate.

11. What are the colours of the greek flag?
12. Greeks speak Greek.
13. The greek language is not a difficult one.
14. One need to be careful with the articles.
15. Are there many greek words in your language?

16. Greeks are hospitable.
17. Fat women are rather beautiful.
18. Do you pay attention to your diet?
19. The same happens with women all over the world.
20. What do talkative woman do to you?

228 *Write your own sentences by using the Useful expressions. of this unit.*

229 *Inflect the following adjectives:*

ο βαθύς, η φαρδιά, το πλατύ, ο ταχύς, ο ελαφρύς, η γλυκιά, το γλυκό, ο πολύς, η πολλή, το πολύ, ο μεγάλος, η σταχτιά, το θαλασσί, ο πορτοκαλής, η καφετιά, το σταχτί.

230 *Form sentences by using one of the following adjectives:*

ο ελληνικός, η αμερικανική, το γερμανικό, ο αγγλικός, η γαλλική, το ιταλικό, ο ρώσικος, η ευρωπαϊκή, το αφρικανικό, ο ασιατικός.

UNIT 24

231 Καθώς πήγαινα στο δρόμο συνάντησα έναν κουρελή, ο οποίος φώναζε δυνατά. Ήταν φωνακλάς. Τον συνάντησα και του είπα να μη φωνάζει. Μου είπε ότι αν αυτός ήταν φωνακλάς, εγώ τότε είμαι λογάς. Επίσης μου είπε ότι είμαι ζηλιάρης, ότι ζηλεύω δηλαδή την ωραία φωνή του. Κατάλαβα ότι ο άνθρωπος αυτός ήταν αδιόρθωτος και συνέχισα το δρόμο μου.

Στο κόσμο υπάρχουν πολλών ειδών άνθρωποι. Υπάρχουν δίκαιοι και άδικοι, καλοί και κακοί, νέοι και γέροι, αστείοι και σοβαροί, ευγενείς και αγενείς, ωραίοι και άσχημοι, μεγάλοι και μικροί, χονδροί και λεπτοί, κοντοί και ψηλοί. Όλοι έχουν την ίδια τύχη. Έρχονται και φεύγουν.

Ο καφές που μου φέρατε είναι άγλυκος. Μην το λέτε αυτό. Είστε άδικος. Το παιδί δεν είναι ζηλιάρικο, είναι άκακο. Δεν είναι δυνατόν να πάω. Μου είναι αδύνατον αυτή την εβδομάδα. Ο χειμώνας είναι βαρύς και θα αρρωστήσω.

232 Λεξιλόγιο

καθώς	as
ο κουρελής	a ragged person
ο οποίος, η οποία, το οποίο	who, what, that
φωνάζω	to cry, to scream, to shout
δυνατά	strongly, hard, vigorously
ο φωνακλάς	bawler, shouter
σταματώ	to stop
λέω	to say, to tell
είπα	to say, to have said, to have told
ο λογάς	chatterer

ο ζηλιάρης	jealous
ζηλεύω	to be jealous
δηλαδή	that is to say (i.e)
καταλαβαίνω	to understand
αδιόρθωτος, -η, -ο	cannot be corrected, incorrigible
συνεχίζω	to continue
το είδος	kind, sort, species
δίκαιος, -η, -ο	just
άδικος, -η, -ο	unjust
κακός, -ή, -ό	bad
σοβαρός, -ή, -ό	serious
αγενής, -ής, -ές	impolite
λεπτός, -ή, -ό	thin, slim
κοντός, -ή, -ό	short
ψηλός, -ή, -ό	tall, high
έρχομαι	to come
φεύγω	to go, to leave
άγλυκος, -η, -ο	unsweetened
ζηλιάρης, -α, -ικο	jealous
άκακος, -η, -ο	harmless
αδύνατος, -η, -ο	weak, thin
το αδύνατο	impossible
αρρωσταίνω	to fall sick (ill)
φαγάς, φαγού, φαγάδικο (το)	glutton, greedy
τετράγωνος, -η, -ο	square

233 Useful expressions.

καθώς πήγαινα	as I was going
καθώς έκανα (κάτι)	as I was doing
του είπα να μην	I told him not to
αν αυτός είναι	If he is
τότε εγώ είμαι	then I am
πολλών ειδών	many kinds of
έχουν την ίδια τύχη	they have the same fate
έρχονται και φεύγουν	they come and they go (they are born and they die)
μην το λέτε αυτό	don't say that
δεν είναι δυνατόν	It is not possible
δεν είναι δυνατόν για μένα να	It is not possible for me to
είναι αδύνατον	It is not possible

234 Colloquial adjectives.

In colloquial Greek there are three groups of adjectives which are used frequently.

1. Adjectives that end in - άς, - ού, - άδικο

π.χ. ο φαγάς (glutton), η φαγού, το φαγάδικο

ο φαγάς	η φαγού	το φαγάδικο
του φαγά	της φαγούς	του φαγάδικου
το φαγά	τη φαγού	το φαγάδικο
οι φαγάδες	οι φαγούδες	τα φαγάδικα
των φαγάδων	των φαγούδων	των φαγάδικων
τους φαγάδες	τις φαγούδες	τα φαγάδικα

In the same way inflect:
ο φωνακλάς (bawler, shouter), ο φαφλατάς (chatterer, charlatan), ο λογάς (chatterer), ο υπναράς (sleeper, fond of sleep) etc.

2. Adjectives that end in - ης, - α, - ικο.

π.χ. ο ζηλιάρης (jealous), η ζηλιάρα, το ζηλιάρικο

ο ζηλιάρης	η ζηλιάρα	το ζηλιάρικο
του ζηλιάρη	της ζηλιάρας	του ζηλιάρικου
το ζηλιάρη	τη ζηλιάρα	το ζηλιάρικο
οι ζηλιάρηδες	οι ζηλιάρες	τα ζηλιάρικα
των ζηλιάρηδων	των ζηλιάρηδων	των ζηλιάρικων
τους ζηλιάρηδες	τις ζηλιάρες	τα ζηλιάρικα

In the same way inflect:
ο ακαμάτης (idler), ο κατσούφης (glum faced, a surly person), ο τεμπέλης (lazy), ο πεισματάρης (obstinate person), ο γκρινιάρης (morose, grouch)

3. Adjectives that end in - ής, - ού, - (ι)άρικο.

π.χ. ο κουρελής (a ragged person), η κουρελού, το κουρελιάρικο

ο κουρελής	η κουρελού	το κουρελιάρικο
του κουρελή	της κουρελούς	του κουρελιάρικου
τον κουρελή	την κουρελού	το κουρελιάρικο

οι κουρελήδες	οι κουρελούδες	τα κουρελιάρικα
των κουρελήδων	των κουρελούδων	των κουρελιάρικων
τους κουρελήδες	τις κουρελούδες	τα κουρελιάρικα

In the same way inflect : ο μπεκρής (drunkard)

235 The opposites.

καλός, καλή, καλό	κακός, κακή, κακό
άσπρος, άσπρη, άσπρο	μαύρος, μαύρη, μαύρο
νέος, νέα, νέο	παλιός, παλιά, παλιό (old)
	γέρος, γριά, γέρικο (old man)
αστείος, αστεία, αστείο	σοβαρός, σοβαρή, σοβαρό
ευγενής, ευγενής, ευγενές	αγενής, αγενής, αγενές
ωραίος, ωραία, ωραίο	άσχημος, άσχημη, άσχημο (ugly)
στρογγυλός, στρογγυλή, στρογγυλό	τετράγωνος, τετράγωνη, τετράγωνο
πολύς, πολλή, πολύ	λίγος, λίγη, λίγο
μεγάλος, μεγάλη, μεγάλο	μικρός, μικρή, μικρό
γλυκός, γλυκιά, γλυκό	πικρός, πικρή, πικρό
βαρύς, βαριά, βαρύ	ελαφρύς, ελαφριά, ελαφρύ
χονδρός, χονδρή, χονδρό (fat)	λεπτός, λεπτή, λεπτό
χαμηλός, χαμηλή, χαμηλό (low)	ψηλός, ψηλή, ψηλό
όρθιος, όρθια, όρθιο (standing up)	καθιστός, καθιστή, καθιστό (seated, sitting down)

236 Word formation.

α- before consonants
αν- before vowels

When one of these is prefixed to noun or verb stems, it forms adjectives that have negative meaning:

π.χ.	δυνατός		αδύνατος	
	γλυκός		άγλυκος	
	κακός		άκακος	
	δίκαιος		άδικος	
	διαβατός	(passable)	αδιάβατος	(unpassable)
	αληθής	(true)	αναληθής	(untrue)
	άξιος	(worthy)	ανάξιος	(unworthy)

π.χ. Αυτός ο καφές είναι άγλυκος.
Αυτός ο άνθρωπος είναι άκακος.
Αυτό είναι άδικο.
Το ποτάμι (river) είναι αδιάβατο.

237 *Answer the questions.*

1. Τι έγινε στο δρόμο καθώς πηγαίνατε;
2. Τι ήταν ο άνθρωπος που συναντήσατε;
3. Τι έκανε;
4. Εσείς, τι κάνατε; Τι του είπατε;
5. Τι σας είπε;

6. Τι σας είπε ότι είστε;
7. Ζηλεύετε εσείς την ωραία φωνή του;
8. Τι καταλάβατε ότι ήταν ο άνθρωπος;
9. Αυτός είναι καλός ή κακός;
10. Τι ειδών άνθρωποι υπάρχουν στον κόσμο;

11. Εσείς, τι είστε; Δίκαιος ή άδικος;
12. Είναι νέα, ευγενής και ωραία ή άσχημη;
13. Έχουν όλοι την ίδια τύχη;
14. Τι είναι ο καφές που του έφεραν;
15. Είστε ζηλιάρης;

16. Γιατί ζηλεύει τον αδελφό του;
17. Σας είναι δυνατόν να πάτε σήμερα;
18. Γιατί σας είναι αδύνατον αυτή την εβδομάδα;
19. Τι είναι ο χειμώνας;
20. Γιατί θα αρρωστήσετε;

238 *Translate into Greek.*

1. As I was going down the street I met a ragged man.
2. The man was shouting out loud, he was a bawler.
3. I stopped him and I told him not to shout.
4. He told me that if he were a bawler then I was a chatterer.
5. He also told me that I was jealous of his lovely voice.

6. I understood that the man was incorrigible.
7. There are many kinds of people in the world.
8. There are just people and unjust, good and bad.
9. Young people are serious and polite.
10. He is ungrateful and impolite.

11. No, she is not fat and ugly.
12. She is tall and beautiful.
13. They all have the same fate.
14. They come and go.
15. I went on my way.

16. The coffee you brought me is unsweetened.
17. Don't say that. You are unjust.
18. The boy is not jealous.
19. It is not possible for me to go now.
20. The winter is heavy and I shall fall sick.

239 *Give the opposites of the following and write sentences using them.*

ο καλός, ο ωραίος, η ευγενής, το αστείο, το νέο, ο άσπρος, ο γέρος, η τετράγωνη, η λίγη, το μικρό, το πικρό, ο ελαφρός (-ύς), ο λεπτός, η ψηλή, ο όρθιος.

π.χ. ο καλός, ο κακός
Αυτός ο άνθρωπος δεν είναι καλός, είναι κακός.
Ο καιρός δεν είναι ωραίος αλλά άσχημος.

240 *Inflect the following adjectives:*

ο φωνακλάς, ο τεμπέλης, η πεισματάρα, ο μπεκρής, ο γέρος, το γέρικο, ο άδικος, η άκακη, ο ανάξιος, το άδικο.

241 *Can you form negative adjectives by prefixing α- or αν- ?*

π.χ. κακός άκακος

242 *Write your own sentences by using the Useful expressions. of this unit.*

UNIT 25

243 ´Εχω ακούσει πολλά καλά λόγια για την Ελλάδα από τουρίστες. Επίσης έχω διαβάσει την ιστορία της. Η Ελλάδα έχει προσφέρει πολλά στον πολιτισμό και στην ανθρωπότητα.
Είχα και εγώ μάθει για την Ελλάδα. Άλλο όμως να έχεις διαβάσει γι' αυτή και άλλο να πας να ζήσεις αυτά που έχεις διαβάσει. Φεύγω τον άλλο μήνα. Θα έχω γυρίσει μέχρι τις δέκα Αυγούστου. Πιθανόν να μείνω πιο πολύ. Εσύ, ασφαλώς θα είχες περάσει πολύ καλά στην Ελλάδα. Ξέρεις την ελληνική γλώσσα πολύ καλά.
Μην ανησυχείς. Με τα ελληνικά που ξέρεις όλοι θα σε καταλαβαίνουν. ´Εχεις ωραία προφορά και δε βιάζεσαι όταν μιλάς. Θα δεις ότι έχω δίκιο. Θα περάσεις πολύ καλά. Καλό ταξίδι και καλή αντάμωση.

244 Λεξιλόγιο

τα λόγια	words
η ιστορία	history
προσφέρω	I offer
ο πολιτισμός	civiliazation
η ανθρωπότητα	humanity
πιθανώς, πιθανόν	probably, likely
ανησυχώ	I worry, I am uneasy
η προφορά	pronunciation
βιάζομαι	I am in a hurry
το ταξίδι	trip, journey, voyage
η συνάντηση	meeting, encounter

245 Useful expressions.

ακούω καλά λόγια για κάποιον	I hear good words about one
είναι κάτι διαφορετικό	it is something different
και κάτι άλλο	and something else
τον άλλο μήνα	next month
μέχρι, ως	till
μην ανησυχείς	don't worry
με τα ελληνικά που ξέρεις	(with) so much Greek that you know
όλοι θα σε καταλαβαίνουν	they will all understand you

μη βιάζεσαι	Don't be in a hurry
βιάσου! (ή κάνε γρήγορα!)	hurry up!
έχω δίκιο	I am right
έχω το δικαίωμα	I have the right
έχω άδικο	I am wrong
περνώ καλά	I have a good time
καλό ταξίδι!	Have a nice trip!
καλή αντάμωση	au revoir, good bye, till we meet again

246 The infinitive. Το απαρέμφατο.

1. As we write in section 491 the infinitive has only voice or tense and no person or number.

2. We are to form certain perfect tenses **ο παρακείμενος** (see section 163) έχω **ακούσει**, έχω **διαβάσει**, έχω **γράψει. Ο υπερσυντέλικος** (see section 181) είχα **ακούσει**, είχα **διαβάσει**, είχα **γράψει. Ο συντελεσμένος μέλλοντας** (see section 193) θα έχω **λύσει**, θα έχω **ακούσει**, θα έχω **διαβάσει**.

3. The active infinitive has the form of the third singular person i.e. ακούσει, διαβάσει, γράψει, λύσει.

4. To make things easier remember that the "active infinitive" form is exactly the same with the form used in the third singular of punctual future or future perfect tenses (see sections 192 and 193).

247 Present - future - infinitive.

Here is a list of the three forms of most of the verbs that you already know.

Present	**Future**	**Infinitive**
λύω	θα λύσω	είχα λύσει
αγαπώ (ή αγαπάω)	θα αγαπήσω	είχα αγαπήσει
οδηγώ	θα οδηγήσω	είχα οδηγήσει
ακούω	θα ακούσω	είχα ακούσει
διαβάζω	θα διαβάσω	είχα διαβάσει
φέρνω	θα φέρω	είχα φέρει
ξεχνώ	θα ξεχάσω	είχα ξεχάσει
τρώω	θα φάω	είχα φάει
πηγαίνω	θα πάω	είχα πάει
λέω	θα πω	είχα πει
ζω	θα ζήσω	είχα ζήσει
βλέπω	θα δω	είχα δει
καταφεύγω	θα καταφύγω	είχα καταφύγει
δένω	θα δέσω	είχα δέσει

περνώ	θα περάσω	είχα περάσει
φτάνω	θα φτάσω	είχα φτάσει
απαγορεύω	θα απαγορέψω	είχα απαγορέψει
παίρνω	θα πάρω	είχα πάρει
γυρίζω	θα γυρίσω	είχα γυρίσει
συναντώ	θα συναντήσω	είχα συναντήσει
ζυγίζω	θα ζυγίσω	είχα ζυγίσει
τιμώ	θα τιμήσω	είχα τιμήσει
τραβώ	θα τραβήξω	είχα τραβήξει
ζητώ	θα ζητήσω	είχα ζητήσει
απαντώ	θα απαντήσω	είχα απαντήσει
τονίζω	θα τονίσω	είχα τονίσει
προτιμώ	θα προτιμήσω	είχα προτιμήσει
βάζω	θα βάλω	είχα βάλει
βλάπτω	θα βλάψω	είχα βλάψει
παραγγέλνω	θα παραγγείλω	είχα παραγγείλει
απολαμβάνω	θα απολαύσω	είχα απολαύσει
μιλώ (ή μιλάω)	θα μιλήσω	είχα μιλήσει
προσέχω	θα προσέξω	είχα προσέξει
γίνομαι	θα γίνω	είχα γίνει
φωνάζω	θα φωνάξω	είχα φωνάξει
σταματώ	θα σταματήσω	είχα σταματήσει
ζηλεύω	θα ζηλέψω	είχα ζηλέψει
καταλαβαίνω	θα καταλάβω	είχα καταλάβει
συνεχίζω	θα συνεχίσω	είχα συνεχίσει
φεύγω	θα φύγω	είχα φύγει
αρρωσταίνω	θα αρρωστήσω	είχα αρρωστήσει

248 *Write the present form of the following infinitive forms:*

λύσει, ζήσει, πάει, αγαπήσει, οδηγήσει, ακούσει, πει, φάει, καταφύγει, παραγγείλει, βλάψει, βάλει, περάσει, φτάσει, απαγορέψει, γυρίσει, πάρει, προτιμήσει, τονίσει, απαντήσει, συναντήσει, ζητήσει, τραβήξει, ζυγίσει, τιμήσει, αρρωστήσει, μιλήσει, φύγει, προσέξει, γίνει, συνεχίσει, φωνάξει, σταματήσει, καταλάβει.

249 *Answer the questions.*

1. Τι έχετε ακούσει για την Ελλάδα;
2. Από ποιον τα έχετε ακούσει;
3. Τι έχετε διαβάσει για την Ελλάδα;
4. Τι έχει προσφέρει η Ελλάδα στον πολιτισμό;
5. Τι έχει προσφέρει η Ελλάδα στην ανθρωπότητα;

6. Τι έχετε μάθει και εσείς για την Ελλάδα;
7. Θα πάτε στην Ελλάδα να ζήσετε αυτά που έχετε διαβάσει;
8. Πότε φεύγετε για την Ελλάδα;
9. Μέχρι πότε θα έχετε γυρίσει;
10. Είναι πιθανό να μείνετε πιο πολύ;

11. Πώς πέρασες στην Ελλάδα;
12. Περάσατε πολύ καλά χθες βράδυ;
13. Ξέρεις τη γλώσσα καλά;
14. Γιατί ανησυχείς;
15. Γιατί θα σε καταλάβουν όλοι;

16. Έχει ο Γιώργος ωραία προφορά;
17. Βιάζεται η Μαρία όταν μιλάει ελληνικά;
18. Έχω δίκιο ή άδικο;
19. Γιατί βιάζεται να φύγει;
20. Θα περάσετε καλά στην Ελλάδα;

250 *Translate into Greek.*

1. I have heard many good words about Greece from tourists.
2. I have also studied the history of the country.
3. Greece has offered many things to humanity and civilization.
4. I have also learnt good things about her.
5. It is something different to have heard about it and something else to go and live it.

6. He is leaving next month for Greece.
7. He shall be back by the tenth of May.
8. I will probably stay longer.
9. You should have had a good time in Greece.
10. They know the language very well.

11. Don't worry.
12. Everyone will understand you.
13. You have a very good pronunciation.
14. You will see that I am right.
15. Good bye. Have a nice trip.

251 Write your own sentences by using the Useful expressions. of this unit.

UNIT 26

252

Χθες βράδυ, μην έχοντας τι άλλο να κάνω, πήγα στονκινηματογράφο. ΄Εκανε πολύ κρύο. Περπατώντας μέσα στο κρύο και τη νύχτα άρπαξα ένα κρυολόγημα. Άρχισα να βήχω. Βλέποντας το φίλμ αισθάνθηκα ρίγη και τάση για εμετό. Δυστυχώς δεν έφυγα αμέσως! ΄Εχοντας πληρώσει το εισιτήριο πίεσα τον εαυτό μου να μείνω λίγο ακόμα. Μου ήταν αδύνατον όμως. Με έπιασε δυνατός βήχας. Δεν ήταν δυνατόν να μείνω. Τελικά φεύγοντας από τον κινηματογράφο είχα πυρετό. Με πονούσε ο λαιμός μου. Είχα πονόλαιμο. ΄Ηταν πολύ αργά. Μη βρίσκοντας ταξί περπάτησα ελπίζοντας να βρω πιο πέρα. Του κάκου όμως. Φτάνοντας στο σπίτι και ανοίγοντας την πόρτα, μου πέρασε η σκέψη ότι μπορεί να είναι σοβαρό. Την επόμενη μέρα, έχοντας ακόμη πυρετό και πονώντας στο λαιμό και βήχοντας, κάλεσα το γιατρό. Ο γιατρός ήρθε. Εξετάζοντάς με μου είπε να μείνω στο κρεβάτι μια-δυο μέρες, να πάρω το φάρμακο και θα γίνω καλά. Μου ευχήθηκε περαστικά.
Πραγματικά. Μένοντας στο κρεβάτι και παίρνοντας κάτι χάπια έγινα καλά. ΄Ηταν μια μικρή περιπέτεια.

253 Λεξιλόγιο

ο κινηματογράφος	cinema	ο πονόλαιμος	sore throat
το σινεμά	cinema	βρίσκω	to find
κρύος, -α, -ο	cold	το ταξί	taxi
περπατώ	to walk	τελικά	finally
πιάνω	to catch	ανοίγω	to open
το κρυολόγημα	cold	η πόρτα	door
αρχίζω	to begin	επόμενος, -η, -ο	next
βήχω	to cough	καλώ	to call
το φιλμ	film	εξετάζω	to examine, to check
το ρίγος	shiver, chill	το κρεβάτι	bed
η τάση	inclination	εύχομαι	to wish
εμετός	vomit	περαστικά	speedy recovery
δυστυχώς	unfortunately	πραγματικά	indeed
αμέσως	at once	το χάπι	pill
πιέζω	to press	η περιπέτεια	adventure
ο εαυτός μου	myself	το μέλλον	future
μένω	to stay	τίποτε (ή τίποτα)	nothing
δυνατός, -ή, -ό	strong	ακριβός, -ή, -ό	expensive
αισθάνομαι	to feel	το σαββατοκύριακο	weekend
ο λαιμός	throat	πουθενά	nowhere

254 Useful expressions.

χθες το βράδυ	last night
μην έχοντας να κάνω κάτι	not having to do anything
μην έχοντας να κάνω κάτι	not having anything else to do
κάνει κρύο	it is cold
κρυολογώ	to catch cold
αρπάζω κρυολόγημα	to catch cold
αισθάνομαι ρίγη	to feel chills
αισθάνομαι τάση για εμετό	to feel like vomiting
μου έρχεται να κάνω εμετό	to feel like vomiting
πιέζω τον εαυτό μου	to press myself
μένω λίγο ακόμα	to stay a little longer
είναι αδύνατον για μένα	it is impossible for me
με πιάνει βήχας	to start coughing
μου είναι αδύνατον	it is impossible for me
έχω πυρετό	to have fever, I have fever
με πιάνει πυρετός	I get a fever
με πονάει (κάτι ή κάπου)	it hurts
πονώ κάποιον	to hurt someone
έχω πονόλαιμο	to have a sore throat
ήταν πολύ αργά	it was too late
αλλά ήταν πολύ αργά	but in vain
καλώ το γιατρό	to call the doctor
μου πέρασε η σκέψη	the thought passed my mind, it occured to me
ότι μπορεί να είναι	that it might be
μένω στο κρεβάτι	to stay in bed
γίνομαι καλά	to become well
εύχομαι περαστικά	to wish (quick) recovery
θα περάσει	it shall overpass
κάτι χάπια	some pills

255 The participle. Η μετοχή

1. We write about participles in section 491 in a general way.
The **μετοχή** is formed in both voices (F N the passive participle see section 344). In the active voice it is formed from the present tense and ends in -οντας or -ώντας. It is not inflected e.g. γράφοντας (writing), αγαπώντας (loving)

2. It ends in - ώντας (with ώ) then the **παραλήγουσα** is stressed and in - οντας (with ο) when it is not stressed.

e.g. πηδώντας (jumping), τραγουδώντας (singing), λέγοντας (saying), βλέποντας (seeing)

Ζει ελπίζοντας για το μέλλον.

π.χ.	γράφω	γράφοντας	Μαθαίνω ελληνικά διαβάζοντας.
	αγαπώ	αγαπώντας	Έφυγε φωνάζοντας.

Έφτασε οδηγώντας το αυτοκίνητό του.

3. The negation is expressed by putting the word μη (ή μην = not, don't) before the active participle.

π.χ. Μην έχοντας χρήματα, έμεινα σπίτι.
Not having money I stayed at home.

256 Two negations.

In English it is not proper to use two negatives in the same sentence. In modern Greek however it is permissible.

π.χ. Μην έχοντας χρήματα, δεν πήγα.
Δεν έμεινα, μην καταλαβαίνοντας τη γλώσσα του φιλμ.
Τι αγόρασες;
Δεν αγόρασα τίποτε, ήταν όλα ακριβά.
Πού πήγες το σαββατοκύριακο;
Δεν πήγα πουθενά, έμεινα σπίτι.

257 *Answer the questions.*

1. Γιατί πήγατε στον κινηματογράφο χθες βράδυ;
2. Πήγατε περπατώντας ή οδηγώντας το αυτοκίνητο;
3. Γιατί αρπάξατε κρυολόγημα (κρυολογήσατε);
4. Πότε αρχίσατε να βήχετε;
5. Τι αισθανθήκατε βλέποντας το φιλμ;

6. Είχατε τάση για εμετό;
7. Φύγατε αμέσως ή μείνατε λίγο ακόμα;
8. Γιατί πιέσατε τον εαυτό σας να μείνει;
9. Γιατί σας ήταν αδύνατον να μείνετε;
10. Εγκατελείποντας τον κινηματογράφο, τι είχατε;

11. Γιατί περπατήσατε τόσο πολύ μέσα στο κρύο;
12. Βρήκατε ταξί πιο πέρα;
13. Φτάνοντας στο σπίτι, τι κάνατε;
14. Ανοίγοντας την πόρτα, τι σκέψη σάς πέρασε;
15. Πότε και γιατί καλέσατε γιατρό;

16. Τι σας είπε ο γιατρός εξετάζοντάς σας;
17. Πόσες ημέρες σάς είπε να μείνετε στο κρεβάτι;
18. Τι σας ευχήθηκε ο γιατρός;
19. Τι φάρμακα πήρατε;
20. Ήταν μια μικρή ή μεγάλη περιπέτεια;

258 Translate into Greek.

1. Last night having nothing else to do I went to the cinema.
2. It was very cold.
3. Walking in the cold night I caught cold.
4. I began coughing and I felt chills.
5. I felt like vomiting.

6. Unfortunately I did not leave at once.
7. Having paid for the ticket I pressed myself to stay a little longer.
8. But it was impossible for me to stay.
9. Finally leaving the cinema I had a sore throat
10. Finding no taxi I walked.

11. In vain, I did not find a taxi.
12. The thought passed my mind that it might be something serious.
13. Next day I called the doctor.
14. He examined me and told me to stay in bed.
15. He gave me some pills and wished me a speedy recovery.

259 *Write your own sentences by using the Useful expressions of this unit.*

260 *Write the participles of the verbs used in the text of this unit.*

έχω, κάνω, πηγαίνω, περπατώ, αρπάζω, αρχίζω, βήχω, βλέπω, φεύγω, πληρώνω, πιέζω, μένω, πιάνω, πονώ, φτάνω, ανοίγω, περνώ, μπορώ, καλώ, εξετάζω, λέγω, παίρνω.

261 *Write ten sentences using one of the above participles.*

π.χ. Πηγαίνοντας στο σινεμά άρχισα να βήχω.

UNIT 27

262 Όταν πας στην Ελλάδα, να μου το πεις. Να είσαι βέβαιος ότι αφού το αποφασίσω να πάω, θα σου το πω. Για να πάει κανείς εκεί πέρα πρέπει να πάρει το πλοίο ή το αεροπλάνο. Αν πάει, θα περάσει καλά. Αφού φτάσεις, να μου γράψεις τις εντυπώσεις σου. Αν θέλεις, προτού γυρίσεις, να μας τηλεφωνήσεις. Πιθανόν να θέλουμε να μας αγοράσεις κανένα ενθύμιο.

– Να μην πας με πλοίο. Να πας με το αεροπλάνο. Είναι πιο καλά.
– Δεν ξέρω τι να κάνω. Να μείνω; Να φύγω; Ο πατέρας μου μου τηλεφώνησε να φύγω. Μένει στην Ελλάδα. Μου είπε να πάω να τον δω.
– Μακάρι να μπορούσε να έρθει και ο αδελφός μου μαζί σου.
– Αν έρθει, θα περάσει καλά.

– Μπορώ να τηλεφωνήσω, παρακαλώ;
– Πού μπορώ να κάνω ένα τηλεφώνημα;
– Μπορώ να στείλω ένα τηλεγράφημα;
– Καλύτερα να στείλετε ένα τέλεξ.

263 Λεξιλόγιο

βέβαιος, -α, -ο	certain	προτού να	prior to, before
αποφασίζω	I decide	άμα	as soon as, if, when
εκεί	there	ενθύμιο	souvenir, memento
η εντύπωση	impression	μακάρι	May! God grant!
για να	to, in order to	το τηλεφώνημα	telephone call
άσε	let, may	το τηλεγράφημα	cable, wire, telegramme
ας	let, may	αφού	after, since, when
στέλνω	I send	πριν	prior to, before
το τέλεξ	telex		

264 Useful expressions.

να μου το πεις	you should tell it to me
να είσαι βέβαιος	be certain, be sure
γράφω τις εντυπώσεις μου	I write my impressions
είναι πιο καλά	It is better
δεν ξέρω τι να κάνω	I don't know what to do
μακάρι να μπορούσα	I wish I were able
κάνω ένα τηλεφώνημα	I make a telephone call
στέλνω ένα τηλεγράφημα	I send a telegraph
στέλνω ένα τέλεξ	I send a telex, I telex
καλύτερα να	you had better

265 The subjunctive mood. Η υποτακτική έγκλιση.
(More about moods see in section 491.)

We use the subjunctive mood when the action or state expressed is a matter of supposal, desire or possibility.

1. The present subjunctive is written exactly the same as the present indicative.
The participle precedes all persons. You may help your memory by noticing that in form the present subjunctive is like the durative future which you have already learned (see section 191.) but substitute θα by να.

π.χ. να γράφω, να δένω

2. The aorist subjunctive is formed like the punctual future (see section 192) but substitute θα by να.

π.χ. να έχω γράψει
να έχω δέσει

3. The present perfect subjunctive is formed like the future perfect (see section 193), but substitute θα by να. In other words it is formed by the present subjunctive of the verb έχω, that is να έχω plus the infinitive.

π.χ. να έχω γράψει
να έχω δέσει

Subjunctive

Present [*]	Aorist [**]	Present Perfect [***]
να γράφω	να γράψω	να έχω γράψει
να γράφεις	να γράψεις	να έχεις γράψει
να γράφει	να γράψει	να έχει γράψει
να γράφουμε	να γράψουμε	να έχουμε γράψει
να γράφετε	να γράψετε	να έχετε γράψει
να γράφουν	να γράψουν	να έχουν γράψει

266 Certain things to remember.

1. We have already discussed about some special verbs μπορώ, θέλω, αρκεί and πρέπει (see section 165). These verbs are mostly used with subjunctive.

2. We use the participle να before all persons in subjunctive. The following words require also subjunctive with or without να.

για να	in order to, to
όταν	when
ας	let, may
αφού	after, since, when
πριν	prior to, before
προτού να	prior to, before
άμα	as soon as, if, when
αν	if

π.χ. Για να πάω εκεί, πρέπει να πάρω το τρένο.
Όταν φτάσει, θα σας πάρει.
Ας πάει, θα περάσει καλά.
Αφού το γράψεις, να το στείλεις.
Πριν (προτού να) έρθεις, να μας τηλεφωνήσεις.
Αν έρθει, θα το μάθω.

3. The negation is expressed by using the word μη (ή μην).

π.χ. Να μην το γράψεις.
Να μην πας.
Να μην έρθεις.

(*) *The active durative future: θα γράφω, θα λύνω*
(**) *The active punctual future: θα γράψω, θα λύσω*
(***) *The active future perfect: θα έχω γράψει, θα έχω λύσει*

4. The subjunctive is used also in indirect or direct orders, suggestions as well as in expressing permission and wishes.

a. π.χ. Της είπα να μην το κάνει.
Του έγραψα να έρθει.
Να το γράψω εγώ;
Να το γράψεις.

b. π.χ. Μπορώ να καπνίσω; (May I smoke?)
Τι να κάνω;
Να φύγω; Να μείνω;

c. The word μακάρι (God grant! May!) is used with subjunctive in expressing wish.

π.χ. Μακάρι να έρθει.
May he (she) come.

5. The word αν (if) introduces condition. In English the future is not used after if. In Greek you can use either subjunctive or future.

π.χ. Αν έρθει, θα το μάθω.
Αν θα έρθει, θα το μάθω.

267 *Write ten sentences using one of the following words or pairs:*
για να, να, όταν, αφού, πριν, προτού να, άμα, αν.

π.χ. Άμα φτάσεις, να μου τηλεφωνήσεις.
Προτού να πας, να μου το πεις.

268 *Write sentences of your own by using the word μη.*

π.χ. Να μην πας εκεί.
Να μην έρθεις μαζί μας.

269 *Write sentences of your own expressing permission, wish, suggestion or direct order.*

π.χ. Να καπνίσω;
Μακάρι να μπορούσα να πάω και εγώ.
Ας το γράψει.
Να μείνεις μαζί μας.

270 *Write some sentences using the word αν with subjunctive or future.*

π.χ. Αν με καλέσεις, θα έρθω.
Αν θα με καλέσεις, θα έρθω.

271 *Answer the questions.*

1. Όταν πας στην Ελλάδα, θα μου το πεις;
2. Να είμαι βέβαιος ότι θα το μάθω;
3. Θα πάρεις το πλοίο ή το αεροπλάνο;
4. Θα μου γράψεις τις εντυπώσεις σου αφού φτάσεις;
5. Θα μου τηλεφωνήσεις προτού να γυρίσεις;

6. Θα αγοράσεις της Μαρίας κανένα ενθύμιο;
7. Είναι πιο καλά να πάει κανείς με πλοίο;
8. Γιατί δεν ξέρεις τι να κάνεις; Αποφάσισε!
9. Τι σου είπε ο πατέρας σου να κάνεις;
10. Πού μένει ο πατέρας σου;

11. Τι θα πας να κάνεις στην Ελλάδα;
12. Θα έρθει ο αδελφός σου μαζί σου;
13. Θα περάσει καλά αν έρθει;
14. Πού μπορώ να τηλεφωνήσω, σας παρακαλώ;
15. Πού μπορώ να κάνω ένα τηλεφώνημα;

16. Μπορώ να στείλω ένα τηλεγράφημα;
17. Γιατί στέλνετε ένα τηλεγράφημα και όχι γράμμα;
18. Πόσο κάνει αυτό το τηλεγράφημα, παρακαλώ;
19. Γιατί είναι καλύτερα να στείλεις ένα τέλεξ;
20. Τι γράφεις στο τηλεγράφημα;

272 *Translate into Greek.*

1. If you see her you should tell it to me.
2. Be sure that I will do that.
3. In order to go there I shall take the boat.
4. If he goes he will have a good time.
5. If you wish call me before you come back

6. Write your impressions to us after arriving there.
7. Do you want me to buy a memento for you?
8. It is better that you go there by plane.
9. I don't know what to do.
10. Shall I stay? Shall I leave?

11. My father is living in Greece.
12. May I make a telephone call please?
13. Where can I send a telegramme?
14. You had better send a telex.
15. I wish you could come with me to Greece.

273 *Write sentences of your own by using the useful expressions of this unit.*

274 Αύριο είναι η ονομαστική μου εορτή. Με λένε Θανάση. Θα πάρω πολλές κάρτες και τηλεγραφήματα. Όλα θα γράφουν : «Χρόνια Πολλά» ή «Θερμές Ευχές».
Πριν από λίγες ημέρες είχε τα γενέθλιά της η γυναίκα μου. Όλοι της ευχηθήκαμε «Χρόνια Πολλά». Εγώ της αγόρασα ένα ωραίο δώρο.
Στο τέλος του μήνα είχαμε την επέτειο των γάμων μας. Θα πάρουμε τηλεγραφήματα που θα λένε :«Συγχαρητήρια» ή «Να Ζήσετε».

Όταν γεννήθηκε το πρώτο μας παιδί, μας ευχήθηκαν : «Να σας ζήσει». Το ίδιο και όταν το βαπτίσαμε. Μόλις ο γιος μας πήρε το πτυχίο του από το Πανεπιστήμιο, του τηλεγραφήσαμε «Συγχαρητήρια. Και εις ανώτερα».

Οι Έλληνες λένε :
Στους γάμους : Συγχαρητήρια ή Να ζήσετε.
Στην ονομαστική εορτή : Χρόνια Πολλά.
Στα γενέθλια : Χρόνια Πολλά.
Στα βαπτίσια : Να σας ζήσει.
Την Πρωτοχρονιά : Ευτυχισμένος ο καινούργιος χρόνος.

Τα Χριστούγεννα : Καλά Χριστούγεννα.
Το Πάσχα : (before): Καλό Πάσχα.
(after): Χριστός Ανέστη.
(answer): Αληθώς Ανέστη.
Σ' ευχάριστα γεγονότα : Συγχαρητήρια.
Σε δυσάρεστα γεγονότα : Συλλυπητήρια.

275 Λεξιλόγιο

η εορτή, η γιορτή	holiday
η κάρτα (το επισκεπτήριο)	visiting-card
η κάρτα (η ταχυδρομική κάρτα)	post-card
τα χρόνια	years
θερμός, -ή, -ό	warm
η ευχή	wish
το δώρο	gift
το τέλος	end
η επέτειος	anniversary
ο γάμος	wedding
γεννώ	I give birth to
βαπτίζω	I baptize, I christen
μόλις	as soon as
το πτυχίο	degree, diploma
ανώτερος, -η, -ο	higher
η βάπτιση	baptism
τα βαπτίσια	baptism
η Πρωτοχρονιά	New Year 's Day
ευτυχισμένος, -μένη, -μένο	prosperous, happy
νέος, νέα, νέο	new
καινούργιος, -α, -ο	new
το γεγονός	event
η κηδεία	funeral
τα συγχαρητήρια	congratulations
τα συλλυπητήρια	condolences
βγαίνω	I come out, I get out
μπαίνω	I enter, I go in
κατεβαίνω	I descend, I go down
αφήνω	leave, let, abandon
αληθώς, πράγματι	indeed, truly, verily
εκφράζω	I express

276 Useful expressions.

ονομαστική εορτή	nameday
όλα θα γράφουν	on all it will be written
Χρόνια Πολλά	many years, many happy returns of the day
Θερμές Ευχές	best wishes (warm wishes)
Συγχαρητήρια	congratulations
Να σας ζήσει	He (she) may live long (for you)!
Όταν γεννήθηκε	When (our first child) was born
Και εις ανώτερα	to higher successes (achievements)
Ευτυχισμένος ο καινούργιος χρόνος!	Happy New Year!

Καλά Χριστούγεννα!	Merry Christmas!
Καλό Πάσχα!	Happy Easter!
Χριστός Ανέστη!	Christ has risen!
Αληθώς Ανέστη!	He has risen indeed!
Συλλυπητήρια	Condolences

277 278 The imperative. Η προστακτική έγκλιση.

1. The imperative is used in commands or requests and necessarily refers to the future. The imperative, present or aorist, occurs mainly in the second person singular and plural. The third person is substituted by the words ας or να and the corresponding subjunctive. The singular ends in - ε, while the plural in - τε.

Imperative

Present	**Aorist**
γράφε	γράψε
ας γράφει	ας γράψει
γράφετε	γράψ(ε)τε
ας γράφουν	ας γράψουν

2. The contracted verbs (see section 142) form their imperative in - α, - άτε.

αγάπα	αγάπησε
ας αγαπά	ας αγαπήσει
αγαπάτε	αγαπήσ(ε)τε
ας αγαπούν	ας αγαπήσουν

3. The imperative has no negation form. We use the corresponding subjunctive preceded by μη, να μη or ας μη.

π.χ.	μη γράφεις	μη γράψεις
	μη γράφει	μη γράψει
	μη γράφετε	μη γράψετε
	μη γράφουν	μη γράψουν

4. Remember that as we have already mentioned (see section 266 § 4) that an order can also be expressed by using the subjunctive form.

π.χ. Γράψε το γράμμα αμέσως.
Να γράψεις το γράμμα αμέσως.
Σταματήστε αμέσως.
Να σταματήσουν αμέσως.
Κάνε το τώρα αμέσως.

5. Here is a list of the formation of the imperative of certain commonly used verbs.

	Present Imperative		**Aorist Imperative**	
βγαίνω	βγαίνε	βγαίνετε	έβγα βγες	εβγάτε βγείτε ή βγέστε
μπαίνω	μπαίνε	μπαίνετε	έμπα μπες	εμπάτε μπείτε
δίνω	δίνε	δίνετε	δώσε	δώστε
φέρνω	φέρνε	φέρνετε	φέρε	φέρτε
φωνάζω	φώναζε	φωνάζετε	φώναξε	φωνάξτε
τρώω	τρώγε	τρώγετε	φάγε ή φάε	φάτε
βλέπω	βλέπε	βλέπετε	δες	δέστε δείτε
λέω	λέγε	λέγετε	πες	πέστε πείτε
βρίσκω			βρες	βρέστε βρείτε
πίνω	πίνε	πίνετε	πιες	πιέστε πιείτε
μιλάω	μίλα	μιλάτε	μίλησε	μιλήστε
τρέχω	τρέχα	τρεχάτε	τρέξε	τρέξετε τρέξτε
φεύγω	φεύγα φεύγε	φευγάτε φεύγετε	φύγε	φύγετε
παίρνω	παίρνε	παίρνετε	πάρε	πάρετε
έρχομαι			έλα	ελάτε
μαθαίνω	μάθετε	μαθαίνετε	μάθε	μάθετε
κατεβαίνω	κατέβαινε	κατεβαίνετε	κατέβα	κατεβείτε κατεβάτε
ανεβαίνω	ανέβαινε	ανεβαίνετε	ανέβα	ανεβείτε ανεβάτε
ακούω	άκου	ακούτε	άκουσε	ακούστε
αφήνω	άφηνε	αφήνετε	άσε άφησε	άστε αφήστε
μένω	μένε	μένετε	μείνε	μείνετε
φορώ	φόρα	φοράτε	φόρεσε	φορέστε
πηγαίνω	πήγαινε	πηγαίνετε		
βάζω	βάζε	βάζετε	βάλε	βάλ(ε)τε
κάνω	κάνε	κάνετε	κάνε	κάνετε
δένω	δένε	δένετε	δέσε	δέστε
ζητώ	ζήτα	ζητάτε	ζήτησε	ζητήστε
προσέχω	πρόσεχε	προσέχετε	πρόσεξε	προσέξτε
συνεχίζω	συνέχισε	συνεχίζετε	συνέχισε	συνεχίστε

279 *Answer the questions.*

1. Πότε είναι η ονομαστική σας εορτή;
2. Τι θα λένε τα τηλεγραφήματα που θα πάρετε;
3. Πότε είχε τα γενέθλιά της η Μαρία;
4. Τι της ευχηθήκατε;
5. Της αγοράσατε ένα ωραίο δώρο;

6. Πότε έχουν οι γονείς σας την επέτειο των γάμων τους;
7. Τι θα γράφουν τα τηλεγραφήματα που θα πάρουν;
8. Πότε γεννήθηκε το πρώτο τους παιδί;
9. Όταν πήρε ο Γιώργος το πτυχίο του, τι έλαβε;
10. Τι έλεγε το τηλεγράφημα που πήρε ο Γιώργος;

11. Τι εύχεστε στους γάμους;
12. Τι λέτε στην ονομαστική εορτή;
13. Τι εύχεται κανείς στα γενέθλια;
14. Στα βαπτίσια τι λένε;
15. Τι γράφετε στις κάρτες των Χριστουγέννων;

16. Τι εύχεστε την Πρωτοχρονιά;
17. Τι εύχονται οι Έλληνες πριν από το Πάσχα;
18. Τι λένε το Πάσχα όταν συναντιώνται;
19. Τι εύχεστε σε ευχάριστα γεγονότα;
20. Τι λέτε σε θανάτους ή σε κηδείες;

280 *Translate into Greek.*

1. Tomorrow I have my nameday.
2. Many people will send me telegrams.
3. They will wish me their best wishes.
4. When is your wife 's birthday?
5. Did you buy a nice gift for her?

6. I send her flowers.
7. When do they have their wedding anniversary?
8. What did people wish you when your first child was born?
9. What did you wish him when he received his degree?
10. We expressed to him our congratulations.

11. Many happy returns of the day.
12. I wished them Merry Christmas and a Happy New Year.
13. I said to him: "Christ has risen".
14. He answered to me: "He has risen indeed".
15. In the telegram I expressed my condolences.

281 *Write sentences of your own using the wishes of this unit.*

282 *Write sentences in which you will use the aorist imperative of the list of the verbs in section 278 of this unit.*

π.χ. Δώσε μου, σε παρακαλώ, μια δραχμή.
Φάτε το. Είναι καλό.
Ελάτε αύριο το βράδυ.

UNIT 29

283 Ο μικρούλης ζήτησε από τον αδελφούλη του χρήματα. Αυτός του είπε: Δεν έχω. Όταν έχω χρήματα θα σου δώσω. Έχε υπομονή. Μην έχοντας χρήματα του έδωσε ένα φιλάκι. Η αδελφούλα του είναι μια πολύ ωραία κοπελίτσα. Ο πατέρας είπε στο μικρό γιο του: «Παιδάκι μου, μην είσαι ανόητος. Πρέπει να πας για ύπνο». Τον πήρε από το χεράκι και τον έβαλε στο κρεβατάκι του.

Αν ήμουν βέβαιος ότι είναι ψευταράς, θα σου το έλεγα. Θα σου το είχα γράψει. Αυτός ο άνθρωπος είναι παράξενος. Έχει μια κεφάλα, μια κοιλάρα και κάτι ποδάρες, που κάνουν εντύπωση. Η φωνάρα του είναι τρομερή.

Δεν μπορώ να διαβάσω το γράμμα του. Το ντύσιμό του δείχνει ότι έχει λεφτά. Το φέρσιμό του δείχνει ότι έχει αγωγή. Μην τα ρωτάς. Έχω μπλεξίματα. Το φταίξιμο είναι δικό μου. Και εγώ έχω τρεχάματα. Έχω πολλά πράγματα να κάνω. Δεν έχω μια ώρα ελεύθερη.

284 Λεξιλόγιο

N.B. This vocabulary is exceptionally long since it includes not only the new words that appear in the text and the grammar section of this unit but many diminutives, augmentatives and verbal nouns as well. The student may use it as a handy reference. It is not necessary to commit everything to memory.

ο μικρούλης	little boy	η κοπελίτσα	little girl
ο αδελφούλης	little brother	το αγοράκι	little boy
η υπομονή	patience	ανόητος, -η, -ο	foolish, stupid

το φιλί	kiss	το χεράκι	little hand
το φιλάκι	little kiss	το κρεβατάκι	little bed
η αδελφούλα	little sister	ο ψευταράς	big liar
η κοπέλα	girl	παράξενος, -η, -ο	strange
το κεφάλι	head	ο φτωχός	poor
η κεφάλα	big head	ο φτωχούλης	the little poor man
η κοιλιά	belly	η γάτα	cat
η κοιλάρα	big belly	η γατούλα	the little cat
η ποδάρα	big foot	ή η γατίτσα	
η φωνάρα	strong voice	το γατί	cat
τρομερός, -ή, -ό	terrible	το γατάκι	the little cat, kitten
το γράψιμο	the writing	η κόρη	daughter
ντύνω	I dress	η κορούλα	the little daughter
ντύνομαι	I dress myself	η μυτούλα	the little nose
το ντύσιμο	the dressing	η μυτίτσα	the little nose
συμπεριφέρομαι	I behave	η κούκλα	doll
η συμπεριφορά	the conducting	η κουκλίτσα	the little doll
η μόρφωση	education	η σαλάτα	salad
ρωτώ	I ask	η σαλατίτσα	the little salad
μπλέκω	I get involved	η αρκούδα	bear
το μπλέξιμο	the involving	η αρκουδίτσα	the little bear
η βοσκός	shepherdess	το μάτι	eye
η βοσκοπούλα	young shepherdess	το ματάκι	the small eye
φταίω	I do wrong	το ψωμάκι	the bread roll
το φταίξιμο	the wrong doing	το μολύβι	pencil
το τρέξιμο	the running	το μολυβάκι	the pencil stub
τα τρεχάματα	efforts, cares, troubles	το κορίτσι	girl
η ώρα	hour	το κοριτσάκι	the little girl
ελεύθερος, -η, -ο	free	κλείνω	I close
η καλοσύνη	kindness	βάφω	I paint
εγκαίρως	in time	καίω (ή καίγω)	I burn
διαβαίνω	I cross	σκύβω	I stoop,I bend

285 Useful expressions.

κάνε, έχε υπομονή	have patience (be patient)
μην έχοντας χρήματα	not having any money
δίνω ένα φιλί	I give a kiss, I kiss someone
παιδάκι μου	my little child
μην είσαι ανόητος	don' t be foolish, (stupid)
πάω (πηγαίνω) για ύπνο	I go to bed
παίρνω από το χέρι	I lead someone by the hand
βάζω στο κρεβάτι	I put someone in bed
αν ήμουν βέβαιος	If I were sure
κάνω εντύπωση	I make an impression

δείχνει ότι έχει	shows that (he) has
έχει αγωγή	he is well brought up, educated
μην τα ρωτάς	don't bother to ask
έχω μπλεξίματα	I am in trouble
το φταίξιμο είναι δικό μου	I am to blame
έχω τρεχάματα	I have many urgent things to care about

286 The verbs έχω and είμαι.

1. έχω

a. The present tense subjunctive is formed in the usual way:

έχω	έχουμε
έχεις	έχετε
έχει	έχουν

π.χ. Όταν έχω χρήματα, θα σου δώσω.

b. The imperative:

έχε	έχετε
ας έχει	ας έχουν

π.χ. Έχε υπομονή.
Έχετε την καλοσύνη να μου πείτε την ώρα;

c. The participle: έχοντας (having)

π.χ. Μην έχοντας τι να κάνω, πήγα στον κινηματογράφο.
Έχοντας χρήματα, το αγόρασα.

2. είμαι

a. The present subjunctive is formed and looks like the present active preceded by να, για να, όταν κ.λ.π..

είμαι	είμαστε
είσαι	είσαστε, είστε
είναι	είναι

π.χ. Ας είναι εδώ στις δέκα το πρωί.
Να είστε εκεί στις τρεις το απόγευμα.

b. The imperative is substituted by the subjunctive:

π.χ. Να είσαι στο σχολείο νωρίς. Να είστε εδώ εγκαίρως.
Να είσαι στο σπίτι νωρίς. Μην είσαι ανόητος.

c. The participle: όντας (being)

π.χ. Όντας άρρωστος, έμεινα στο σπίτι.

3. For the verbs note also the form:

θα είχα	I would have
θα ήμουν	I would have been

π.χ.	Θα είχα πάει.	I would have gone.
	Θα το είχα γράψει.	I would have written it.
	Θα ήμουν εκεί νωρίς.	I would have been there early.

287 In Modern Greek the verbal adjective in - τεος denotes necessity.

διαιρώ	(divide)	πολλαπλασιάζω	(multiply by)
διαιρετέος	(divident)	πολλαπλασιαστέος	(multiply and)

π.χ.	αφαιρώ	(I subtract)
	αφαιρετέος	(subtrahend)

Note: The verbal adjective in - τος π.χ. (διαβατός) implies that something can be done.

π.χ. Το ποτάμι είναι διαβατό.
The river can be crossed.

288 The diminutives.

Diminutives are formed by adding the following suffixes:

In masculine nouns

- ούλης	π.χ.	ο αδελφος	ο αδελφούλης
		ο φτωχός	ο φτωχούλης
		ο μικρός	ο μικρούλης

In feminine nouns

- ούλα	π.χ.	η γάτα	η γατούλα
		η αδελφή	η αδελφούλα
		η κόρη	η κορούλα
		η μύτη	η μυτούλα
- πούλα	π.χ.	η βοσκός	η βοσκοπούλα
- ίτσα	π.χ.	η κοπέλα	η κοπελίτσα
		η κούκλα	η κουκλίτσα
		η σαλάτα	η σαλατίτσα
		η ώρα	η ωρίτσα
		η αρκούδα	η αρκουδίτσα
		η μύτη	η μυτίτσα

In neuter nouns

- άκι	π.χ.	το φιλί	το φιλάκι
		το μάτι	το ματάκι
		το ψωμί	το ψωμάκι
		το μολύβι	το μολυβάκι
		το παιδί	το παιδάκι
		το αγόρι	το αγοράκι
		το κορίτσι	το κοριτσάκι
		το γατί	το γατάκι
		το χέρι	το χεράκι

Note also the diminutives: το βασιλόπουλο ή το πριγκιπόπουλο (prince), το Ελληνόπουλο (the Greek boy), η βασιλοπούλα ή η πριγκιποπούλα (princess), το ανθρωπάκι (little man), το αγγελούδι, το αγγελουδάκι (little angel), το καρεκλάκι (small chair), το μικρούλι (the little or the small one)

289 We form the augmentatives by adding the following suffixes or by changing the gender at the same time.

- αράς, - αρος, - άρα

π.χ.	ο ψεύτης	(liar)	ο ψευταράς, ή ο ψεύταρος
	η φωνή	(voice)	η φωνάρα
	η κοιλιά	(belly)	η κοιλάρα
	το κεφάλι	(head)	η κεφάλα
	το πόδι	(foot)	η ποδάρα
	το κορίτσι	(girl)	ο κορίτσαρος

290 More about nouns.

Neuter nouns that end in - ψιμο, - σιμο, - ξιμο, deriving form verbs.

These nouns correspond in meaning to the - ing form of the English language i.e. the verbal noun-gerund.

π.χ.	γράφω	το γράψιμο	(the writing)
	κλείνω	το κλείσιμο	(the closing)
	τρέχω	το τρέξιμο	(the running)
	ντύνω	το ντύσιμο	(the dressing)
	βάφω	το βάψιμο	(the painting)
	δένω	το δέσιμο	(the tying, the binding)
	καίω	το κάψιμο	(the burning)
	φταίω	το φταίξιμο	(the wrong doing)
	μπλέκω	το μπλέξιμο	(the involving)
	πλέκω	το πλέξιμο	(the knitting)
	σκύβω	το σκύψιμο	(the bending, the stooping)
	βγάζω	το βγάλσιμο	(the removing)
	μπαίνω	το μπάσιμο	(the getting in, the shrinking)
	φέρνομαι	το φέρσιμο	(the conducting, the way in which one behaves)
	παίρνω	το πάρσιμο	(the taking, the receiving)

They are inflected this way:

π.χ.	το γράψιμο	τα γραψίματα
	του γραψίματος	των γραψιμάτων
	το γράψιμο	τα γραψίματα

291 *Fill in the blanks by using the right case of each noun.*

π.χ.	το βάψιμο	τα βαψίματα
	του βαψίματος	των βαψιμάτων
	το βάψιμο	τα βαψίματα

1. το γράψιμο — τα _________

   του _________ — των _________

   το _________ — τα _________

2. το κλείσιμο — ___________

   ___________ — ___________

   ___________ — ___________

3. το τρέξιμο ____________

____________ ____________

____________ ____________

4. το ντύσιμο ____________

____________ ____________

____________ ____________

5. το φταίξιμο ____________

____________ ____________

____________ ____________

6. το μπλέξιμο ____________

____________ ____________

____________ ____________

292 *Write the diminutives of the following:*

ο αδελφός, ο φτωχός, ο μικρός, η καρέκλα, ο άγγελος, ο άνθρωπος, το χέρι, το γατί, η γάτα, το μάτι, το ψωμί, η κοπέλα, η σαλάτα, η μύτη, η αρκούδα, η κούκλα, η αδελφή, ο βοσκός, ο Έλληνας, ο βασιλιάς.

293 *Write the augmentatives of the following:*

το κορίτσι, το κεφάλι, το πόδι, η κοιλιά, η φωνή, ο ψεύτης.

294 *Write sentences of your own using the useful expressions of this unit.*

295 *Answer the questions.*

1. Τι ζήτησε ο μικρούλης από τον αδελφό του;
2. Τι του απάντησε αυτός;
3. Μην έχοντας χρήματα, τι του έδωσε;
4. Είναι η αδελφούλα του μια πολύ ωραία κοπελίτσα;
5. Τι είπε ο πατέρας στο μικρό γιο του;

6. Τον πήρε από το χεράκι και πού τον έβαλε;
7. Αν ήσουν βέβαιος ότι είναι ψευταράς, θα μου το έλεγες;
8. Τι είναι αυτός ο άνθρωπος;
9. Τι έχει και είναι παράξενος;
10. Γιατί κάνει εντύπωση η φωνή του;

11. Το γράψιμό του είναι καλό ή κακό;
12. Γιατί δεν μπορείς να διαβάσεις το γράψιμό του;
13. Τι δείχνει το ντύσιμό του;
14. Το φέρσιμό του τι δείχνει ότι έχει;
15. Γιατί έχει μπλεξίματα;

16. Τίνος είναι το φταίξιμο;
17. ΄Εχεις και συ τρεχάματα;
18. ΄Εχεις πολλά πράγματα;
19. Γιατί δεν έχεις μια ωρίτσα ελεύθερη;
20. ΄Εχεις υπομονή ή είσαι πάντοτε βιαστικός;

296 *Translate into Greek.*

1. The little boy asked his young brother for money.
2. He said to him: "I don 't have any. When I have I shall give you".
3. Not having any money he gave him a kiss.
4. His little sister is a very beautiful young girl.
5. The father said to his young son: "Don 't be foolish".

6. You should go to bed early.
7. If I were sure that he is a big liar I whould have said it to you.
8. This man is a strange one.
9. His strong voice is terrible.
10. The way in which he is dressed shows that he has money.

11. The way in which he behaves shows that he is well brought up.
12. Don 't bother to ask. I am in trouble
13. I am not to blame. He is to blame.
14. She has many urgent things to care about.
15. He does not have an hour free.

UNIT 30

297 Η ημέρα του γάμου της Μαρίας είναι η ωραιότερη ημέρα της ζωής της. Είναι πιο καλή και από την ημέρα που πήρε το πτυχίο της από το Πανεπιστήμιο. Ο σύζυγός της, ο Γιάννης, είναι ο καλύτερος άνδρας στον κόσμο γι' αυτήν, ο πιο ενδιαφέρων άνθρωπος που γνώρισε.

Η Μαρία είναι μικρότερη, αλλά όμως είναι ψηλότερη απ' αυτόν. Είναι μάλλον πλούσιοι παρά φτωχοί. Οι περισσότεροι από τους ανθρώπους τούς αγαπούν. Ο Γιάννης είναι τόσο καλός όσο ο πατέρας της Μαρίας. Η μητέρα της Μαρίας είναι λιγότερο ωραία από τη Μαρία.

Ο Γιάννης είναι πάντα ακριβέστατος στην ώρα του. Το θεωρεί στοιχειωδέστατο καθήκον του. Νεότερος ήταν παχύτερος. Τώρα είναι ελαφρύτερος. Είναι ανώτατος αξιωματικός της αεροπορίας. Είναι το πιο χαριτωμένο ζευγάρι της γειτονιάς μας.

298 Λεξιλόγιο

ωραίος, -α, -ο	beautiful	θεωρώ	I consider
ο σύζυγος	husband	το καθήκον	duty
η σύζυγος	wife	στοιχειώδης, -ης, -ες	elementary
ενδιαφέρων, -ουσα, -ον	interesting	νέος, -α, -ο	young
γνωρίζω	I know	παχύς, -ιά, -ύ	fat
ανώτατος, -η, -ο	highest, supreme	ακριβής, -ής, -ές	exact
πλούσιος, -α, -ο	rich	ο αξιωματικός	officer
πλείστος, -η, -ο	the most	το ζευγάρι	couple, pair
πάντα ή πάντοτε	always	η γειτονιά	neighbourhood

299 Useful expressions.

η ωραιότερη ημέρα της ζωής μου	the most beautiful day in my life
παίρνω το πτυχίο, αποφοιτώ	I graduate
στον κόσμο	in the world
είναι μάλλον πλούσιοι παρά φτωχοί	they are rather rich than poor
τόσο καλός όσο και ο πατέρας του	as good as his father
λιγώτερο ωραίο	less beautiful
ακριβέστατος στην ώρα του	most exact in his time (of arrival)

το θεωρώ καθήκον	I consider it as duty
όταν ήταν νεότερος	when he was younger
ανώτατος αξιωματικός της αεροπορίας	high ranking officer of the airforce
θέλω ένα ζευγάρι γάντια	I want a pair of gloves
τα αβγά κάνουν δέκα δραχμές το ζευγάρι	the eggs cost ten drachmas a pair

300 Comparison of adjectives.

θετικός = positive
συγκριτικός = comparative
υπερθετικός = superlative

There are two ways in forming the comparison of adjectives.

1. The first way :

a. The comparative

We put the word πιο (more) (see section 63) in front of the adjective and the word από (than) after the adjective. Then follows the accusative.

π.χ. Ο Γιώργος είναι καλός μαθητής.
Ο Γιώργος είναι πιο καλός μαθητής από το Γιάννη.
Η Μαρία είναι ωραία.
Η Μαρία είναι πιο ωραία από την Κική.

2. The second way :

a. The comparative

We form it by adding -τερος, -τερη, -τερο to the masculine stem of the positive plus the genitive case.

π.χ. ο πιστός (faithful)
Ο Γιώργος είναι πιστός.
Ο Γιώργος είναι πιστότερος από τη Μαρία.
Η Μαρία είναι ωραία.
Η Μαρία είναι ωραιότερη από την Κική.

b. The superlative

The superlative is formed by adding - τατος, - τατη, - τατο.

π.χ. Ο Γιώργος είναι πιστότατος.
Η Μαρία είναι ωραιότατη.

The superlative is analysed in "very much" plus the adjective.

π.χ. ωραιότατη = very much beautiful

c. N.B. In forming the comparative and superlative according to the second way, the o of the stem becomes ώ (-ότατος, -ότερη, -ότατη, -ότερο, -ότατο) in the following two cases.

One: When they are derived from adjectives ending in -εος or - οος

π.χ. νέος (young), νεότερος, νεότατος
στέρεος (strong, solid, firm), στερεότατος (adverb)
αντίξοος (unfavourable), αντιξοότερος, αντιξοότατος

Two: When they are derived from adverbs of place ending in -ώ.

π.χ. άνω, ανώτερος, ανώτατος
κάτω, κατώτερος, κατώτατος

d. Adjectives ending in - ύς, - ιά, - ύ and from those ending in - ός, μεγάλος, καλός, χονδρός and κοντός, form their comparative in - ύτερος, - ύτερη, - ύτερο.

π.χ.			
μεγάλος	μεγαλύτερος	μεγαλύτερη	μεγαλύτερο
παχύς	παχύτερος	παχύτερη	παχύτερο
βαρύς	βαρύτερος	βαρύτερη	βαρύτερο
καλός	καλύτερος	καλύτερη	καλύτερο
κοντός	κοντύτερος	κοντύτερη	κοντύτερο
χονδρός	χονδρύτερος	χονδρύτερη	χονδρύτερο

N.B. However there are some adjectives that form their comparative in both ways
- ότερος or - ύτερος

π.χ.		
ελαφρύς	ελαφρότερος	ελαφρύτερος
χονδρός	χονδρότερος	χονδρύτερος
γλυκός	γλυκότερος	γλυκύτερος

e. Adjectives ending in -ης, -ες form their comparative in -έστερος, -έστερη, -έστερο.

π.χ. ακριβής (exact,precise,pynctual)
στοιχειώδης (elementary)

ακριβής	ακριβέστερος	ακριβέστερη	ακριβέστερο
στοιχειώδης	στοιχειωδέστερος	στοιχειωδέστερη	στοιχειωδέστερο

301 Inflection of comparives and superlatives.

Comparatives and superlatives are declined like the nouns that have the same endings.

π.χ.	πιστότερος	πιστότατος
	πιστότερου	πιστότατου
	πιστότερο	πιστότατο
	πιστότεροι	πιστότατοι
	πιστότερων	πιστότατων
	πιστότερους	πιστότατους

302 Some points to remember.

1. In the demotic by using the comparative prefixed by the article we imply the superlative.

π.χ.	ωραία	ωραιότερη	ωραιότατη
	ψηλός	ψηλότερος	ψηλότατος

Η Μαρία είναι ωραιότερη από την Κική.
Η Μαρία είναι ωραιότατη.
Η Μαρία είναι η ωραιότερη στην τάξη.
Η Αθήνα είναι η ωραιότερη πόλη του κόσμου.
Ο Γιώργος είναι ψηλότερος από το Γιάννη.
Ο Γιώργος είναι ψηλότατος.
Ο Γιώργος είναι ο ψηλότερος στην τάξη.

2. The comparative and superlative degrees of passive participles are formed according to the first way of adjective i.e. by using the πιο or ο πιο plus the participle (see section 300 § 1 a and b) and 344. See also (216 § 3 and 255 § 1).

The passive participle functions as adjective too.

π.χ. ο αφηρημένος, -η, -ο = absent-minded
Ο Γιώργος είναι αφηρημένος.
Ο Γιώργος είναι πιο αφηρημένος από το Γιάννη.
Ο Κώστας είναι ο πιο αφηρημένος απ' όλους.

3. The comparison of inferiority is expressed by using the word λιγότερο (=less) plus the adjective (or participle) plus the word από and the accusative.

π.χ. Η Μαρία είναι ωραία.
Η Κική είναι λιγότερο ωραία από τη Μαρία.
Η Άννα είναι αφηρημένη.
Η Κική είναι λιγότερο αφηρημένη από την Άννα.

4. The comparison of equality can be done in three ways.

a. by using the words τόσο - - - - όσο = as - - - - - as

π.χ. Είναι τόσο καλός όσο και ο αδελφός του.
Είναι τόσο ωραία όσο και η μητέρα της.

b. by using the words τόσο - - - - σαν (like)

π.χ. Είναι τόσο καλός σαν τον αδελφό του.
The word τόσο can easily be omitted.
π.χ. Είναι ωραία σαν τη μητέρα της.

c. by using the words μάλλον - - - παρά = rather - - - than.

π.χ. Είναι μάλλον πλούσιος παρά φτωχός.
Είναι μάλλον νέα παρά ωραία.
Είναι μάλλον δυνατόν παρά αδύνατον.

303 Irregular formation of comparison.

Irregularities occur in the comparison of a number of adjectives. Here are the most common adjectives of this kind.

πολύς (much), περισσότερος (more)

π.χ. Οι περισσότεροι άνθρωποι είναι καλοί.

Θετικός	**Συγκριτικός**	**Υπερθετικός**
ο πολύς	περισσότερος	
η πολλή	περισσότερη	
το πολύ	περισσότερο	
ο μεγάλος	μεγαλύτερος	μέγιστος
η μεγάλη	μεγαλύτερη	μέγιστη
το μεγάλο	μεγαλύτερο	μέγιστο
ο λίγος	λιγότερος	ελάχιστος
η λίγη	λιγότερη	ελάχιστη
το λίγο	λιγότερο	ελάχιστο
ο μικρός	μικρότερος	ελάχιστος
η μικρή	μικρότερη	ελάχιστη
το μικρό	μικρότερο	ελάχιστο

ο καλός	καλύτερος	άριστος
η καλή	καλύτερη	άριστη
το καλό	καλύτερο	άριστο
ο κακός	χειρότερος	κάκιστος
η κακή	χειρότερη	κάκιστη
το κακό	χειρότερο	κάκιστο

Notice also the following :

a. ψηλός (high) ο πιο ψηλός ή ο ψηλότερος ο πάρα πολύ ψηλός ή ο ψηλότατος
η ψηλότερη ή η ψηλότερη η πάρα πολύ ψηλή ή η ψηλότατη

- απλή	(simple)	απλούστερη, απλούστατη.
- γηραιά	(old)	γηραιότερη, γηραιότατη.

b. The simple comparatives : φίλτατος (the most friendly), ύψιστος (the highest)

c. Titles such as : Εκλαμπρότατος (His Magnificence or his Lordship), Εξοχότατος (His Excellency), Παναγιότατος (his All Holiness), Σεβασμιότατος (The Most Reverend), Αιδεσιμότατος (The Reverent) etc.

304 Special cases.

1. There are some comparative and superlative words that lack a positive because they are derived from prepositions or from adverbs. though prepositions and adverbs are going to be discussed and learnt later on, we mention these special cases here since their comparative and superlative degrees are used and treated like adjectives.

(προ = before)
πρώτος, -η, -ο (first)

(από = far,far away)
απώτερος, -η, -ο (farther)
απώτατος, -η, -ο (farthest)

(πλησίον = near)
πλησιέστερος, -η, -ο (nearer)
πλησιέστατος, -η, -ο (nearest)

(άνω = above)
ανώτερος, -η, -ο (higher, superior)
ανώτατος, -η, -ο (highest, supreme)

(κάτω = down)

κατώτερος, -η, -ο	(lower, inferior)
κατώτατος, -η, -ο	(lowest)

(έσω = in)

εσώτερος, -η, -ο	(inner)
εσώτατος, -η, -ο	(innermost)

(υπέρ = over, above, more)

υπέρτερος, -η, -ο	(higher, greater)
υπέρτατος, -η, -ο	(supreme, highest, greatest)

2. The following four have neither positive nor superlative.

προτιμότερος, -η, -ο	=	preferable, better
προγενέστερος, -η, -ο	=	earlier, previous, prior
μεταγενέστερος, -η, -ο	=	later, posterior
υποδεέστερος, -η, -ο	=	of lower rank, inferior, subordinate
πρωτύτερος, -η, -ο	=	anterior, previous, former, prior.

305 *Answer the questions.*

1. Ποια είναι η ωραιότερη ημέρα της Μαρίας;
2. Γιατί;
3. Από ποια μέρα αυτή είναι πιο καλή;
4. Ποια ήταν η ωραιότερη ημέρα της ζωής σας;
5. Γιατί είναι ο Γιάννης ο καλύτερος άνδρας στον κόσμο για τη Μαρία;

6. Γιατί είναι ο πιο ενδιαφέρων άνθρωπος που γνώρισε;
7. Είναι η Μαρία μικρότερη από το σύζυγό της;
8. Τι είναι πιο πολύ απ' αυτόν;
9. Γιατί είναι μάλλον πλούσιοι παρά φτωχοί;
10. Γιατί τους αγαπούν οι πιο πολλοί από τους ανθρώπους;

11. Είναι ο Γιάννης τόσο καλός όσο ο πατέρας της Μαρίας;
12. Είναι η μητέρα της Μαρίας λιγότερο ωραία από τη Μαρία;
13. Γιατί είναι πάντα ο Γιάννης στην ώρα του;
14. Τι θεωρεί στοιχειωδέστερο καθήκον;
15. Τι ήταν νεότερος;

16. Τώρα τι είναι;
17. Τι αξιωματικός είναι;
18. Τι ζευγάρι είναι οι δυο τους;
19. Ποιος είναι ο σοφότερος στην τάξη σας;
20. Ποια είναι η πιο ωραία στη γειτονιά σας;

306 *Translate into Greek.*

1. Mary's wedding day has been the most beautiful day in her life.
2. It is better than the day she graduated from her university.
3. Her husband, John, is the best man in the world for her.
4. He is the most interesting person she has met.
5. Mary is younger but taller than he is.

6. They are rather rich than poor.
7. Most of the people love them.
8. John is as good as Mary's father.
9. Mary's mother is less beautiful than Mary.
10. John always exact in his time (or arrival).

11. He considers it as the most elementary duty.
12. When he was younger he was fatter.
13. Now he is less heavy than he was before.
14. He is an officer of the air force.
15. They are the most charming couple in our neighbourhood.

307 *Write sentences of your own using the useful expressions of this unit.*

308 *Write the comparative and superlative of the following. Follow both ways when it is possible.*

καλός, ωραίος, πιστός, νέος, άξιος, σοφός, φοβερός, μεγάλος, κοντός, παχύς, βαρύς, χονδρός, ελαφρύς, γλυκός, ακριβής, στοιχειώδης, ψηλός, αφηρημένος, πολύς, λίγος, μικρός, καλός, κακός.

309 *Inflect the following :*

η ωραιότερη, ο καλύτερος, η μικρότερη, ο άριστος, η ελάχιστη, ο φίλτατος, ο ανώτερος, η ανώτατη, ο πρώτος, ο προτιμότερος.

310 *Write three sentences by using (λιγότερο, τόσο - - - - - όσο, τόσο - - - - - σαν, μάλλον - - - - - παρά).*

Follow the examples :

π.χ. Είναι λιγότερο ωραία από τη μητέρα της.
Είναι τόσο καλός όσο ο αδελφός του.
Είναι τόσο καλή σαν την αδελφή της.
Είναι μάλλον πλούσιος παρά φτωχός.

311 From this unit on in order to avoid duplication of the vocabulary we put the greek text, the vocabulary and the Useful expressions. just before the exercises. In so doing the student who has studied the words appearing in the examples of grammar will have no difficulty in understanding the text of the story.

Numerals

312 Cardinal numbers.

a. In section 3 we have spoken about ένας, μία, ένα i.e. about the greek indefinite article that is actually a numeral. Also in sections 82-85 we have learnt the cardinal numbers from one to sixty. Before going farther you should notice the following :

3	τρεις	(masc. and fem.)	τρία	(neut.)
4	τέσσερις	(masc. and fem.)	τέσσερα	(neut.)

π.χ. Τρεις άνδρες, τρεις γυναίκες, τρία παιδιά.
Τέσσερις άνθρωποι. Η ώρα είναι τέσσερις. Έχει τέσσερα παιδιά.

b.

70	εβδομήντα
80	ογδόντα
90	ενενήντα
100	εκατό
200	διακόσια
300	τριακόσια
400	τετρακόσια
500	πεντακόσια
600	εξακόσια
700	επτακόσια ή εφτακόσια
800	οκτακόσια ή οχτακόσια
900	εννιακόσια
1000	χίλια
1005	χίλια πέντε
1010	χίλια δέκα
1106	χίλια εκατόν έξι
1132	χίλια εκατόν τριάντα δύο
2000	δύο χιλιάδες
3000	τρεις χιλιάδες
10.000	δέκα χιλιάδες
100.000	εκατό χιλιάδες
200.000	διακόσιες χιλιάδες
1.000.000	ένα εκατομμύριο
1.000.000.000	ένα δισεκατομμύριο
1.000.000.000.000	ένα τρισεκατομμύριο

c. N.B. Just only for reference. The letters of the greek alphabet are sometimes used as numbers i.e.

α΄ = 1, β΄ = 2, γ΄ = 3, δ΄ = 4, ε΄ = 5, στ΄ = 6, ζ΄ = 7, η΄ = 8, θ΄ = 9, ι΄ = 10, ια΄ = 11, κ΄ = 20, λ΄ = 30, μ΄ = 40, ν΄ = 50, ξ΄ = 60, ο΄ = 70, π΄ = 80, ϟ΄(κόπα) = 90, ρ΄ = 100, σ΄ = 200, τ΄ = 300, υ΄ = 400, φ΄ = 500, χ΄ = 600, ψ΄ = 700, ω΄ = 800, ϡ (σαμπί) = 900.
When the accent is under the letter ͵α = 1000, ͵σ = 200.000 etc.

d. The cardinal numbers from 1 to 199 remain always the same in form i.e. are not declined. Exeptions: 1, 3 and 4 as explained above in (a). Notice that they are declined alone and in compounds i.e. 13. 14. 23. 24. etc.

masc.	**fem.**	**neut.**
ένας	μία ή μια	ένα
ενός	μιας	ενός
ένα(ν)	μία ή μια	ένα
τρεις	τρεις	τρία
τριών	τριών	τριών
τρεις	τρεις	τρία
τέσσερις	τέσσερις	τέσσερα
τεσσάρων	τεσσάρων	τεσσάρων
τέσσερις	τέσσερις	τέσσερα

masc. + fem.	**neut.**
δεκατρείς	δεκατρία
δεκατριών	δεκατριών
δεκατρείς	δεκατρία
δεκατέσσερις	δεκατέσσερα
δεκατεσσάρων	δεκατεσσάρων
δεκατέσσερις	δεκατέσσερα

In counting (μετρώ = I count) we usually use the neuter form: ένα, δύο, τρία, τέσσερα, πέντε and so on.

e. The numbers from 200 to 1.000 are declinable as adjectives (in the plural only).

π.χ. διακόσιοι (τριακόσιοι κ.λ.π.) άνδρες
διακόσιες (τριακόσιες κ.λ.π.) γυναίκες
διακόσια (τριακόσια κ.λ.π.) παιδιά
χίλιοι άνδρες, χίλιες γυναίκες, χίλια παιδιά

From two thousand upwards we use the plural form of the word η χιλιάδα i.e. χιλιάδες

π.χ. μια χιλιάδα άνδρες (γυναίκες, παιδιά)
δύο χιλιάδες άνδρες (γυναίκες, παιδιά)

Πόσες χιλιάδες κάνει αυτό το αυτοκίνητο;
Αυτό το αυτοκίνητο κάνει εκατόν δεκατρείς χιλιάδες δραχμές.

f. The numeral adverb

We use the expression :

	μία φορά	=	(one time), once
	δύο φορές	=	(two times),twice etc.
	Πόσες φορές;	=	(How many times?)
	Πολλές φορές.	=	(Many times.)
Cf :	πρώτη φορά	=	for the first time
	δεύτερη φορά	=	for the second time
	τελευταία φορά	=	for the last time

313 Ordinal numbers.

1ος πρώτος, (1η) πρώτη, (1ο) πρώτο
2ος δεύτερος, (2η) δεύτερη, (2ο) δεύτερο
3ος τρίτος, τρίτη, τρίτο
4ος τέταρτος, τέταρτη, τέταρτο
5ος πέμπτος, πέμπτη, πέμπτο
6ος έκτος, έκτη, έκτο
7ος έβδομος, έβδομη, έβδομο
8ος όγδοος, όγδοη, όγδοο
9ος ένατος, ένατη, ένατο
10ος δέκατος, δέκατη, δέκατο
11ος ενδέκατος, ενδέκατη, ενδέκατο
12ος δωδέκατος, δωδέκατη, δωδέκατο
13ος δέκατος τρίτος
14ος δέκατος τέταρτος
15ος δέκατος πέμπτος
16ος δέκατος έκτος
17ος δέκατος έβδομος
18ος δέκατος όγδοος
19ος δέκατος ένατος
20ός εικοστός
21ος εικοστός πρώτος

30ός	τριακοστός, τριακοστή, τριακοστό
40ός	τεσσαρακοστός, τεσσαρακοστή, τεσσαρακοστό
50ός	πεντηκοστός, πεντηκοστή, πεντηκοστό
60ός	εξηκοστός, εξηκοστή, εξηκοστό
70ός	εβδομηκοστός, εβδομηκοστή, εβδομηκοστό
80ός	ογδοηκοστός, ογδοηκοστή, ογδοηκοστό
90ός	ενενηκοστός, ενενηκοστή, ενενηκοστό
100ός	εκατοστός, εκατοστή, εκατοστό
101ός	εκατοστός πρώτος
200ός	διακοσιοστός, διακοσιοστή, διακοσιοστό
300ός	τριακοσιοστός
400ός	τετρακοσιοστός
500ός	πεντακοσιοστός
600ός	εξακοσιοστός
700ός	επτακοσιοστός ή εφτακοσιοστός
800ός	οκτακοσιοστός ή οχτακοσοσιοστός
900ός	εννιακοσιοστός
1000ός	χιλιοστός, χιλιοστή, χιλιοστό

a. Write the exception of 2, 7, 8 and the compounds of 7 and 8 i.e. 17, 18 the ordinal adjectives

from 1 to 19 end in - τος, - τη, - το.
from 20 upwards end in - στός, - στή, - στό.

b. The ordinal numbers are actually adjectives and are declined like the adjectives ending in - ος, - η, - ο (see section 216).

π.χ. ο πρώτος μαθητής
η πρώτη μαθήτρια
το πρώτο μάθημα

c. The neuter without the article can be used as adverb: πρώτο, δεύτερο, τρίτο, τέταρτο, πέμπτο etc.

π.χ. Πρώτον, δεν ήρθες.
Δεύτερον, δεν τηλεφώνησες.
Τρίτον, δεν ζήτησες συγγνώμη.

d. We may notice that we have two forms of the "second feminine" i.e. δεύτερη or Δευτέρα as well. Δευτέρα is used for the second day of the week (Σήμερα έχουμε Δευτέρα).

e. The capital letters (τα κεφαλαία of the alphabet (see section 312 c) are used referring to chapters of books or kings etc.

π.χ. Κεφάλαιο Αί (πρώτο), Ναπολέων Βί (ο δεύτερος).

f. The date in letters or in official documents is written :

Αθήνα, 1η Ιανουαρίου 1981

314 A few things to remember.

a. There are some numeral adjectives which express the idea that a thing is so many times bigger than the other one (multiple). They end in - ος, - η, - ο or in - πλάσιος, - πλάσια, - πλάσιο (Cf, α-πλός, απλή, απλό = simple) ή (μονός, μονή, μονό = single)

π.χ.	(δύο)	διπλός, διπλή, διπλό	double, twofold
		διπλάσιος, διπλάσια, διπλάσιο	double, twofold
	(τρία)	τριπλός, τριπλή, τριπλό	triple, threefold
		τριπλάσιος, τριπλάσια, τριπλάσιο	triple, threefold

π.χ. Αυτός ο άνθρωπος είναι απλός.
Αυτή η γυναίκα παίρνει διπλό μισθό (ο μισθός)
This woman gets a double salary.
Αυτή η απόσταση είναι διπλάσια.

Cf : διπλάσιος or δύο φορές μεγαλύτερος / τριπλάσιος or τρεις φορές μεγαλύτερος.

b. Notice the abstract feminine number - nouns that end in -άδα.

π.χ.	η εβδομάδα	week
	η δεκάδα	a set of ten
	η δωδεκάδα	dozen
	η Αγία Τριάδα	the Holy Trinity

Cf : ένας = η μονάδα, unit

c. Notice also the numeral substantives, words that end in - αριά. They express the idea of "so many or about," they denote a denfinite number of persons or things.

We usually put the word καμιά (some, about) before them :

π.χ.	δεκαριά	=	ten or so, about ten
	εικοσαριά	=	twenty or so, about twenty

π.χ. Ήταν καμιά δεκαριά άνθρωποι.
There were about ten people.

d. There are some adjectives that end in - άρης, - άρα, - άρικο.
The masculine - άρης and feminine - άρα refer to particular age, the neuter - άρι refers to number and the - άρικο to money.

π.χ. 1. εικοσάρης, εικοσάρα = of twenty years of age
τριαντάρης, τριαντάρα = of thirty years of age
σαραντάρης, σαραντάρα, πενηντάρης, πενηντάρα.

2. ένα δυάρι, τριάρι, τεσσάρι κ.λ.π.

π.χ. Μένουν σ' ένα δυάρι.
They live in a two-room appartment.
Θέλω ένα τεσσάρι.
I want a four-room appartment.
΄Εχετε ένα πενηντάρι;
Have you a fifty drachma bank note?
Δεν έχω ένα πενηντάρι. ΄Εχω ένα εκατοστάρι.
I don' t have a fifty drachma bank note.
I have a one hundred drachma bank note.

3.

ένα δεκάρι	ένα δεκάρικο	10 drachma piece
ένα εικοσάρι	ένα εικοσάρικο	20 drachma piece
ένα πενηντάρι	ένα πενηντάρικο	50 drachma bank note
ένα εκατοστάρι	ένα εκατοστάρικο	100 drachma bank note
ένα πεντακοσάρι	ένα πεντακοσάρικο	500 drachma bank note
	ένα χιλιάρικο	1.000 drachma bank note
ένα πεντοχίλιαρο		5.000 drachma bank note
ένα δεκαχίλιαρο		10.000 drachma bank note

e. One drachma has one hundred lepta.

μία δραχμή	=	εκατό λεπτά
ένα πενηνταράκι	=	πενήντα λεπτά (coin)
μία δεκάρα	=	δέκα λεπτά (coin)
μία πεντάρα	=	πέντε λεπτά (coin)
ένα φράγκο	=	μία δραχμή (coin)

το τάλιρο = πέντε δραχμές, το δίφραγκο = δύο δραχμές

π.χ. ΄Εχω ένα πενηνταράκι, τέσσερις δεκάρες και δύο πεντάρες.
΄Εχω μια δραχμή.

f. If you want to express an indefinite large number (of things) use the idiom :
χίλια δυο.

π.χ. ΄Εχω να κάνω χίλια δυο πράγματα.
I have many things to do.

315 Just only for reference.

1. Arithmetical calculations

η πρόσθεση	=	addition, adding
προσθέτω	=	I add
συν	=	plus,with
αθροίζω	=	I sum up, I add
κάνω πρόσθεση	=	I add up
το άθροισμα	=	sum, total
ίσον ή ισούται	=	equals to

η αφαίρεση	=	subtraction
αφαιρώ	=	I subtract
κάνω αφαίρεση	=	I subtract
μείον, πλην	=	minus
η διαφορά	=	difference

ο πολλαπλασιασμός	=	multiplication
πολλαπλασιάζω	=	I multiply
το γινόμενο	=	product
κάνω πολλαπλασιασμό	=	I multiply
επί (φορές)	=	times

η διαίρεση	=	division
διαιρώ	=	I divide
κάνω διαίρεση	=	I divide
διά	=	by
το πηλίκο	=	quotient

π.χ. Ένα και ένα κάνει δύο (ή κάνουν δύο) $1 + 1 = 2$
Ένα συν ένα ίσον δύο.
Ένα από ένα κάνει ένα. $2 - 1 = 1$
Δύο μείον (ή πλην) ένα ίσον ένα.
Δύο φορές το τρία κάνει έξι. $2 \times 3 = 6$
Δύο επί τρία ίσον έξι.
Οκτώ διά δύο κάνουν τέσσερα. $8 \div 2 = 4$

2. Fractions. Κλάσματα.
(το κλάσμα, τα κλάσματα)

ο μισός, η μισή, το μισό = half

π.χ. μισή ώρα = half an hour

In connection with other numbers we use the form - ήμισι (after a consonant) or - μισι (after a vowel).

π.χ. Ενάμισι (ένα και μισό) κιλό ψωμί. Τεσσερισήμισι μέρες.
Μιάμιση (μία και μισή) ώρα. Δυόμισι δραχμές.
Τριάμισι (τρία και μισό) χρόνια

Cf: The masculine ένας and μισός becomes ενάμισος ή ενάμισης.

π.χ. ενάμισης ή ενάμισος μήνας

1/2	ένα δεύτερο	1/3	ένα τρίτο
1/4	ένα τέταρτο	1/5	ένα πέμπτο
1/6	ένα έκτο	1/7	ένα έβδομο

1/8	ένα όγδοο	1/9	ένα ένατο		
1/10	ένα δέκατο				
2/3	δύο τρίτα	3/4	τρία τέταρτα	4/5	τέσσερα πέμπτα

N.B. per cent = τοις εκατό

2% = δύο τοις εκατό
10% = δέκα τοις εκατό

3. Distributive numbers

We form distributive numbers either by repeating the cardinal or by putting the word από before the cardinal.

π.χ. ένας-ένας, δύο-δύο, τρία-τρία
από ένας, από δύο, από τρία

Περάστε ένας-ένας, όχι δύο-δύο.
You may pass one at a time (one by one), not two (at a time).
Θα πάρετε από ένα ο καθένας.
You will get one each.

316 Πού μπορώ να αλλάξω δολάρια ή λίρες σε δραχμές;
Μπορείτε στην τράπεζα. Οι τράπεζες είναι ανοικτές από τις 8 ως τη μία κάθε μέρα. Στις μεγάλες πόλεις, μερικές κεντρικές τράπεζες αλλάζουν χρήματα και το απόγευμα. Επίσης αλλάζουν και σε όλα τα ξενοδοχεία. Δεν υπάρχει πρόβλημα. Το πρόβλημα είναι να έχετε χρήματα. Δε νομίζετε;

Είναι τέσσερα αδέλφια. Όλα είναι πρώτοι μαθητές. Η πρώτη αδελφή είναι δεκατεσσάρων ετών. Η δεύτερη δεκατριών. Το τρίτο παιδί είναι αγόρι δέκα ετών. Το τέταρτο, πάλι αγόρι, επτά ετών.

Το έχει γράψει λάθος πολλές φορές. Αυτή τη φορά όμως ελπίζω να είναι η τελευταία. Πόσες χιλιάδες κάνει αυτό το αυτοκίνητο; Κάνει 905.000 δραχμές. Πρώτον είναι καλό, δεύτερον είναι φτηνό και τρίτον θα σας κάνουμε ευκολίες πληρωμής. Θα το πάρετε με δόσεις. Θα έχετε ένα πρώτης τάξεως αυτοκίνητο. Με την ίδια βενζίνη κάνει διπλάσια χιλιόμετρα από το άλλο.

Αυτός είναι σαραντάρης, η δε γυναίκα του είναι τριαντάρα. Μένουν σε ένα τριάρι. Είναι παντρεμένοι καμιά δεκαριά χρόνια. Η μητέρα της είναι εξηντάρα.

Μου χαλάτε (ή μου αλλάζετε) ένα χιλιάρικο, παρακαλώ; Ευχαρίστως. Ένα πεντακοσάρικο και τα άλλα εκατοστάρικα. Σας παρακαλώ, κάνετέ μου το εκατοστάρικο ψιλά. Τέσσερα εικοσάρικα, ένα δεκάρικο, ένα τάλιρο και τα ρέστα δίφραγκα και δραχμές.

Προχωρείτε ένας-ένας. Θα πάρετε ο καθένας από δύο.

317 Λεξιλόγιο

το δολάριο	dollar	η βενζίνη	gas
η λίρα	pound	παντρεμένος, -η	married
η τράπεζα	bank	χαλάω	I destroy (here= I change money)
κεντρικός, -ή, -ό	central	η τάξη	class
το λάθος	mistake	τα ψιλά	small change
φτηνός, -ή, -ό	cheap, inexpensive	τα ρέστα	change
η ευκολία	convenience	προχωρώ	I advance, I go on
η πληρωμή	payment	η επιλογή	choice, selection
η δόση	installment	το βαγόνι	wagon, railway, carriage

318 Useful expressions.

αλλάζω δολάρια σε δραχμές	I change dollars into drachmas
δε νομίζετε;	don't you think so?
κάνω ευκολίες πληρωμής	I offer easy (payment) terms
αγοράζω κάτι με δόσεις	I buy something by installments
πρώτης τάξεως	first class
είναι παντρεμένοι	they are (have been) married
χαλάω χρήματα	I change money
κάνω ψιλά	I change into small (loose) change
δίνω ρέστα	I give change
τα ρέστα σας	your change
σας ζητώ συγγνώμη	I beg your pardon

319 *Answer the questions.*

1. Πού μπορώ να αλλάξω δολάρια σε δραχμές;
2. Πού είναι η τράπεζα;
3. Πότε είναι οι τράπεζες ανοιχτές στην Ελλάδα;
4. Είναι ανοιχτές και το Σάββατο;
5. Ποιες τράπεζες αλλάζουν χρήματα και το απόγευμα;

6. Αλλάζουν χρήματα και στα ξενοδοχεία;
7. Όταν έχετε συνάλλαγμα, υπάρχει πρόβλημα;
8. Πόσα αδέλφια είναι;
9. Πόσων ετών είναι το καθένα;
10. Πόσες φορές το έχει γράψει λάθος;

11. Πόσες χιλιάδες κάνει αυτό το αυτοκίνητο;
12. Κάνετε ευκολίες πληρωμής;
13. Μπορώ να το πάρω με δόσεις;
14. Γιατί είναι αυτό ένα πρώτης τάξεως αυτοκίνητο;
15. Είναι τριαντάρα ή σαραντάρα;

16. Μου αλλάζετε ένα πεντακοσάρικο, παρακαλώ;
17. Μπορείτε να μου χαλάσετε ένα εκατοστάρικο, παρακαλώ;
18. Μπορώ να έχω ψιλά, παρακαλώ;
19. Γιατί δε θέλετε πεντάρες ή δεκάρες;
20. Θα πάρουμε ο καθένας από ένα ή από δύο;

320 *Translate into Greek.*

1. You can change dollars into drachmas in the banks.
2. In Greece, banks are open from 8 till 1 p.m.
3. Some central banks are also open in the afternoon too for tourists.
4. If you have money there is no problem.
5. Don 't you think so?

6. The first sister is thirteen years old.
7. This time I hope that it is the last one.
8. How much does this car cost?
9. First it is good. Second it is cheap. And third you can pay by installments.
10. You shall have a first class car.

11. His wife is about thirty. He is forty.
12. They stay in a four room apartment.
13. Can you change one thousand drachmas please?
14. Go on one by one.
15. I beg your pardon.

321 *Write sentences of your own using the useful expressions of this unit.*

322 *Complete.*

1. Εβδομήντα και ογδόντα κάνουν ________ ____________________________
2. Είκοσι συν τρία ίσον________ ____________________________________
3. Δέκα από είκοσι κάνουν ________ __________________________________
4. Τρία πλην δύο ίσον ________ ______________________________________
5. Πέντε φορές το τρία κάνει ________ ______________________________
6. Επτά επί δέκα ίσον________ ______________________________________
7. Πενήντα διά δύο ίσον ________ ____________________________________
8. ΄Ενα δεύτερο και δύο δεύτερα ίσον________ ________________________
9. Δύο τρίτα και ένα τρίτο ίσον ________ ____________________________
10. Πέντε τοις εκατό και δύο τοις εκατό ίσον ________ ________________

323 *Write various numbers. Read them aloud. Then write them in full.*

324 *Make the following arithmetical calculations saying aloud what you are doing each time.*

122 + 13   2.145 – 832   117 x 44   10.250 ÷ 50

325 Verbs : Η παθητική φωνή. The passive voice.

1. Like English, Modern Greek has a passive voice (see section 490). The passive voice shows:

a. the subject as "acted upon"
b. that the subject acts in a way to affect himself (as a reflexive)
c. a state or condition of the subject

π.χ.				
	a.	δένομαι	=	Iam being tied, Iam bound
		γράφομαι	=	Iam being written
	b.	πλένομαι	=	I wash myself
		ξυρίζομαι	=	I shave myself
	c.	κάθομαι	=	I sit down, I stay, I live
		χαίρομαι	=	Iam glad

2. All verbs that end in the first singular person of the indicative in - μαι belong to the passive voice.

326 Ενεστώτας. The present tense.
(see more in section 142)

δέν-ομαι	δεν-όμαστε
δέν-εσαι	δεν-όσαστε
δέν-εται	δέν-ονται

πλέν-ομαι	πλεν-όμαστε
πλέν-εσαι	πλεν-όσαστε
πλέν-εται	πλέν-ονται

π.χ. Όταν οδηγώ, δένομαι καλά.
Η γυναίκα μου δένεται και αυτή καλά.
Εσείς, δένεστε;
Βεβαίως. Θέλουμε να ζήσουμε.

327 Παρακείμενος. The present perfect tense.
(see more in section 163)

It is formed in two ways:
a. The present tense of the verb έχω plus the infinitive passive form of the verb (which in form is like the third singular aorist passive subjunctive).

δένομαι		δεθεί	πλένομαι	πλυθεί
	i.e.	έχω δεθεί		έχω πλυθεί

or **b.** The present tense of the verb είμαι plus the passive participle (declined like an adjective) (see more in section 344).

i.e.	είμαι δεμένος	είμαι πλυμένος
π.χ.	έχω δεθεί	έχουμε δεθεί
	έχεις δεθεί	έχετε δεθεί
	έχει δεθεί	έχουν δεθεί
	είμαι δεμένος	είμαστε δεμένοι
	είσαι δεμένος	είσαστε δεμένοι
	είναι δεμένος	είναι δεμένοι

π.χ. Εγώ έχω δεθεί καλά, μπορείς να οδηγήσεις γρήγορα.
Και εγώ είμαι δεμένος καλά, αλλά δε θα οδηγήσω γρήγορα.

328 More about passive voice. The past tenses of the verb.

We have already mentioned (see section 178) that the tenses of the verb which express the past are three:

Ο παρατατικός	=	the imperfect
Ο αόριστος	=	the aorist or simple past, and
Ο υπερσυντέλικος	=	the past perfect.

(see more in section 494)

329 Ο παρατατικός. The imperfect
(see more in section 179)

κάθομαι

καθόμουν	ή καθόμουνα
καθόσουν	ή καθόσουνα
καθόταν	ή καθότανε
καθόμαστε	
καθόσαστε	
κάθονταν	ή καθόντουσαν

ξυρίζομαι

ξυριζόμουν	ή ξυριζόμουνα
ξυριζόσουν	ή ξυριζόσουνα
ξυριζόταν	ή ξυριζότανε

ξυριζόμαστε
ξυριζόσαστε
ξυρίζονταν ή ξυριζόντουσαν

π.χ. Χθες βράδυ καθόμουνα και σκεπτόμουνα τα χρόνια που πέρασαν.
Το καλοκαίρι δεν ξυριζόσουν κάθε μέρα.

330 Ο αόριστος. The aorist of simple past
(see more in section 180)

1. Generally verbs whose the active simple past ends in - σα form the passive simple past in -θηκα or -σθηκα (- στηκα)

a. δένω έδεσα
δένομαι δέθηκα
δέθηκα δεθήκαμε
δέθηκε δέθηκαν

b. ακούω άκουσα
ακούομαι ακούστηκα

ακούστηκα ακουστήκαμε
ακούστηκες ακουστήκατε
ακούστηκε ακούστηκαν

2. Verbs whose the active past ends in - ψα or - ξα form mostly the passive simple past in - φθηκα (- φτηκα) or - χθηκα (- χτηκα).

i.e. -ψα = -φθηκα ή -φτηκα
-ξα = -χθηκα ή -χτηκα

γράφω έγραψα
γράφομαι γράφθηκα ή γράφτηκα
ανοίγω άνοιξα
ανοίγομαι ανοίχθηκα ή ανοίχτηκα

3. There are some verbs which form their passive simple past in - ηκα.

π.χ. χαίρομαι χάρηκα
κόβομαι (=I cut myself), κόπηκα
πνίγομαι (=I am drowned), πνίγηκα
βρέχομαι (=I get soaked, wet), βράχηκα
φαίνομαι (=I appear, I am visible), φάνηκα

4. Verbs that end in - αύω or - εύω form their passive simple past in - αύτηκα or - εύτηκα.

π.χ. παύω (= I stop, I cease, I dismiss)
παύομαι (= I am being dismissed)
παύτηκα

μαγεύω (= I charm, I fascinate, I bewitch)
μαγεύομαι (= I am fascinated, I am bewitched, I am charmed)
μαγεύτηκα

5. Verbs whose the active simple past ends in - α form the passive simple past in - θηκα.

π.χ.	βάζω	έβαλα	βάλθηκα
	φέρνω	έφερα	φέρθηκα
	πλένω	έπλυνα	πλύθηκα

6. The following verbs form their passive past tense in - ώθηκα.

π.χ.	λέω	είπα	ειπώθηκα ή ελέχθηκα
	βλέπω	είδα	ειδώθηκα
	τρώω	έφαγα	φαγώθηκα
	πίνω	ήπια	πιώθηκα

π.χ. Προτού να ξεκινήσουν δέθηκαν καλά.
Δεν ακούστηκε τίποτε.
Γράφτηκα στην τρίτη τάξη.
Το γράμμα ανοίχτηκε από κάποιον.
Χάρηκα πολύ.
Δεν πρόσεξα και κόπηκα.
Έβρεχε και βράχηκα πολύ.
Δεν φάνηκε ακόμη.
Μαγεύτηκε από αυτή τη γυναίκα.
Βάλθηκε να τον παντρευτεί.
Πλύθηκα με ζεστό νερό.
Αυτό δεν ειπώθηκε.
Το κρέας φαγώθηκε όλο.
Το κρασί δεν πιώθηκε όλο.

331 Ο υπερσυντέλικος. The past perfect.
(see more in section 181.)

It is formed in two ways :
a. είχα plus the passive infinitive (see section 327 a παρακείμενος)
or **b.** ήμουν plus the passive participle (see also section 327 b παρακείμενος)

π.χ. **a.** είχα δεθεί — είχαμε δεθεί
είχες δεθεί — είχατε δεθεί
είχε δεθεί — είχαν δεθεί

b. ήμουν δεμένος — ήμαστε δεμένοι
ήσουν δεμένος — ήσαστε δεμένοι
ήταν δεμένος — ήταν δεμένοι

π.χ. Είχε δεθεί καλά και γι' αυτό δεν τραυματίστηκε.
(- - - - - that is why he was not injured).
Ήταν δεμένος καλά και γι' αυτό δεν τραυματίστηκε.

332 Έχω ένα πολύ καλό αυτοκίνητο. Είναι πολύ γρήγορο. Όταν οδηγώ, δένομαι καλά. Η γυναίκα μου δε δένεται. Την κάνω όμως και δένεται. Δενόμαστε γιατί σε περίπτωση ατυχήματος θέλουμε να γλιτώσουμε. Όταν έχει κανείς δεθεί καλά έχει πολλές πιθανότητες να τη γλιτώσει. Αν δεν είσαι δεμένος διατρέχεις μεγάλο κίνδυνο.

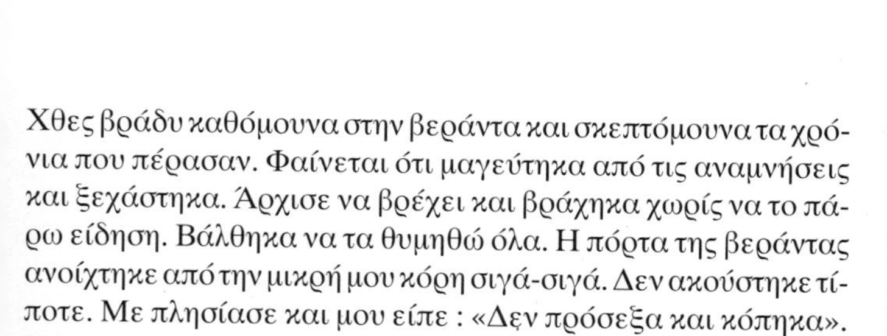

Χθες βράδυ καθόμουνα στην βεράντα και σκεπτόμουνα τα χρόνια που πέρασαν. Φαίνεται ότι μαγεύτηκα από τις αναμνήσεις και ξεχάστηκα. Άρχισε να βρέχει και βράχηκα χωρίς να το πάρω είδηση. Βάλθηκα να τα θυμηθώ όλα. Η πόρτα της βεράντας ανοίχτηκε από την μικρή μου κόρη σιγά-σιγά. Δεν ακούστηκε τίποτε. Με πλησίασε και μου είπε : «Δεν πρόσεξα και κόπηκα». Της είπα να βάλει λίγο οινόπνευμα. Δε φάνηκε καθόλου ανήσυχη.

333 Λεξιλόγιο

ξυρίζω	I shave
ξυρίζομαι	I shave myself
βεβαίως	certainly
γρήγορα	fast
η περίπτωση	case, event
η πιθανότητα	probability, odd
σκέπτομαι	I think
τραυματίζομαι	I get wounded, I get injured

η ανάμνηση	remembrance, memory
η βεράντα	veranda
σιγά	slowly
οινόπνευμα	alcohol
καθόλου	not at all, not in the least, generally, in general
χωρίς	without

334 Useful expressions.

κάνω κάποιον να κάνει κάτι	I make someone do something
σε περίπτωση ατυχήματος	in case of an accident
έχω κάποιες πιθανότητες	there are many chances that I
γλιτώνω από κάτι, επιβιώνω	I survive
γλιτώνω από κάποιον	I get rid of him
τη γλίτωσα, επέζησα	I survived
διατρέχω κίνδυνο	I run a risk
φαίνεται ότι	it seems that
παίρνω (κάτι) είδηση	I notice something
βάλθηκα να	I do my best to
σιγά-σιγά	slowly
τα χρόνια που πέρασαν	the years that passed away
και γι' αυτό	that is why
χωρίς να	without (- - -ing)

335 *Answer the questions.*

1. Τι αυτοκίνητο έχετε;
2. Τι κάνετε όταν οδηγείτε;
3. Γιατί δε δένεται η γυναίκα σας;
4. Γιατί την κάνετε να δένεται;
5. Σε περίπτωση ατυχήματος τι θέλετε να κάνετε;

6. Πότε έχει κανείς πολλές πιθανότητες να τη γλιτώσει;
7. Πότε διατρέχεις μεγάλο κίνδυνο;
8. Τι σκεπτόσουν χθες βράδυ στη βεράντα;
9. Τι συνέβη και ξεχάστηκες;
10. Τι έγινε χωρίς να το πάρετε είδηση;

11. Τι βαλθήκατε να κάνετε;
12. Από ποιον ανοίχτηκε η πόρτα σιγά-σιγά;
13. Τι σας είπε η μικρή σας κόρη;
14. Τι της είπατε να κάνει;
15. Φάνηκε ανήσυχη;

16. Γιατί τον κάνατε να ζητήσει συγγνώμη;
17. Οδηγείτε γρήγορα ή αργά;
18. Το καλοκαίρι γιατί δεν ξυριζόσαστε κάθε μέρα;
19. Σε ποια τάξη γράφτηκες;
20. Από ποιον ανοίχτηκε το γράμμα;

336 *Translate into Greek.*

1. I have a very fast car.
2. I did not shave yesterday.
3. Certainly I tie myself. I want to live.
4. There are many chances that he will survive.
5. You need it in case of an accident.

6. If you do not do it you run a great risk.
7. Last night I was thinking about the years that passed away.
8. It seems that I was fascinated by that woman.
9. I got wet without noticing it.
10. The door of the veranda was opened by her.

11. Nothing was heard. She did it slowly.
12. I was careless and I cut myself.
13. I told her to put some alcohol on it.
14. The letter had been opened by someone.
15. I washed myself with hot water.

337 *Write sentences of your own using the useful expressions of this unit.*

338 The passive future tenses.

The tenses of the verb that express the future are:

a. Ο εξακολουθητικός μέλλοντας.
b. Ο στιγμιαίος μέλλοντας.
c. Ο συντελεσμένος μέλλοντας.

(see more in section 190, 191, 192, and 495)

339 Ο εξακολουθητικός μέλλοντας. The durative future.

(see more in section 192)

π.χ.	θα δένομαι	θα δενόμαστε
	θα δένεσαι	θα δένεστε
	θα δένεται	θα δένονται

So we have:
θα γράφομαι, θα πλένομαι, θα ξυρίζομαι, θα κάθομαι, θα χαίρομαι, θα κόβομαι, θα πνίγομαι, θα βρέχομαι, θα φαίνομαι, θα μαγεύομαι, θα λέγομαι.

π.χ. Αύριο το πρωί στις επτά θα ξυρίζομαι.
Από αύριο θα ξυρίζομαι κάθε μέρα.

340 Ο στιγμιαίος μέλλοντας. The punctual future.

(see more in section 192)

(κρύβομαι = I am hiding)

π.χ.	θα δεθώ	θα δεθούμε	θα κρυφτώ	θα κρυφτούμε
	θα δεθείς	θα δεθείτε	θα κρυφτείς	θα κρυφτείτε
	θα δεθεί	θα δεθούν	θα κρυφτεί	θα κρυφτούν

So we have:
θα γραφτώ, θα πλυθώ, θα ξυριστώ, θα χαρώ, θα κοπώ, θα πνιγώ, θα βραχώ, θα φανώ, θα μαγευτώ, θα λεχθώ.

π.χ. Θα πλυθώ, θα ξυριστώ και θα έρθω.
Θα χαρώ πολύ αν έρθεις νωρίς.

341 Ο συντελεσμένος μέλλοντας. The future perfect.
(see more in section 193)

It is formed in two ways:

	a.	θα έχω	plus the passive infinitive
or	**b.**	θα είμαι	plus the passive participle

π.χ.	**a.**	θα έχω δεθεί	θα έχουμε δεθεί
		θα έχεις δεθεί	θα έχετε δεθεί
		θα έχει δεθεί	θα έχουν δεθεί
	b.	θα είμαι δεμένος	θα είμαστε δεμένοι
		θα είσαι δεμένος	θα είσαστε δεμένοι
		θα είναι δεμένος	θα είναι δεμένοι

So we have:
a. θα έχω γραφτεί, θα έχω πλυθεί, θα έχω ξυριστεί, θα έχω χαρεί, θα έχω κοπεί, θα έχω πνιγεί, θα έχω βραχεί, θα έχω φανεί, θα έχω μαγευτεί, θα έχω λεχθεί.
b. θα είμαι γραμμένος, θα είμαι πλυμένος, θα είμαι ξυρισμένος, θα έιμαι χαρούμενος, θα είμαι κομμένος, θα είμαι πνιγμένος, θα είμαι βρεγμένος, θα είμαι μαγεμένος, κ.λ.π.

π.χ. Μέχρι τις δύο το γράμμα θα έχει γραφτεί.
Μέχρι τις δύο το γράμμα θα είναι γραμμένο.

342 The passive infinitive. Το παθητικό απαρέμφατο.

1. We have already spoken about the infinitive (see section 246. Also Cf. section 491).

2. We move it in order to form certain perfect tenses (see sections327, 331 and 341). In form it is like the third singular aorist passive subjunctive.

π.χ.	έχω δεθεί	έχω πλυθεί
	είχα δεθεί	είχα πλυθεί
	θα έχω δεθεί	θα έχω πλυθεί

3. The passive infinitive in the perfect tenses is always used in its third singular person:

i.e. δεθεί, πλυθεί.

4. In order to make things easier remember that the passive infinitive is exactly the same with the form used in the third singular of punctual future or future perfect tenses (see sections 192 and 193).

343 Present. Future. Indefinite.

Here is a list of the "indefinite passive form" of verbs that you already know.

Present	Future	Indefinite
δένομαι	θα δεθώ	δεθεί
γράφομαι	θα γραφτώ	γραφτεί
πλένομαι	θα πλυθώ	πλυθεί
ξυρίζομαι	θα ξυριστώ	ξυριστεί
χαίρομαι	θα χαρώ	χαρεί
ακούγομαι	θα ακουστώ	ακουστεί
ανοίγομαι	θα ανοιχτώ	ανοιχτεί
κόβομαι	θα κοπώ	κοπεί
πνίγομαι	θα πνιγώ	πνιγεί
βρέχομαι	θα βραχώ	βραχεί
φαίνομαι	θα φανώ	φανεί
παύομαι	θα παυτώ	παυτεί
μαγεύομαι	θα μαγευτώ	μαγευτεί
φέρνομαι	θα φερθώ	φερθεί
λέγομαι	θα λεχθώ	λεχθεί
	θα ειπωθώ	ειπωθεί
βλέπομαι	θα ειδωθώ	ειδωθεί
τρώγομαι	θα φαγωθώ	φαγωθεί
πίνομαι	θα πιωθώ	πιωθεί

344 Η παθητική μετοχή. The passive participle.
(see more in sections 255 and 491)

1. It is formed from the present or the present perfect tense and it is inflected. It ends in - μένος, - μένη, - μένο.

e.g. δεμένη (tied), γραμμένος (written)

The passive participle corresponds to the passive aorist. Therefore it is formed like the passive aorist.

N.B. Passive participles in - όμενος and -ωμένος.

From them:
a. those stressed on the προπαραλήγουσα (third syllable see 479) are written with ο.

e.g. εργαζόμενος (worker)

b. those stressed on the παραλήγουσα (second syllable) are written with ω.

e.g. ειπωμένο (said)
φαγωμένο (eaten)

N.B. From there in (a) above that are derived from verbs ending in - ώ.

e.g. τιμώμενος (honoured)
προσδοκώμενο (anticipated)

About the formation of their comparative and superlative degrees we have already spoken in section 302.

	Present	Aorist	Passive Participle
a.	δένομαι	δέθηκα	δεμένος
	ακούγομαι	ακούστηκα	ακουσμένος
	γράφομαι	γράφτηκα	γραμμένος
	ανοίγομαι	ανοίχτηκα	ανοιγμένος
	κόβομαι	κόπηκα	κομμένος
	πνίγομαι	πνίγηκα	πνιγμένος
	βρέχομαι	βράχηκα	βρεγμένος
	παύομαι	παύτηκα	παυμένος
	μαγεύομαι	μαγεύτηκα	μαγεμένος
	πλένομαί	πλύθηκα	πλυμένος
	λέγομαι	ειπώθηκα	ειπωμένος
	βλέπομαι	ειδώθηκα	ειδωμένος
	τρώγομαι	φαγώθηκα	φαγωμένος
	πίνομαι	πιώθηκα	πιωμένος
b.	γίνομαι		γινωμένος
	κάνω		καμωμένος
	βάζω		βαλμένος
	φέρνω		φερμένος
	στέλνω		σταλμένος
	παίρνω		παρμένος

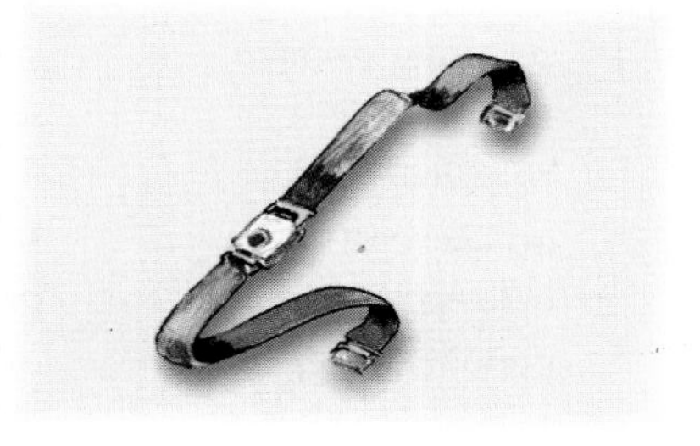

345 Κάθε φορά που θα μπαίνω σε αυτοκίνητο,θα δένομαι. Η ζώνη ασφαλείας είναι άλλωστε υποχρεωτική με νόμο. Η γυναίκα μου μου είπε: «Θα χαρώ πολύ αν το κάνεις». Δεν πιστεύει ότι θα δεθώ. Βάζω στοίχημα. Να ξέρεις ότι θα κερδίσω.

Δε χάλασε ο κόσμος. Δεν το έγραψα. Δεν είχα καιρό. Ήμουν πνιγμένος στις δουλειές. Μέχρι το βράδυ το γράμμα θα έχει γραφτεί. Θα είναι κιόλας γραμμένο στη γραφομηχανή.

Αυτός ο φάκελος είναι βρεγμένος και ανοιγμένος. Είναι σταλμένος από την Αθήνα; Όχι, δε στάλθηκε με το ταχυδρομείο. Δεν έχει γραμματόσημα. Δε φέρει σφραγίδα. Είναι φερμένος από επιβάτη. Το έφερε κάποιος με γένεια. Δεν ήταν ξυρισμένος. Ήταν όμως χτενισμένος και ευγενικός. Έμοιαζε σαν ορθόδοξος παπάς χωρίς ράσα.

346 Λεξιλόγιο

η ασφάλεια	safety
άλλωστε	besides, on the otherhand
υποχρεώνω	I oblige
υποχρεωτικός, -ή, -ό	obligatory, compulsory, mandatory
ο νόμος	law
πιστεύω	I belive
στοίχημα	bet
στοιχηματίζω	I bet
χάνω	I loose
χαλάω	I spoil, I destroy, I ruin
η δουλειά	work, business, job
ήδη, κιόλας	already
δακτυλογραφώ	I type
ο φάκελος	envelope
ταχυδρομώ	I post
το ταχυδρομείο	post office
το γραμματόσημο	stamp
η σφραγίδα	seal, stamp
τα γένεια	beard
μοιάζω σαν	I look like
ο παπάς	priest
ορθόδοξος, -η, -ο	orthodox
το ράσο	clerical frock, cassock

347 Useful expressions.

κάθε φορά	each time
ζώνη ασφαλείας	safety belt
περνώ τη ζώνη ασφαλείας	I pass in the safety belt
βάζω τη ζώνη ασφαλείας	I fasten the safety belt
βγάζω τη ζώνη ασφαλείας	I unfasten the safety belt
κάτι είναι υποχρεωτικό	something is obligatory
με νόμο	by law
υποχρεωτικό διά νόμου	compulsory by law
βάζω στοίχημα	I lay a bet
κερδίζω στοίχημα	I win a bet
χάνω στοίχημα	I lose a bet
να ξέρεις	you should know
δε χάλασε ο κόσμος	never mind
δεν έχω καιρό	I have no time
είμαι πνιγμένος στις δουλειές	I have many things to do
γράφω στη γραφομηχανή	I type
στέλνω με το ταχυδρομείο	I post
μοιάζω σαν	I look like

348 *Answer the questions.*

1. Τι κάνετε κάθε φορά που μπαίνετε σε αυτοκίνητο;
2. Γιατί είναι η ζώνη ασφαλείας υποχρεωτική;
3. Τι σας είπε η γυναίκα σας;
4. Γιατί δεν πιστεύει ότι θα δεθείτε;
5. Βάζετε στοιχήματα συχνά;

6. Θα το κερδίσετε ή θα χάσετε το στοίχημα;
7. Γιατί δεν το γράψατε το γράμμα;
8. Γιατί δεν είχατε καιρό;
9. Μέχρι πότε θα έχει γραφτεί το γράμμα;
10. Είναι κιόλας γραμμένο στη γραφομηχανή;

11. Είναι ο φάκελος βρεγμένος και ανοιγμένος;
12. Από πού είναι σταλμένος;
13. Γιατί δε φέρει γραμματόσημα και σφραγίδα;
14. Ποιος τον άνοιξε;
15. Ποιος τον έφερε;

16. Σαν τι έμοιαζε αυτός που τον έφερε;
17. Είχε γένεια ή ήταν ξυρισμένος;
18. Γιατί δεν το στέλνεις με το ταχυδρομείο;
19. Κερδίζει ή χάνει τα στοιχήματα;
20. Έχετε δει ποτέ ορθόδοξο παπά;

349 350 *Translate into Greek.*

1. Each time that I get into a car I fasten the safety belt.
2. The safety belt is compulsory by law.
3. She said to me: "I will be glad if you do it".
4. She did not believe that I will do it.
5. I laid a bet. You should know. I will win it.

6. Never mind. I have not written it.
7. I had no time at all.
8. I had many things to do.
9. It is already typed.
10. This envelope is wet and opened.

11. It has been sent from Athens but not by post.
12. It has no stamps on it.
13. It was brought by a passenger.
14. The man who brought it had a long beard.
15. He looked like an orthodox priest without a frock.

351 The passive subjunctive. Η υποτακτική της παθητικής φωνής.
(see more in section 265)

It is clear to you from the active voice that we use the subjunctive mood when the action or state expressed is a matter of supposal, desire or possibility.
The passive subjunctive mood has three tenses i.e. present, aorist and present perfect.

1. The subjunctive present tense. Ο Ενεστώτας υποτακτικής.

It is written exactly the same as the present indicative of the passive voice.

The participle να (or όταν, για να, ας, αφού, πριν, προτού να, άμα, αν - see more in section 266) is put before all persons. Remember that in form the present subjuctive passive is like the durative future, but substitute θα by να.

π.χ. ντύνομαι — I dress myself

να ντύνομαι	να ντυνόμαστε
να ντύνεσαι	να ντύνεστε
να ντύνεται	να ντύνονται

2. The subjunctive aorist tense. Ο Αόριστος υποτακτικής.

It is formed like the punctual future of the passive voice but substitute θα by να.

π.χ.

να ντυθώ	να ντυθούμε
να ντυθείς	να ντυθείτε
να ντυθεί	να ντυθούν

3. The subjunctive present perfect. Ο Παρακείμενος υποτακτικής.

It is formed in two ways like the future perfect, but substitute θα by να.

a.

να έχω ντυθεί	να έχουμε ντυθεί
να έχεις ντυθεί	να έχετε ντυθεί
να έχει ντυθεί	να έχουν ντυθεί

b.

να είμαι ντυμένος	να είμαστε ντυμένοι
να είσαι ντυμένος	να είσαστε ντυμένοι
να είναι ντυμένος	να είναι ντυμένοι

π.χ. Θέλω να ντύνομαι καλά, αλλά δεν έχω χρήματα.
Πρέπει να ντυθώ καλά απόψε. Κάνει κρύο.
Μου είπε να έχω ντυθεί μέχρι τις επτά.
Αρκεί να είσαι ντυμένη μέχρι τις επτά.

352 The passive imperative. Η προστακτική παθητικής φωνής.
(see more in section 277)

We have already said that the imperative is used in commands or requests. It necessarely refers to the future.
The passive imperative, present or aorist. occurs mainly in the second person singular and plural. The third person is substituted by the words ας or να and the corresponding subjunctive. However one should note that the one-word forms in the present tense are rare and therefore are not to be used.

π.χ. ντύσου, ντύνεστε

1. The imperative present tense.

π.χ.	εσύ να ντύνεσαι	εσείς να ντύνεστε
	αυτός ας ντύνεται	αυτοί ας ντύνονται

2. The imperative aorist tense.

ντύσου	ντυθείτε
ας ντυθεί	ας ντυθούν

3. The imperative has no negative form. We use the corresponding subjunctive preceded by μη, να μη, ας μη.

να μην ντύνεσαι	να μην ντύνεστε
να μην ντύνεται	να μην νύνονται
να μην ντυθεί	να μην ντυθείτε
να μην ντυθεί	να μην ντυθούν

4. Note that an order can also be expressed by the subjunctive form.

π.χ. Να ντύνεσαι καλά.
Να μην ντύνεται έτσι.
Ντύσου αμέσως.
Να ντυθείς αμέσως.
Ντυθείτε αμέσως.
Να ντυθείτε αμέσως.

353 Here is a list of the formation of the imperative of certain commonly used verbs.

Verb	**Aorist**	**Imperative**
δένομαι	δέσου	δεθείτε
φαίνομαι	------	φανείτε

στέκομαι	στάσου	σταθείτε
σκέπτομαι	σκέψου	σκεφτείτε
χάνομαι	χάσου	χαθείτε
δέχομαι	δέξου	δεχτείτε
ξυρίζομαι	ξυρίσου	ξυριστείτε
παντρεύομαι (I get married)	παντρέψου	παντρευτείτε
γίνομαι	γίνε	γίνετε
έρχομαι	έλα	ελάτε
κάθομαι	κάτσε	καθίστε

π.χ. Στάσου, μην προχωρείς, σκέψου το.
Σκεφτείτε, προτού να το κάνετε.
Σηκωθείτε και καθίστε εκεί.
Δεθείτε καλά.
Χάσου από εδώ.
Δεχτείτε αυτό το δώρο.
Ξυρίσου, μη γυρνάς έτσι.
Παντρέψου.
Έλα, μην κάνεις έτσι.

354 Wishes and conditions.

1. Wishes.

In modern Greek a wish is expressed by using the forms of the imperative or the subjunctive (see more in section 266/4c).
A simple way to express wish is the word να or ας and the imperfect (παρατατικός) or past perfect (υπερσυντέλικος) indicative.

π.χ. Ας ήταν εδώ ο πατέρας του!
Ας είχε γράψει ένα γράμμα!
Ας μην το είχε ξεχάσει!
Ας καθόταν ήσυχα!
Ας είχε δεθεί. Δε θα τραυματιζόταν.

General rule
a. When we want to express a wish that could be realized in the **present** or in the **future**, we use the adverbs είθε, άμποτε or μακάρι (God grant ! May !) plus subjunctive or the words να or ας plus one of the past tense indicative.

π.χ. Μακάρι να έρθει.
Να ήταν εδώ!
Ας έγραφε τουλάχιστον ένα γράμμα!

b. When we want to express a wish that could (or could not) be realized in the **past**, we use the words να, είθε να, μακάρι or άμποτε να plus one of the past tenses indicative.

π.χ. Μακάρι να το γνώριζα.
Μακάρι να είχα πάει.

2. Conditions.

a. The conditional, "possible" or "impossible" is expressed with the word θα and the imperfect (παρατατικός) or past perfect (υπερσυντέλικος) idicative.

π.χ. Θα πήγαινα.
Θα είχα πάει.
Θα ήθελα να σας παρακαλέσω για κάτι.
Θα το πλήρωνα, αν είχα χρήματα.
Θα μας το έλεγε, αν το γνώριζε.
Θα μας το είχε πει, αν το είχε γνωρίσει.
Θα ερχόμουν, αν το γνώριζα.
Θα το είχα κάνει, αν μπορούσα.
Θα μπορούσε να πάει;

b. Present conditional

θα έγραφα	(I would write)
θα έγραφα	θα γράφαμε
θα έγραφες	θα γράφατε
θα έγραφε	θα έγραφαν

c. Past conditional

θα έγραφα		I would write
θα είχα γραμμένο		I would have written
θα είχα γράψει		I would have written
θα είχα γραμμένο	ή	θα είχα γράψει
θα είχες γραμμένο	ή	θα είχες γράψει
θα είχε γραμμένο	ή	θα είχε γράψει
θα είχαμε γραμμένο	ή	θα είχαμε γράψει
θα είχατε γραμμένο	ή	θα είχατε γράψει
θα είχαν γραμμένο	ή	θα είχαν γράψει

355 Θέλει να ντύνεται καλά, αλλά δεν έχει αρκετά χρήματα. Έτσι εργάζεται για να εξασφαλίσει τα αναγκαία χρήματα. Μια ωραία γυναίκα δεν αρκεί να είναι απλώς ντυμένη. Πρέπει να είναι ντυμένη κομψά και σύμφωνα με τη μόδα. Ο πατέρας μου μου έλεγε : «Να μην ντύνεσαι με ό,τι βρεις, αλλά να ντύνεσαι με ό,τι πρέπει και ό,τι σου ταιριάζει».

Ελάτε τώρα, μην κάνετε έτσι. Φανείτε λογική. Σκεφτείτε το πράγμα ωριμότερα και ψύχραιμα. Δεχτείτε αυτό το δώρο. Είναι ένα θαυμάσιο δακτυλίδι με διαμάντια. Δεν είναι ανάγκη να τον παντρευτείτε τώρα και να δεθείτε μαζί του για όλη σας τη ζωή. Σταθείτε και σκεφτείτε το. Να μη σηκωθείτε τώρα και να μη φύγετε για να μη σας συναντήσει. Καθίστε εδώ όπου είστε και λογικευτείτε. Να σας πω τη γνώμη μου; Και να μην τον παντρευτείτε, δε θα χαθείτε. Μακάρι να μην τον είχα γνωρίσει. Αν δεν τον είχα γνωρίσει, θα είχα τώρα την ησυχία μου. Ας ήταν εδώ ο πατέρας μου. Θα μου έλεγε τι πρέπει να κάνω.

356 Λεξιλόγιο

έτσι	so
εργάζομαι	I work
εξασφαλίζω	I secure
απαραίτητος, -η, -ο	necessary
απλώς	simply
κομψά	elegantly
σύμφωνα	in accordance with, according to
λογικά	I think logically
η μόδα	fashion, mode, vogue
λογικός, -ή, -ό	logical
ώριμος, -η, -ο	ripe, mature
ωριμότερα	deeply
ψύχραιμα	cooly, calmy
το δακτυλίδι	ring
το διαμάντι	diamond
τώρα	now
όπου	where, whereas
η ησυχία	quietness, tranquillity
ήσυχα	quietly

357 Useful expressions.

δεν αρκεί να	it is not enough to
σύμφωνα με	in accordance with
σύμφωνα με τη μόδα	in accordance with the fashion
σου ταιριάζει	it fits you, it is becoming to you
ελάτε τώρα, μην κάνετε έτσι!	come now, don't behave that way !
σκέφτομαι κάτι ωριμότερα	I think something deeply
δεν είναι ανάγκη να	there is no need that you
είναι ανάγκη να κάνω κάτι	I must do it
είναι ανάγκη να τον δω	I must see him
για όλη σας τη ζωή	for all your life long
καθίστε όπου είστε	stay where you are
και να μην τον παντρευτείτε	even if you don't marry him
έχω την ησυχία μου	I have my peace of mind

358 *Answer the questions.*

1. Θέλετε να ντύνεστε καλά και κομψά;
2. Γιατί εργάζεται;
3. Τι κάνει για να εξασφαλίσει τα αναγκαία χρήματα;
4. Αρκεί μια ωραία γυναίκα να είναι απλώς ντυμένη;
5. Πρέπει οι γυναίκες να είναι ντυμένες σύμφωνα με τη μόδα;

6. Ντύνεσαι με ό,τι βρεις ή με ό,τι σου ταιριάζει;
7. Τι δακτυλίδι είναι αυτό;
8. Θα δεχτείτε αυτό το δώρο;
9. Είναι ανάγκη να τον παντρευτείτε τώρα;
10. Θα δεθείτε μαζί του για όλη σας τη ζωή;

11. Γιατί να σηκωθείτε και να φύγετε τώρα;
12. Γιατί δε θέλετε να σας συναντήσει;
13. Θέλετε να σας πω τη γνώμη μου;
14. Θα είχατε τώρα την ησυχία σας, αν δεν τον είχατε γνωρίσει;
15. Τι θα κάνατε αν ήταν εδώ ο πατέρας σας;

16. Θα σας έλεγε τι έπρεπε να κάνετε;
17. Τι χρώμα σάς ταιριάζει πιο πολύ;
18. Είναι ανάγκη να του τηλεφωνήσετε αμέσως;
19. Σας αρέσουν τα διαμάντια;
20. Αν τον παντρευτείτε, θα βρείτε την ησυχία σας;

359 *Translate into Greek.*

1. She want's to be dressed beautifully.
2. She has not the necessary money. She is working in order to have the money.
3. A beautiful woman should be dressed elegantly.
4. Her new dress is very becoming to her.
5. Come now, don't behave that way.

6. Please accept this gift.
7. There is no need that you marry him right away.
8. Stay where you are and be logical.
9. Shall I tell you my opinion?
10. Even if you don 't marry him you will not be lost in life.

11. I wish I had not met him.
12. If had not met him I would have had my peace of mind now.
13. I wish my father were here.
14. He could tell me what to do.
15. She is always dressed elegantly according to fashion.

360 *Write sentences of your own using the useful expressions of this unit.*

UNIT 35

361 Contracted verbs. The passive voice.

1. We have already spoken about contracted verbs (συνηρημένα ρήματα) and their active form π.χ. αγαπώ, οδηγώ etc. (see section 142). The contracted verbs are divided into two (or better) into three groups. You may see the difference even in the first singular person.

π.χ.	αγαπιέμαι	I am loved
	κινούμαι	I am moved (I move myself)
	θυμάμαι	I remember

2. The present tense

αγαπιέμαι	κινούμαι	θυμάμαι ή θυμούμαι
αγαπιέσαι	κινείσαι	θυμάσαι
αγαπιέται	κινείται	θυμάται
αγαπιόμαστε	κινούμαστε	θυμόσαστε
αγαπιέστε	κινείστε	θυμάστε
αγαπιούνται	κινούνται	θυμούνται

3. The present perfect tense

έχω αγαπηθεί ή είμαι αγαπημένος
έχω κινηθεί
έχω θυμηθεί

4. The imperfect

αγαπιόμουν	κινιόμουν	θυμόμουν
αγαπιόσουν	κινιόσουν	θυμόσουν
αγαπιόταν	κινιόταν	θυμόταν
αγαπιόμαστε	κινιόμαστε (ή κινιούμαστε)	θυμόμαστε
αγαπιόσαστε	κινιόσαστε	θυμόσαστε
αγαπιόνταν (ή αγαπιούνταν)	κινιόνταν (ή κινιούνταν) (ή κινιόντουσαν)	θυμόνταν (ή θυμούνταν)

5. The simple past

αγαπήθηκα	κινήθηκα	θυμήθηκα
αγαπήθηκες	κινήθηκες	θυμήθηκες
αγαπήθηκε	κινήθηκε	θυμήθηκε

αγαπηθήκαμε	κινηθήκαμε	θυμηθήκαμε
αγαπηθήκατε	κινηθήκατε	θυμηθήκατε
αγαπήθηκαν	κινήθηκαν	θυμήθηκαν

6. The past perfect

είχα αγαπηθεί ή ήμουν αγαπημένος
είχα κινηθεί
είχα θυμηθεί

7. The durative future

θα αγαπιέμαι	θα κινούμαι	θα θυμούμαι

8. The punctual future

θα αγαπηθώ	θα κινηθώ	θα θυμηθώ
θα αγαπηθείς	θα κινηθείς	θα θυμηθείς
θα αγαπηθεί	θα κινηθεί	θα θυμηθεί
θα αγαπηθούμε	θα κινηθούμε	θα θυμηθούμε
θα αγαπηθείτε	θα κινηθείτε	θα θυμηθείτε
θα αγαπηθούν	θα κινηθούν	θα θυμηθούν

9. The future perfect

θα έχω αγαπηθεί ή θα είμαι αγαπημένος
θα έχω κινηθεί
θα έχω θυμηθεί

10. The passive indefinite

αγαπηθεί	κινηθεί	θυμηθεί

11. The passive participle

αγαπημένος

12. The passive subjunctive

a. The present tense

να αγαπιέμαι	να κινούμαι	να θυμάμαι
να αγαπιέσαι	να κινείσαι	να θυμάσαι

b. The aorist

να αγαπηθώ	να κινηθώ	να θυμηθώ
να αγαπηθείς	να κινηθείς	να θυμηθείς

c. The present perfect

να έχω αγαπηθεί	να έχω κινηθεί	να έχω θυμηθεί
να έχεις αγαπηθεί	να έχεις κινηθεί	να έχεις θυμηθεί

13. The passive imperative past tense

αγαπήσου	κινήσου	θυμήσου
αγαπηθείτε	κινηθείτε	θυμηθείτε

N.B. A. According to αγαπιέμαι you may incline:

μιλιέμαι	I am spoken
συναντιέμαι	I am met
γελιέμαι	I am deceived, I am mistaken
φοριέμαι	I am worn
παραπονιέμαι	I complain
κρατιέμαι	I contain myself, I control myself
στενοχωριέμαι	I worry
ξεχνιέμαι	I become absent-minded
γεννιέμαι	I am born
χασμουριέμαι	I yawn

B. According to κινούμαι you may incline:

συγκινούμαι	I am moved
στερούμαι	I lack, I am deprived
μιμούμαι	I imitate
προηγούμαι	I precede
περιποιούμαι	I look after
επικαλούμαι	I implore
συννενοούμαι	I agree, I come to an agreement
αποτελούμαι	I consist of, I am composed of
εξαιρούμαι	I except myself
ενοχλούμαι	I am troubled, I am annoyed, I am irritated
αδικούμαι	I am done wrong
ωφελούμαι	I profit
απολογούμαι	I apologize, I am justified in doing something
πληροφορούμαι	I am informed
τιμωρούμαι	I am punished

C. According to θυμάμαι you may incline:

φοβάμαι (ή φοβούμαι)	I am afraid
λυπάμαι (ή λυπούμαι)	I am sorry
κοιμάμαι (ή κοιμούμαι)	I am asleep

362 How to change an active syntax into passive.

He is kicking

He is being kicked

1.

Εγώ	γράφω	ένα γράμμα
(subject)	(act. verb)	(object)
Το γράμμα	γράφεται	από εμένα
(subject)	(pass. verb)	(agent or doer of the action expressed by the verb)

2. Διαβάζω το βιβλίο.
Το βιβλίο διαβάζεται από μένα.

N.B. If you want to change an active sentence into a passive one you do exactly the same as you do in English.

a. The object of the active verb becomes the subject of the passive verb.
b. The subject of the active verb becomes the agent or doer of the action expressed by the passive verb preceded by the word από plus accusative.
c. The verb is changed from active to passive (but always in the same tense).

π.χ. The rain waters the flowers.
Η βροχή ποτίζει τα λουλούδια.

The flowers are being watered by the rain.
Τα λουλούδια ποτίζονται από τη βροχή.

Active:

π.χ. The boy is kicking the ball.
Το αγόρι κλοτσά τη μπάλλα.

Passive:

π.χ. The boy is being kicked by the horse.
Το αγόρι κλωτσιέται από το άλογο.

363 Λυπάμαι. Αυτή τη στιγμή δεν μπορώ να τον ξυπνήσω, κοιμάται. Φοβάμαι πως αν το κάνω, θα βάλει τις φωνές. Ξέρετε, ενοχλείται εύκολα και γκρινιάζει με το παραμικρό. Άλλωστε δε μιλιέται. Ό,τι και να του πείτε, αυτός θα κάνει εκείνο που νομίζει σωστό. Όσο και να τον παρακαλέσετε, δεν πρόκειται να συγκινηθεί. Αν δε γελιέμαι, έχετε ξαναέρθει και φύγατε στενοχωρημένος, γιατί δεν μπορέσατε να συννενοηθείτε μαζί του. Μη δικαιολογείστε. Όσο και αν αδικείστε ή ωφελείστε, δε γίνεται τίποτε. Να πληροφορηθείτε από άλλους, οι οποίοι προηγήθηκαν, τι τους είπε. Άδικα χάνετε τον καιρό σας.

Δε χρειάζεται να ποτίσεις τα λουλούδια. Θα τα ποτίσει η βροχή. Όταν βρέχει, τα λουλούδια ποτίζονται από τη βροχή. Το τραγούδι αυτό αγαπήθηκε πολύ απ' όλους τους Έλληνες.

364 Λεξιλόγιο

πως (ότι)	that
πώς	how
εύκολα	easily
γκρινιάζω	I grumble, I complain, I murmur
το παραμικρό	the slightest, the faintest
σωστός, -ή, -ό	right, just
πρόκειται	the question is
ξανά	again, anew

ξαναέρχομαι	I come again, I come back
άδικα	in vain
ποτίζω	I water
τιμωρώ	I punish

365 Useful expressions.

βάζω τις φωνές	I start shouting
ξέρετε	you know
με το παραμικρό	at the slightest, at the faintest
γκρινιάζω με το παραμικρό	I grumble at the slightest thing (event)
νομίζω ότι κάτι είναι σωστό	I think that something is right
όσο και αν	no matter how much (you)
δεν πρόκειται να	he is not going to
αν δε γελιέμαι	if I am not mistaken
μη στενοχωριέστε	don't worry
είστε αδικαιολόγητος	there is no excuse
δε γίνεται τίποτε	there is nothing to be done
χάνω τον καιρό μου	I lose my time
χάνω άδικα τον καιρό μου	I spend my time in vain
δε χρειάζεται	there is no need

366 *Answer the questions.*

1. Γιατί δεν μπορείτε να τον ξυπνήσετε;
2. Λέτε να βάλει τις φωνές;
3. Γκρινιάζει με το παραμικρό;
4. Τι κάνει αυτός πάντοτε;
5. Γιατί δεν πρόκειται να συγκινηθείτε;

6. Αν δε γελιέμαι, έχετε ξαναέρθει;
7. Φύγατε στενοχωρημένος; Γιατί;
8. Αδικείστε ή ωφελείστε; Πέστε το μου.
9. Τι να πληροφορηθώ από τους άλλους, οι οποίοι προηγήθηκαν;
10. Χάνει τον καιρό του άδικα;

11. Χρειάζεται να ποτίσω τα λουλούδια;
12. Τι γίνονται τα λουλούδια από τη βροχή;
13. Από τι ποτίζονται τα λουλούδια;
14. Τι κάνει η βροχή τα λουλούδια;
15. Από ποιους αγαπήθηκε το τραγούδι αυτό;

16. Τι έκαναν οι Έλληνες το τραγούδι αυτό;
17. Τι νομίζετε σωστό;
18. Γιατί δεν πρόκειται να συγκινηθεί;
19. Χρειάζεται να τον δω ή όχι;
20. Ξέρετε την αλήθεια;

367 *Translate into Greek.*

1. He started shouting at her.
2. There is no need that you come.
3. They spend their time in vain.
4. Sorry. There is nothing that can be done.
5. There is no excuse for you. You shall be punished.

6. Don't worry I will take care of it.
7. If I am not mistaken we have met before.
8. He is not going to do it.
9. No matter how much you beg him.
10. I don 't think that it is right.

11. The old man grumbles at the slightest thing.
12. The flowers are being watered by the rain.
13. The rain waters the flowers.
14. The boy is being kicked by the horse.
15. The ball is being kicked by the boy.

368 *Write sentences of your own using the useful expressions of this unit.*

369 Αντωνυμίες. Pronouns.

A pronoun is a word used instead of a noun, as e.g. αυτός, which takes the place of the name of a person, or e.g. αυτό, which takes the place of the name of a thing.
Pronouns undergo a change of form in order to indicate difference in use. They are inflected.

370 Προσωπικές αντωνυμίες. Personal pronouns.

Personal pronouns distinguish the three persons of the speech (singular or plural).

a. the person speaking (first person = εγώ or εμείς).
b. the person to whom we are speaking (second person = εσύ or εσείς).
c. the person or thing about which we are talking (third person = αυτός or αυτοί).

π.χ.	εγώ μιλώ	εσύ γράφεις	αυτός διαβάζει
	εμείς μιλάμε	εσείς γράφετε	αυτοί διαβάζουν

371 We have already spoken (section 23, 24, and 25) extensively about the nominative case of all three persons of the personal pronoun. As a matter of fact we have been using them all through out this book as subjects of verbs.

372 In declining the personal pronouns we have almost in each person two forms:

a. the emphatic (or absolute or strong) form, and
b. the simple (or conjuctive or weak) form.

1. First person : Εγώ = I

		emphatic form			simple form
Sing. :	Nom.	εγώ	=	I	–
	Gen.	εμένα	=	of me	μου
	Acc.	εμένα	=	me	με
Plur. :	Nom.	εμείς	=	we	–
	Gen.	εμάς	=	of us	μας
	Acc.	εμάς	=	us	μας

2. Second person : εσύ = thou, you

		emphatic form		simple form
Sing. :	Nom.	εσύ	or συ	–
	Gen.	εσένα		σου
	Acc.	εσένα		σε
	Voc.	εσύ		–
Plur. :	Nom.	εμείς	or σεις	–
	Gen.	εσάς		σας
	Acc.	εσάς		σας
	Voc.	εσείς		–

3. Third person : αυτός, αυτή, αυτό = he, she, it

		emphatic form			simple form		
		masc.	fem.	neut.	masc.	fem.	neut.
Sing. :	Nom.	αυτός	αυτή	αυτό	τος	τη	το
	Gen.	αυτού	αυτής	αυτού	του	της	του
	Acc.	αυτό(ν)	αυτή(ν)	αυτό	το(ν)*	τη(ν)*	το·
Plur. :	Nom.	αυτοί	αυτές	αυτά	τοι	τες	τα
	Gen.	αυτών	αυτών	αυτών	τους	τους	τους
	Acc.	αυτούς	αυτές	αυτά	τους	τις (τες)	τα

N.B. a. The simple form of the third person is formed by cutting off the syllable « αυ » from the emphatic form. You may note two exceptions: theplural genitive and the plural accusative. About the latter see below (section 373, f). Regarding the former notice that in every day speech the genitive is being substituted by the accusative masculine:

π.χ. Το λέω αυτού (του Γιώργου)
Το λέω σ' αυτόν (τον Γιώργο)
Το λέω αυτών (των μαθητών)
Το λέω σ' αυτούς (τους μαθητές)

i.e. τους το λέω.

b. The simple forms of the third person may look like articles, but they are not. We have no difficulty in recognizing them since they precede the verbs while the articles precede the nouns.

π.χ. Του το έδωσα του Γιώργου το βιβλίο.
Της τα είπα της Μαρίας τα νέα.

(*) See section 13a

373 Things to remember:

a. The third person in the emphatic form is inflected like the adjective καλός, καλή, καλό (see section 216).

b. The emphatic or strong forms are used for emphasis or if they stand alone, that is isolated in the speech.

Ποιον φώναξαν; Εμένα.
Whom did they call? Me.

Εσένα θέλω, όχι αυτόν.
I want you, not him.

Να φύγουν αυτοί, όχι εσείς.
They should leave, not you.

c. Note that the vocative case is used only in the second person:

Εσύ, έλα εδώ.
You, come here.

Εσείς, φύγετε αμέσως.
You, leave at once.

d. The simple forms are used more frequently than the emphatic ones. We use them when we do not want to emphasize something or to seperate it. Note that we place them before the verb. It is only in the imperative that they follow the verb. Also note that the indirect object must precede the direct.

π.χ.	Με φώναξε	=	He called me.
	Σε θέλω	=	I want you.
	Μου το έδωσε	=	He gave it to me.
	Της το πήρε	=	He took it away from her.
	Του το πλήρωσα	=	I paid it to him.
	Φέρε το! (Φέρ'το!)	=	Bring it! (imperative)
	Γράψε το! (Γράφ'το!)	=	Write it! (imperative)

e. We have already used the simple forms with the impersonal verbs (see section 164).

f. In the third person, simple form, the accusative form feminine has two forms τις or τες.

τις is placed before the verb.
τες is placed after the verb.

π.χ.	Τις βλέπεις;	Do you see them?
	Τις βλέπω.	I see them.
	Φώναξέ τες.	Call them.
	Σταμάτησέ τες.	Stop them.

Αν τις δεις, χαιρέτα τες.
If you see them greet them.

g. When a verb is accompanied by a participle of negation, of tense, or of mood (δεν, να, θα, ας) we put the pronoun in its simple form between such particle and the verb:

π.χ.	Δεν τον βρήκα.	I did not find him.
	Να το κάνω;	Shall do it?
	Θα σου πω.	I shall tell you.
	Ας τον καλέσουμε.	Let's invite him.

h. Note that when the objects of the verb are pronouns (mostly in the simple form), the genitive precedes the accusative and the verb:

π.χ.	Της το είπα.	I told her that.
	Του τα έδωσα.	I gave them to him.
	Μου το έγραψε.	He wrote it to me.

374 Εγώ τα έδωσα τα χρήματα σ'αυτήν. Αυτή τα επέστρεψε σ'εμένα. Τελικά τα κράτησα. Δεν ήξερα τι να τα κάνω. Της το είπα ότι τα έχω στη διάθεσή της. Μου είπε ότι το ξέρει. Σ'εσένα δεν είπα τίποτε. Σου το λέω τώρα. Μη με ρωτάς όμως περισσότερα. Τη γνωρίζεις τη Μαρία. Ρώτησέ την. Εμένα με ξέρεις. Δεν πρόκειται να σου πω τίποτε. Μπορώ να κρατήσω ένα μυστικό. Εσένα πώς σου φαίνεται; Μπορείς να μην τους πεις τίποτε; Αυτό θέλω να το αποδείξεις και σε μένα.

375 Λεξιλόγιο και χρήσιμες εκφράσεις

Έχω κάτι στη διάθεση κάποιου	I have something at someone's disposal
Είμαι στη διάθεσή σας.	I am at your disposal
Δεν έχω διάθεση.	I am not well disposed. (I am not in the mood.)
περισσότερος, -η, -ο	more
το μυστικό	secret
Κρατώ ένα μυστικό.	I keep a secret
Πώς σου φαίνεται;	How do you like it?
αποδεικνύω	I prove

376 *Answer the questions.*

1. Σου το έγραψε;
2. Του τα έδωσες;
3. Της το είπες;
4. Θα μου το πεις;
5. Δεν τον βρήκες;

6. Τις βλέπεις;
7. Το κρατάς το μυστικό;
8. Αν τις δω, θα τους το πω.
9. Πώς σου φαίνονται τα νέα;
10. ´Εχεις διάθεση για έναν καφέ;

11. Τι περιμένεις απ'αυτήν;
12. Τα έχει στη διάθεσή σας;
13. Με ζητήσατε;
14. Του το πλήρωσε;
15. Εμένα θέλει και όχι εσένα;

16. Αν μπορείς, τους το λες;
17. Να της το πω;
18. Της το έδωσες της Μαρίας το γράμμα;
19. Μου αγόρασες την εφημερίδα;
20. Της τα είπες της μητέρας σου τα νέα;

377 *Translate into Greek.*

e.g. I gave the money to her.
Εγώ τα έδωσα τα χρήματα σ'αυτήν.

1. She returned it back to me.
2. I finally kept it.
3. I did not know what to do with it.
4. I told her that I have it at her hospital.
5. She told me that she knew it.

6. I did not mention it to you.
7. I am telling it to you now.
8. But don 't ask me more about it.
9. You know Mary. Ask her.
10. You know me. I am not going to tell you anything at all.

11. I can keep a secret.
12. How do you like it.
13. Can you not tell them anything?
14. I want you to prove it to me.
15. He asked me about her age.

378 *Write free sentences of your own using personal pronouns.*

379 Δεικτικές αντωνυμίες. Demonstrative pronouns.

Demonsrative pronouns point out persons or objects.

π.χ. αυτό το αγόρι = this boy
αυτό το μολύβι = this pencil
αυτό το βιβλίο = that book

380 The demonstrative pronouns are :

1. αυτός, αυτή, αυτό
2. τούτος, τούτη, τούτο
3. εκείνος, εκείνη, εκείνο

N.B. **a.** We have spoken in details about all three of them in sections 36-41.
b. The demonstrative pronouns are declined like the adjectives that have the same ending (see section 216)

π.χ. ο καλός, ο μαύρος

c. The pronoun αυτός, αυτή, αυτό preceded by the article means "the same"

π.χ.		
	αυτός ο άνδρας	this man
	ο αυτός άνδρας	the same man
	αυτό το πρόσωπο	this person
	το αυτό πρόσωπο	the same person

d. When αυτός, τούτος, or εκείνος is connected with a substantive, the substantive is always preceded by the article.

π.χ. αυτός ο μαθητής
τούτη η μαθήτρια
εκείνο το αγόρι

If you put the pronoun after the substantive, there is no difference in meaning.

π.χ. αυτός ο μαθητής = ο μαθητής αυτός
τούτη η μαθήτρια = η μαθήτρια τούτη
εκείνο το αγόρι = το αγόρι εκείνο

4. τέτοιος, τέτοια, τέτοιο = such a, that kind of
We use it to show the **quality** of the substantive.

π.χ. τέτοιος άνθρωπος
τέτοια γυναίκα
τέτοιο δακτυλίδι

π.χ. Δεν είναι τέτοιος άνθρωπος που νομίζεις.
He is not such a man (that kind of a man) that you think (he is).

Τέτοια μέρα = Such a (official) day.
Τέτοια γυναίκα είναι δύσκολο να βρεις.
It is difficult to find such a (fine) woman.

Τέτοια δακτυλίδια δεν υπάρχουν πλέον.
Such rings do not exist anymore.

5. τόσος, τόση, τόσο = so great, so much, as much, as many.
We use it to show the quantity of the substantive.

π.χ. τόσος κόπος = so much pain (trouble)
τόση προσπάθεια = so much effort
τόσα δολάρια = so many dollars

π.χ. Έχει τόση χαρά.
He has so great a joy.

Πέρασαν τόσα χρόνια από τότε.
So many years have passed since then.

Έχουν τόσα παιδιά και είναι τόσο νέοι.
They have so many children and they are so young.

N.B. **a.** τόσος δα = so small, so little (so much, but little) (m.)
τόση δα = so small, so little (so much but little) (f.)
τόσο δα = so small, so little (so much, but little) (n.)

π.χ. Μου έδωσε μόνο τόσο δα.
He gave me only so little.
Είναι τόση δα = She is so small (short).

b. τόσος is declined like the adjective πλούσιος.

c. τόσο μεγάλος = so great
τόσο μικρός = so small
τόσο νέα = so young

π.χ. Τόσο μεγάλος άνθρωπος.
So great a man.

Πέθανε τόσο νέα.
She died so young.

381 Κτητικές αντωνυμίες. Possessive pronouns.

Possessive pronouns denote possession, that is they show the possessor of that which is expressed by the substantive.

π.χ. ο φίλος μου = my friend
η μητέρα της = her mother
τα βιβλία τους = their books

382 They are identical in form with the gentive of the simple form of the personal pronouns (see section 372).

a. They are placed after each noun which they modify.
b. They are not accented.
c. The nouns which they modify are presented by the article.

π.χ. ο πατέρας μου = my father
η αδελφή μου = my sister
το σπίτι μου = my house

383 **1.** The possessive pronouns are :

	Singular		**Plural**	
1st person:	μου	my	μας	our
2nd person:	σου	your	σας	your
3rd person:	του	his	τους	their
	της	her		
	του	its		

N.B. σου is familiar
σας is polite

π.χ. Το όνομά σου = your name
Το όνομά σας = your name

Ποιο είναι το όνομά σου, παιδί μου;
What is your name my child?

Ποιο είναι το όνομά σας, κύριε;
What is your name sir?

You should note that if the noun is preceded by an adjective the pronoun is expected to be placed between the adjective and the noun.

π.χ.	το βιβλίο μου	=	my book
	το νέο βιβλίο μου	=	my new book
	το καπέλο της	=	her hat
	το άσπρο της καπέλο	=	her white hat

2. For the sake of emphasis we put the adjective ο δικός, η δική, το δικό before the possessive pronoun.

π.χ.	ο δικός μου	=	mine or my own (m.)
	η δική μου	=	mine or my own (f.)
	το δικό μου	=	mine or my own (n.)

1st person	(m.)	(f.)	(n.)
one possessor:	ο δικός μου	η δική μου	το δικό μου
more possessors:	ο δικός μας	η δική μας	το δικό μας
2nd person			
one possessor:	ο δικός του	η δική του	το δικό του
more possessors:	ο δικός σας	η δική σας	το δικό σας
3rd person			
one possessor:	ο δικός του (της)	η δική του (της)	το δικό του (της)
more possessors:	ο δικός τους	η δική τους	το δικό τους

3.

Singular		**Plural**	
δικός μου	mine	δικός μας	ours
δικός σου	yours	δικός σας	yours
δικός του	his	δικός τους	theirs
δικός της	her		
δικός του	it's		

4. The adjective form of the emphatic possessive pronoun changes according to the form of its noun and it is declined like the adjective that have the same ending (see section 216):

π.χ. ο καλός, η καλή, το καλό

ο δικός μου	η δική μου	το δικό μου
του δικού μου	της δικής μου	του δικού μου
το δικό μου	τη δική μου	το δικό μου

οι δικοί μου	οι δικές μου	τα δικά μου
των δικών μου	των δικών μου	των δικών μου
τους δικούς μου	τις δικές μου	τα δικά μου

5. Παραδείγματα.

Ο δικός μου πατέρας είναι καλός.
Του δικού μου πατέρα το όνομα είναι Γιώργος.
Το έδωσε στο δικό μου πατέρα.

Η δική μου μητέρα είναι ωραία.
Της δικής μου μητέρας το όνομα είναι Μαρία.
Το είπε στη δική μου μητέρα.

Το δικό μου το σκυλί είναι μαύρο.
Του δικού μου του σκυλιού το χρώμα είναι μαύρο.
Το άφησε στο δικό μου θρανίο.

6. Παραδείγματα.
The same examples as above but in the simple form.

Ο πατέρας μου είναι καλός.
Του πατέρα μου το όνομα είναι Γιώργος.
Το έδωσε στον πατέρα μου.

Η μητέρα μου είναι ωραία.
Της μητέρας μου το όνομα είναι Μαρία.
Το είπε στη μητέρα μου.

Το σκυλί μου είναι μαύρο.
Του σκυλιού μου το χρώμα είναι μαύρο.
Το άφησε στο θρανίο μου.

384 Αυτός ο άνθρωπος είναι πολύ καλός. Είναι το αυτό πρόσωπο που συναντήσαμε χθες βράδυ στου πατέρα σου το σπίτι. Το όνομά του μου είναι γνωστό. Κάπου το έχω ακούσει. Παντρεύτηκε τη Μαρία. Έχει τόση χαρά. Είναι τόσο ευτυχισμένος. Μια τέτοια γυναίκα είναι σωστός θησαυρός. Τέτοιες γυναίκες είναι δύσκολο να βρεις. Πλούσιες, νέες, μορφωμένες, σεμνές, χαριτωμένες και καλές.

Έκανε τόσο κόπο και κατέβαλε τόση προσπάθεια. Τελικά, μετά από τόσα χρόνια, βρήκε την αλήθεια. Ο δικός του πατέρας πέθανε κατά τη διάρκεια του πολέμου. Η μητέρα του εξαφανίστηκε. Των αδελφών της τα παιδιά ζουν σήμερα στην Αμερική. Δεν έμαθε όμως ποιο είναι το νέο τους όνομα. Το παλιό τους όνομα δεν το χρησιμοποιούν. Κανείς δεν τους ξέρει με αυτό το όνομα.

Μην το πειράζεις. Είναι δικό της. Το δικό σου είναι εκεί πέρα. Του νέου μας αυτοκινήτου το χρώμα είναι μπλε. Του δικού σας είναι, νομίζω, πράσινο, αν δεν με απατά η μνήμη. Όχι, η μνήμη σας είναι εντάξει. Μόνο τα μάτια σας σας απατούν. Πρέπει να σας κοιτάξει οφθαλμίατρος.

385 Λεξιλόγιο

γνωστός, -ή, -ό	known, familiar	χρησιμοποιώ	I use
παντρεύομαι	I get married	απατώ	I deceive
ο θησαυρός	treasure, fortune	η μνήμη	memory
εξαφανίζομαι	I disappear	κοιτάζω	I look
σεμνός, -ή, -ό	modest, decent	ο οφθαλμίατρος	occulist
ο κόπος	pain, trouble	το γυαλί	glass
η προσπάθεια	effort	μορφωμένος, -η, -ο	educated
τα γυαλιά	pair of glasses		

386 Useful expressions.

το όνομά του μου είναι γνωστό	his name is familliar to me
σωστός θησαυρός	a real fortune
δύσκολο να βρεις	difficult to find
κάνω κόπο	I take the pain, I go to the trouble
καταβάλλω προσπάθεια	I make (an) effort
βρίσκω την αλήθεια	I find out the truth
με αυτό το όνομα	under this name
αν δε με απατά η μνήμη μου	if my memory does not deceive me
είναι εντάξει	(it) is all right (o.k.)
πρέπει να σας κοιτάξει ένας οφθαλμίατρος	you should be examined by a doctor (occulist)
χρειάζομαι γυαλιά	I need glasses

387 *Answer the questions.*

1. Είναι αυτός ο άνθρωπος που συναντήσαμε χθες βράδυ στης μητέρας της το σπίτι;
2. Σας είναι γνωστά τα ονόματά τους;
3. Γιατί είναι τόσο ευτυχισμένος και έχει τόση χαρά;
4. Τι είναι μια τέτοια γυναίκα;
5. Είναι δύσκολο να βρεις τέτοιες γυναίκες;

6. Πρέπει να είναι πλούσια, νέα, μορφωμένη και χαριτωμένη;
7. Έκανε τόσο κόπο και κατέβαλε τόση προσπάθεια;
8. Τι βρήκε τελικά μετά από τόσα χρόνια;
9. Πότε πέθανε ο δικός του πατέρας;
10. Τι έγινε η μητέρα του;

11. Πού ζουν σήμερα των αδελφών της τα παιδιά;
12. Ποιο είναι το νέο τους όνομα;
13. Θυμάσαι το παλιό τους σπίτι;
14. Τους ξέρετε με αυτό το όνομα;
15. Πού είναι τα δικά μου;

16. Ποιο είναι το χρώμα του νέου τους αυτοκινήτου;
17. Η μνήμη τι μας κάνει καμιά φορά;
18. Είναι εντάξει ή όχι; Τι λέτε;
19. Πρέπει να με κοιτάξει ένας οφθαλμίατρος;
20. Χρειάζεται γυαλιά;

388 *Translate into Greek.*

1. He is the same person that we met last night.
2. We saw her at your father's house.
3. Your name is familiar to me.
4. He got married and he is so happy.
5. Such a woman is real fortune.

6. It is very difficult to find such a thing.
7. She is rich, young, educated, decent and charming.
8. He went to the trouble as to write to me.
9. Finally he found the truth after so many years.
10. Her sister's children live in the States.

11. What is her name?
12. I don't remember their last name.
13. Nobody knows them under that name.
14. The colour of our new car is blue.
15. He must be examined by an occulist.

389 Write sentences of your own using the useful expresions of this unit.

390 Ερωτηματικές αντωνυμίες. Interrogative pronouns.

We have already spoken about all of them in Unit 6 (see sections 61-65). There is no need to repeat them here. We only note here that:

a. ποιος; ποια; ποιο; is declined like the adjective παλιός, παλιά, παλιό.

	(m.)	(f.)	(n.)
ον. :	ποιος	ποια	ποια
γεν. :	ποιου	ποιας	ποιου
αιτ. :	ποιον	ποια	ποιο
ον. :	ποιοι	ποιες	ποια
γεν. :	ποιων	ποιων	ποιων
αιτ. :	ποιους	ποιες	ποια

391 Αυτοπαθείς αντωνυμίες. Reflexive pronouns.

The pronouns which show that the person who acts and receives the action too are called reflexive. They have no nominative form and are used in the nominative. They are inflected like the adjective καλός.

π.χ. Φροντίζει τον εαυτό της.
She takes care of herself.

Αυτός σκέφτεται μόνο τον εαυτό του.
He thinks only of himself.

392 The reflexive pronouns are:

Singular

1st person

γεν. του εαυτού μου (of me)
αιτ. τον εαυτό μου (me)

2nd person

γεν. του εαυτού σου (of thee)
αιτ. τον εαυτό σου (thee)

3rd person

γεν.	του εαυτού του (of him)
	του εαυτού της (of her)
αιτ.	τον εαυτό του (himself)
	τον εαυτό της (herself)

Plural

1st person

γεν.	του εαυτού μας or των εαυτών μας (of us)
αιτ.	τον εαυτό μας or τους εαυτούς μας (us)

2nd person

γεν.	του εαυτού σας or των εαυτών σας (of you)
αιτ.	τον εαυτό σας or τους εαυτούς σας (you)

3rd person

γεν.	του εαυτού τους (των) or των εαυτών τους (των) (of them)
αιτ.	τον εαυτό τους (των) or τους εαυτούς σας (των) (themselves)

N.B. For emphasis we use:

τον ίδιο τον εαυτό μου
τον ίδιο τον εαυτό της

π.χ. Τιμωρεί τον ίδιο τον εαυτό του.
He punishes himself.

Μισεί τον ίδιο τον εαυτό της.
She hates herself.

393 Observe the expressions.

ο ένας τον άλλο	=	one another, each other
η μια την άλλη	=	one another, each other
το ένα το άλλο	=	one another, each other
μεταξύ τους (των)	=	between themselves, among (amongst) themselves

π.χ. Αγαπάει ο ένας τον άλλο.
They love each other.

Μισεί η μια την άλλη.
They hate each other.

Δεν ανέχεται η μια την άλλη.
They cannot stand each other.

Δεν υπάρχει αγάπη μεταξύ τους (των).
There is no love between themselves.

Δεν είναι κανείς κλέφτης μεταξύ των (τους).
There is no thief among themselves.

394 Οριστικές αντωνυμίες. Definite pronouns.

The pronouns that define, separate and distinguish a person or a thing from similar ones are called definite. As definit pronouns we use:
a. The adjective ο ίδιος, ή ίδια, το ίδιο (always with the article).
b. The adjective μόνος, μόνη, μόνο without the article plus the genitive of the simple form of the personal pronouns: μου, σου, του, μας, σας, τους.

μόνος μου	μόνη μου	μόνο μου	μόνοι μας	μόνες μας	μόνα μας
μόνος σου	μόνη σου	μόνο σου	μόνοι σας	μόνες σας	μόνα σας
μόνος του	μόνη της	μόνο του	μόνοι τους	μόνες τους	μόνα τους

395 ´Ιδιος is inflected like πλούσιος

Μόνος is inflected like μαύρος

π.χ. Εγώ ο ίδιος το έκανα.
I myself did it.

Το έκανα μόνος μου.
I did it by myself.

Τα δακτυλογραφώ μόνος μου.
I type them by myself.

Το ταχυδρόμησα την ίδια μέρα.
I posted it the very same day.

´Ηρθε ο πατέρας της.
Her father himself came (the father, not anybody else).

Δεν πηγαίνει πουθενά μόνη της.
She never goes anywhere alone.

396 Αυτή δε φροντίζει μόνο τον εαυτό της. Φροντίζει όλα τα μέλη της οικογένειάς της. Ο γιος της σκέπτεται μόνο τον εαυτό του. Η κόρη της τιμωρεί τον ίδιο τον εαυτό της. Δε μισεί τον ίδιο τον εαυτό της. Απλώς κάνει δίαιτα. Είναι της μόδας.

Σ' αυτή την οικογένεια δεν αγαπά ο ένας τον άλλον. Μισεί η μια την άλλη. Δεν ανέχεται ο ένας τον άλλον. Συμπεριφέρονται σαν εχθροί. Δεν υπάρχει αγάπη μεταξύ τους.

Συνήθως δακτυλογραφώ την αλληλογραφία μόνος μου. Το γράμμα το έγραψα στο computer μόνοςμου. Το ταχυδρόμησα αμέσως, την ίδια ημέρα. Επείγον. Συστημένο. Το παρέλαβε ο ίδιος ο διευθυντής του ταχυδρομείου. Αυτός ο ίδιος υπέγραψε και εγώ πήρα την απόδειξη.

397 Λεξιλόγιο

φροντίζω	I take care of	τιμωρώ	I punish
το μέλος	member	η τιμωρία	punishment
ο σύλλογος	society, fraternity	μισώ	I hate
η λέσχη	club	ανέχομαι	I stand, I tolerate
το σωματείο	association	συμπεριφέρομαι	I behave
η συμπεριφορά	behaviour	παραλαμβάνω	I receive
ξένος, -η, -ο	stranger, foreign	ο διευθυντής	director, manager
ο εχθρός	enemy	υπογράφω	I sign
η αλληλογραφία	correspondence	η υπογραφή	signature
«επείγον»	special delivery	η απόδειξη	receipt
συστημένος, -η, -ο	registered		

398 Useful expressions.

φροντίζω τον εαυτό μου	I take care of myself
είμαι μέλος ενός συλλόγου	I am a member of an association
σκέφτομαι μόνο τον εαυτό μου	I think only of myself
βάζω σε κάποιον τιμωρία	I punish someone
κάνω δίαιτα	I am on a diet
είναι της μόδας	It is fashionable
παίρνω απόδειξη	I get a receipt
δίνω απόδειξη	I issue a receipt
στέλνω κάτι επείγον	I send something special delivery
στέλνω κάτι συστημένο	I send something registered
δεν ανέχομαι κάποιον	I cannot stand someone

399 *Answer the questions.*

1. Γιατί δε φροντίζει τον εαυτό της;
2. Φροντίζει όλα τα μέλη της οικογένειάς της;
3. Γιατί ο γιος σκέπτεται μόνο τον εαυτό του;
4. Τιμωρεί τον ίδιο τον εαυτό της;
5. Ποιος μισεί τον ίδιο τον εαυτό του;

6. Κάνετε δίαιτα;
7. Τι είναι της μόδας;
8. Γιατί δεν αγαπάει ο ένας τον άλλον;
9. Γιατί μισεί η μια την άλλη;
10. Ανέχεται ο ένας τον άλλον;

11. Συμπεριφέρονται σαν ξένοι;
12. Τι δεν υπάρχει μεταξύ τους;
13. Δακτυλογραφείτε την αλληλογραφία μόνη σας;
14. Μπορείτε να το γράψετε στην γραφομηχανή μόνος σας;
15. Πότε το ταχυδρομήσατε; Αμέσως.

16. Το στείλατε επείγον ή συστημένο;
17. Ποιος το παρέλαβε το συστημένο γράμμα;
18. Ποιος υπέγραψε;
19. Εσείς, τι πήρατε;
20. Τι την κάνατε την απόδειξη;

400 *Translate into Greek.*

1. She takes care only of herself.
2. Her son thinks only of himself.
3. His daughter punishes herself.
4. She does not hate herself.
5. Simply, she is on a diet.

6. In this family they do not love one another.
7. The one woman hates the other.
8. They behave like enemies.
9. Here is no love among themselves.
10. I usually type my letters myself.

11. I posted the letter myself.
12. I sent it by "special delivery".
13. Why did you not send it by registered mail?
14. Did the director himself get it?
15. He himself signed the receipt.

401 *Write sentences of your own using the useful expressions of this unit.*

402 Αναφορικές αντωνυμίες. Relative pronouns.

Relative pronouns relate to a preceding word and join to it a dependent clause. They are:

1. The word που = who, whom, which, that.

It is an invariable word. It always keeps the same form. It remains the same for all genders, numbers and cases. It can be the subject or the object (direct or indirect) of a verb.

π.χ. Ο δάσκαλος που έχετε.
The teacher that you have.

Οι εβδομάδες που πέρασαν.
The weeks that passed.

Οι φωνές των κοριτσιών που παίζουν.
The voices of the girls who are playing.

Είδα ένα μαθητή που έγραφε.
I saw a pupil who was writing.

Συνάντησα μια γυναίκα που τραγουδούσε.
I met a woman who was singing.

Βρήκα ένα αγόρι που έκλαιγε.
I found a boy who was crying.

Ο μαθητής που έγραφε ήταν φίλος μου.
The pupil who was writing was my friend.

Το αγόρι που έκλαιγε ήταν κακό.
The boy who was crying was bad.

2. ο οποίος, η οποία, το οποίο = who , which.

It is declined regular like the adjective ο ωραίος. It is not used frequently in every day speech since it is being substituted by που. However we use it in order to avoid obscurity.
We are giving here the same examples as above but we substitute που by ο οποίος etc.

π.χ. Ο δάσκαλος τον οποίο έχετε.
Οι εβδομάδες οι οποίες πέρασαν.
Οι φωνές των κοριτσιών τα οποία παίζουν.

Είδα ένα μαθητή ο οποίος έγραφε.
Συνάντησα μια γυναίκα η οποία τραγουδούσε.
Βρήκα ένα αγόρι το οποίο έκλαιγε.
Ο μαθητής ο οποίος έγραφε ήταν φίλος μου.
Το αγόρι το οποίο έκλαιγε ήταν κακό.

3. όποιος, όποια, όποιο = whoever, whatever.
It is inflected like the adjective πλούσιος but without the article.

π.χ. Όποιος θέλει, ας πάει.
Whoever wants to go, let him go.

Όποιου είναι, ας το πει.
Whosoever it is, let him say so.

Πάρε όποια φωτογραφία θέλεις.
Take whatever picture you want.

Όποιας είναι το μολύβι, να έρθει να το πάρει.
Whosoever the pencil is, she should come and get it.

Όποιο χρώμα θέλεις, πάρε.
Take whatever colour you want.

Όποιοι είναι, ας περάσουν.
Whoever they are, let them come in.

Όποιες δεν ευκαιρούν, να μην έρθουν.
Whoever are not free, should not come.

Πάρε όποια βιβλία σού αρέσουν.
Take whatever books you like.

4. The word ό,τι = that which, all that, whatever.
It is invariable word. It remains the same for all genders, numbers and cases. It can be the subject or the object of the verb.

π.χ. Πες μας ό,τι ξέρεις.
Tell us that which you know.

Έλα ό,τι ώρα νομίζεις.
Come whatever time you think.

Κάνε ό,τι μπορείς.
Do whatever you can.

Έγραψε ό,τι του είπαν.
He wrote whatever they told him.

N.B. There is another word ότι (without comma) = that. It is a special conjunction. Don't confuse them. They sound alike.

π.χ. Είπε ότι θα το κάνει.
He said that he will do it.

Είπε ότι θα κάνει ό,τι μπορεί.
He said that he will do whatever he can.

5. όσος, όση, όσο = as much as, as great as
όσοι, όσες, όσα = as many as, all who

It is inflected like the adjective μαύρος but without the article.

π.χ. Πάρε όσο θέλεις.
Take as much as you want.

Αγόρασε όση ζάχαρη μπορείς.
Buy as much sugar as you may need.

Θα σου δώσω όσα χρήματα έχω.
I will give you as much money as i have.

Όσες θέλουν, ας φύγουν.
All who want to leave, let them leave.

403 Special formations.

όποιος και αν = whoever (may)
ό,τι και αν (ό,τι και να) = whatever (may)
όσο και αν = however much (may)

π.χ. Όποιος και αν (να) είναι, δεν τον αγαπώ.
I don't love him, whoever he may be.

Ό,τι και αν (να) πεις, δε θα έρθω.
Whatever you may say, I will not come.

Όσο και αν (να) επιμένεις, θα πω την αλήθεια.
However much you may insist, I will tell the truth.

τόσο όσο = as much as, so --- as, as --- as.

Τον σέβομαι τόσο, όσο και αυτός.
I respect him as much as he respects me.

Δεν είναι τόσο ωραία όσο η αδελφή της.
She is not so beautiful as her sister (is).

404 Ο καθηγητής που έχουμε είναι θαυμάσιος. Τις εβδομάδες που πέρασαν μας δίδαξε πολλά ωραία πράγματα. Χθες μπήκε μέσα στην τάξη την ώρα του διαλείμματος και είδε ένα μαθητή που έγραφε, μια κοπέλα που τραγουδούσε και ένα αγόρι που έκλαιγε. Το αγόρι ήταν από άλλη τάξη.

Ο καθηγητής τον οποίο έχετε εσείς είναι εξίσου καλός με το δικό μας. Πάντοτε λέει: Όποιος θέλει, ας μη διαβάσει, αυτός θα μετανιώσει. Πάρετε όποια βιβλία θέλετε, αλλά χρησιμοποιήστε τα. Όποιος μελετά θα πάει μπροστά στη ζωή του.

Έλα ό,τι ώρα θέλεις, αλλά θα πρέπει να μας πεις ό,τι ξέρεις. Θα κάνω ό,τι μπορώ. Δεν κάνω ό,τι δεν πρέπει. Σας λέω όμως ότι θα έρθω. Όσο και αν επιμένετε, θα πω την αλήθεια. Τόσο εσείς όσο και οι άλλοι θα μείνουν έκπληκτοι. Όσοι θέλουν να μην περιμένουν, ας φύγουν. Θα σας φέρω όσα έχω. Σας σέβομαι τόσο, όσο με σέβεστε και σεις.

405 Λεξιλόγιο

διάλειμμα	interval, pause	σέβομαι	I respect
κλαίω	I cry	ο σεβασμός	respect, regard
ίσος, ίση, ίσο	even, equal	παίζω	I play
μετανιώνω	I repent	το παιχνίδι	play, game
μελετώ	I study	η φωτογραφία	photo
επιμένω	I insist	φωτογραφίζω	I take a photo
έκπληκτος, -η, -ο	surprised	ευκαιρώ	I have spare time
η έκπληξη	surprise	η ευκαιρία	opportunity

406 Useful expressions.

η ώρα του διαλείμματος	during the pause
ήταν από άλλη τάξη	he was from some other class
εξίσου καλός	equally good
όποιος θέλει	whoever wishes

θα πάει μπροστά στη ζωή του	he will advance in his life
θα κάνω ό,τι μπορώ	I shall do what I can
λέω την αλήθεια	I tell the truth
τα σέβη μου	my regards
δεν ευκαιρώ	I have no time to spare

407 *Answer the questions.*

1. Τι είναι ο καθηγητής που έχετε;
2. Τι σας δίδαξε τις εβδομάδες που πέρασαν;
3. Τι έκανε την ώρα του διαλείμματος;
4. Τι έκανε ο μαθητής που είδε ο καθηγητής;
5. Γιατί έκλαιγε το αγόρι;

6. Είναι εξίσου καλός με το δικό σας;
7. Τι λέει πάντοτε;
8. Γιατί θα μετανιώσει όποιος δε διαβάζει;
9. Τι κάνει στη ζωή του όποιος μελετά;
10. Τι ώρα να έρθω;

11. Τι θα πρέπει να πει;
12. Θα κάνετε ό,τι μπορείτε;
13. Λέτε πάντοτε την αλήθεια;
14. Γιατί θα μείνετε έκπληκτοι;
15. Όσοι δεν περιμένουν, τι να κάνουν;

16. Να σας φέρω όσα έχω;
17. Γιατί τον σέβεστε τόσο πολύ;
18. Είναι από αυτή ή από την άλλη τάξη;
19. Ευκαιρείτε να έρθετε μαζί μας;
20. Τι έκανε η γυναίκα την οποία συνάντησε ο καθηγητής;

408 *Translate into Greek.*

1. The teacher that we have is a fine man.
2. He teaches us many interesting things.
3. He came in during the interval.
4. The boy that was crying was my friend.
5. He is equally good as our teacher is.

6. If you don't study you will repent it.
7. Take whatever books you want, but study them.
8. He who studies advances in his life.
9. You should tell them everything that you know.
10. Whoever wants to go, may go.

11. Take whatever picture you want.
12. Do whatever you can.
13. He said that he would do it.
14. I will give you as much money as I have.
15. I don't love him, whoever he may be.

409 *Write sentences of your own using the useful expressions of this unit.*

410 Αόριστες αντωνυμίες. Indefinite pronouns.

Indefinite pronouns are those which we use referring to a person or a thing, that we do not name either because we do not know it or because we do not know it or because we do not want to name it.

π.χ. Κάποιος κτυπά την πόρτα.
Someone is knocking at the door.

Είναι κανείς μέσα;
Is anybody home?

Υπάρχουν μερικοί που το πιστεύουν.
There are some who believe it.

Άλλο ένα, σας παρακαλώ.
One more please.

Πήρες τίποτε;
Did you get anything?

Τίποτε.
Nothing.

411 The indefinite pronouns are:

1. ένας, μία (μια), ένα = one, someone, any
It is the same as the numeral that is being used as indefinite article (see section 3 and 16).

π.χ. Σας τηλεφώνησε ένας.
Someone called you.

΄Εχω ένα.
I have one.

2. κανένας (or κανείς), καμία (καμιά), κανένα = any, anybody, someone, somebody, no one, nobody, none.
It is inflected like ένας, μία, ένα only in the singular (see section 16).

It has two meanings:
a. When the phrase is not negative it means any, anybody or some, somebody.
b. With a negative or a negative reply it means no one, nobody, none.

π.χ. Κανένας δεν είδε τον κλέφτη.
No one saw the thief.

Εάν με ζητήσει κανείς, θα γυρίσω αμέσως.
If any one asks for me, I shall come back at once.

Να μας επισκεφτείς καμιά μέρα.
You should visit us some day.

Κανείς να μη με ενοχλήσει.
Nobody shall bother me.

Κανείς δεν την ξέρει.
Nobody knows her.

Ήρθε κανείς; Κανείς.
Did anybody come? Nobody.

3. κάποιος, κάποια, κάποιο = anybody, somebody (pl. some).
It is inflected like πλούσιος.

π.χ. Κάποια μέρα θα γυρίσει.
He will come back some day.

Σου τηλεφώνησε κάποιος.
Someone called you.

Είδα κάποιον στο θέατρο.
I saw somebody at the theater.

Κάποιοι πρέπει να τιμωρηθούν.
Some should be punished.

4. μερικοί, μερικές, μερικά = a few, some (when referred to a few persons or things). It is inflected like καλός in the plural i.e. καλοί, καλές, καλά.

π.χ. Μερικοί τον ακολούθησαν.
Some followed him.

Μερικές γυναίκες είναι πάρα πολύ όμορφες.
Some women are extremely beautiful.

Έγραψα μερικά γράμματα.
I wrote some letters.

Θέλω μερικούς φακέλους.
I want a few envelopes.

5. κάτι, κατιτί = anything, something (when positive)
τίποτε, τίποτα = nothing (in questions or when negative)

π.χ. Έχω κάτι να σου πω.
I have something to tell you.

Η μητέρα μου έχει κατιτί για σένα.
My mother has something for you.

Θέλεις τίποτε; Τίποτε, σας ευχαριστώ.
Do you want anything? Nothing, thank you.

Ξέρεις τίποτε; Δεν ξέρω τίποτε.
Do you know anything? I don't know anything.

Δεν είναι τίποτε, μην κλαις.
It is nothing, don't cry.

Μπορείτε να κάνετε κάτι;
Can you do anything?

Δεν μπορούμε να κάνουμε τίποτε απολύτως.
We cannot do anything at all.

Ποιος ήταν; Κάτι παιδιά.
Who was it? Some children.

6. κάμποσος, κάμποση, κάμποσο = considerable, good many, pretty much, several. It refers to an amount that is not fixed. It is inflected like όμορφος (beautiful).

π.χ. Ήταν πολλοί άνθρωποι στη συνάντηση;
Were there many people at the meeting?

Ήταν κάμποσοι. Ήταν κάμποσος κόσμος.
There were several. There were a good many people.

Περίμενα κάμποση ώρα και έφυγα.
I waited quite a long time, then I left.

Έχω κάμποσα λεφτά, αλλά δεν ξέρω ακριβώς πόσα.
I have some money, but I don't know exactly how much.

N.B. Μας κάνει τον καμπόσο (*) = he puts on airs, he gives himself airs.

(*) More idioms of this kind you can find in my book: GREEK IDIOMS ΕΛΛΗΝΙΚΟΙ ΙΔΙΩΜΑΤΙΣΜΟΙ ΣΤΑ ΑΓΓΛΙΚΑ. Note that one does not know a language unless he or she knows its idioms. Buy the book and learn a few Greek idioms every day. You will be surprised how easy it is.

7. κάθε, καθένας, καθεμία (καθεμιά), καθένα = every one, each, every.

a. κάθε (each, every) is indeclinable, used as adjective, with or without the article, with names of any case.

π.χ. Κάθε άνθρωπος έχει ένα όνομα.
Each man has a name.

Του κάθε ανθρώπου το όνομα είναι σεβαστό.
Each man's name is respectful.

κάθε μέρα	=	every day
κάθε δεύτερη μέρα	=	every other day
κάθε βδομάδα	=	every week
κάθε χρόνο	=	every year
κάθε φορά	=	each time
με κάθε τρόπο	=	in every way
κάθε τρία χρόνια	=	every three years

b. καθένας, καθεμία (καθεμιά), καθένα = every one, each. Used as substantive. It is inflected (in the singular only) like : ένας, μία, ένα.

π.χ. Ο καθένας να κοιτάξει τη δουλειά του.
Each one should mind his own business.

Η καθεμία να απαντήσει με τη σειρά της.
Each one should answer in her turn.

8. καθετί = every one thing.

It is indeclinable, used with or without the article (το) in nominative and accusative case (sing.).

π.χ. Σημειώνω το καθετί που βλέπω.
I note down everything that I see.

Το καθετί που λέει είναι σοφό.
Everything that he says is wise.

Πρόσεξα το καθετί που μας είπατε.
I paid much attention to everything that you told us.

9. ο τάδε, η τάδε, το τάδε
ο δείνα, η δείνα, το δείνα

They have the same meaning = "one such and such," the "so and so, "certain." Both are used (in singular) when we do not want to name the person or the things (Cf. "the what-do-you-call-it").

π.χ. Ήρθε ο δείνα και μου είπε να πάω στο τάδε μέρος.
The "so and so" came and told me to go to that "certain" place.

Κατηγόρησε την τάδε χωρίς αιτία.
He accused the "so and so" without cause.

Ο δείνα αγαπάει την τάδε.
Η τάδε είναι στο τηλέφωνο.
Το τάδε αγόρι είναι κακός μαθητής.

10. ο άλλος, η άλλη, το άλλο = (the) other, another.
It is inflected like μαύρος.

π.χ. Πού είναι ο άλλος;
Where is the other?

Ο άλλος είναι στο αυτοκίνητο.
The other is in the car.

Έλα άλλη φορά.
Come another time.

N.B.			
	άλλος ένας, άλλη μία, άλλο ένα	=	one more
	Άλλο ένα, παρακαλώ.	=	One more please.
	Άλλη μία φορά.	=	Once more.
	Πες το άλλη μία φορά.	=	Say it once more.

412 Κάποιος κτυπά την πόρτα και ρωτάει: Είναι κανείς μέσα; Υπάρχουν μερικοί οι οποίοι κτυπούν το κουδούνι πολλές φορές. Δεν είναι ευγενικό. Μία φορά φτάνει. Ο άνθρωπος στην πόρτα ζήτησε το Γιώργο. Ο Γιώργος είχε πει αν τον ζητήσει κανείς θα είναι στο γραφείο, να του τηλεφωνήσει εκεί. Κανείς όμως δεν του τηλεφώνησε εκεί. Το τηλέφωνο ήταν συνεχώς απασχολημένο. Μόλις γύρισε ο Γιώργος, ρώτησε: Ήρθε κανείς; Ρώτησε κανείς για μένα; Του απάντησα ότι τον ζήτησε κάποιος. Δεν άφησε όνομα. Μερικοί άνθρωποι είναι παράξενοι. Δε λένε το όνομά τους.

Πού είναι ο άλλος; Ο άλλος είναι στο αυτοκίνητο. Σε παρακαλώ, έλα άλλη φορά. Τότε θα σημειώσω το καθετί που θα μου πεις. Τώρα δεν ευκαιρώ. Ξέρετε, ο δείνα μού είπε να σας πω ότι ο τάδε σας μισεί. Δε με νοιάζει τι λέει ο καθένας για μένα. Μερικοί λένε καλά λόγια. Άλλοι όχι. Έτσι είναι η ζωή. Δεν μπορεί κανείς να τα έχει καλά με όλους.

413 Λεξιλόγιο

κτυπώ	I knock, I hit
φτάνει	It is enough
συνεχώς	continously
η συνέχεια	continuity, continuation
απασχολώ	I busy, I detain
είμαι απασχολημένος	I am busy
το σημείωμα	note
σημειώνω	I note, I mark
ο κλέφτης	thief, robber
κλέβω	I rob, I steal
επισκέπτομαι	I visit
ο επισκέπτης	visitor
η επισκέπτρια	visitor (f.)
ακολουθώ	I follow
απολύτως	absolutely
σεβαστός, -ή, -ό	respectful
κατηγορώ	I accuse

414 Useful expressions.

κτυπώ την πόρτα	I knock at the door
Είναι κανείς μέσα;	Is anybody home?
κτυπώ το κουδούνι	I ring the bell
μία φορά φτάνει	once is enough
ζητώ κάποιον	I ask for someone
Το τηλέφωνο ήταν απασχολημένο	The line was busy
Δε με νοιάζει	I don't care
Έτσι είναι η ζωή!	So is life!
Τα έχω καλά με	I am on good terms with
Κοιτάζω τη δουλειά μου	I mind my own business

415 *Answer the questions.*

1. Τι κάνει κάποιος στην πόρτα;
2. Τι ρωτάει;
3. Πόσες φορές κτυπά κανείς το κουδούνι;
4. Ποιον ζήτησε αυτός που κτύπησε την πόρτα;
5. Τι είπε ο Γιώργος προτού φύγει;

6. Να σας τηλεφωνήσει στο γραφείο;
7. Τι ήταν το τηλέφωνο συνεχώς;
8. Μόλις γύρισε ο Γιώργος, τι ρώτησε;
9. Τι του απαντήσατε;
10. Άφησε κανείς τίποτε για μένα;

11. Γιατί είναι μερικοί άνθρωποι παράξενοι;
12. Πού είναι η άλλη;
13. Να έρθω άλλη φορά;
14. Σημείωσες το καθετί που χρειαζόμαστε;
15. Τι είπε ο δείνα να πεις στον τάδε;

16. Πού είναι η τάδε οδός, σας παρακαλώ;
17. Δεν ξέρετε πού είναι το τάδε μέρος;
18. Γιατί σας μισεί ο τάδε;
19. Γιατί δε σας νοιάζει;
20. Μπορείτε να τα έχετε καλά με όλους;

416 *Translate into Greek.*

1. I cannot be on good terms with everybody.
2. He minds his own business.
3. She does not care about it.
4. Someone is asking for you.
5. Is anybody home?

6. Don't ring it twice, once is enough.
7. The line is busy.
8. Please come back some other time.
9. Did someone leave anything for me?
10. Where is the other?

11. Can't you see that I am busy?
12. He told me to tell you that.
13. Some people are strange.
14. It is not polite. Don't do it again.
15. One more please.

417 *Write sentences of your own using the useful expressions of this unit.*

418 Προθέσεις. Prepositions.

Prepositions are invariable words placed before a noun, pronoun o r adverb to indicate it's relation or function. Most of them have more than one meaning. In modern Greek we have:

a. Simple prepositions that are mostly joined with the accusative.
b. Prepositions of puristic Greek that are still used in modern Greek but in the stereotyped set expressions of almost idiomatic usage.

419 Simple prepositions.

a. με, σε, για, ως, προς
b. κατά, μετά, παρά, αντί, από, χωρίς, δίχως, μέχρι, ίσαμε

1. Με (before ε, ο, or α = μ') = with, by, in, having, through, material, manner.

π.χ. Πίνω γάλα με καφέ.
Τρώω ψωμί με τυρί.
Πηγαίνω με το αυτοκίνητο.
Ο άνθρωπος με την ομπρέλα.
Το είδα με τα ίδια μου τα μάτια.
Γράφει κανείς με το χέρι;
Η ομελέτα γίνεται μ' αβγά.
Ο δάσκαλος πληρώνεται με την ώρα.

2. σε (εις). With the article is united in one word: στον, στην, στο etc. = to, towards, in, into, at, about, on, for, during, upon, for, against, on to.

π.χ. Πηγαίνω στο σχολείο.
Μπαίνω στο δωμάτιο.
Εργάζομαι σ'ένα γραφείο.
Συνέβηκε σ'ένα ταξίδι.
Πηγαίνω στο γιατρό.
Κολυμπώ στη θάλασσα.
Ανεβαίνω στο βουνό.
Θα γυρίσω σε δύο μέρες.
Ο άνθρωπος στην πόρτα.
Το κάδρο στον τοίχο.
Κάθομαι στο τραπέζι.
΄Εχω κάτι στο νου μου.
Στις δύο ακριβώς.
Κόβω κάτι στα τρία.

C.f. εις υγείαν, εις ανώτερα, εις βάρος μου.

3. για = for, to, towards, as to, because of, on account of, about.

π.χ. ΄Εφυγε για το χωριό.
΄Ηρθε εδώ για δύο χρόνια.

Θα μείνει για πάντα εκεί.
Πηγαίνω στο σχολείο για να μορφωθώ.
Βγήκε για να πάρει τσιγάρα.
Της το είπα για το καλό της.
Μιλάω για κάποιον.
Γι'αυτό με αγαπά.
Το αγόρασα για μια πεντάρα.
Το έκανε για το Γιώργο.

4. ως = to, up, till (time or place).

π.χ. Το νερό έφτασε ως την πόρτα.
Περίμενα ως τις δέκα το βράδυ.
Πήγαμε ως τη θάλασσα.
Ως τα χθες, δεν είχα νέα του.

5. προς = to, towards, for, upon, in, by.

π.χ. Πήγε προς την εκκλησία.
Κατέβηκε προς τη θάλασσα.
Έλα προς τα εδώ.
Μην πας προς τα εκεί.
Θα φύγω προς το τέλος του μηνός.
Θα ξεκινήσουμε προς το μεσημέρι.

6. κατά = towards, about, according to, against, by.

π.χ. Κατά πού πήγαν;
Έφυγαν και έρχονται κατά εκεί.
Έρχεται κατά το σπίτι.
Θα είναι εκεί κατά τις δέκα.
Κατά το νόμο, βεβαίως επιτρέπεται.
Στον πόλεμο κατά των Τούρκων.
Το έκανα κατά λάθος.
Κατά τύχη βρήκαμε γιατρό αμέσως.

7. μετά = after, past

π.χ. Μετά το πρόγευμα φεύγω αμέσως.
Θα σε δω μετά το μάθημα.
Μετά από αυτό το κτίριο.
Μετά από σας.
Ένα χάπι μετά το φαγητό.

8. παρά = against, in spite of

π.χ. Ήρθε παρά το κρύο.
Το έκανα παρά τη θέλησή μου.
Παρ' όλα αυτά τον κάλεσα.
Παρά την κακοκαιρία, το καράβι θα φύγει.

Cf. **παρά** = less, nearly

π.χ. Είναι μία παρά τέταρτο.
Στις τρεις παρά πέντε.
Παραλίγο να πνιγείς.
Παρά τρίχα να σκοτωθεί.
Λίγο έλειψε να με σκοτώσει.

N.B. More idioms of this kind you can find in my book GREEK IDIOMS. ΕΛΛΗΝΙΚΟΙ ΙΔΙΩΜΑΤΙΣΜΟΙ ΣΤΑ ΑΓΓΛΙΚΑ.

9. αντί (αντίς) = instead of, in place of, for, against

π.χ. Θα πάω εγώ αντί για σένα.
Αντί για σήμερα, θα συναντηθούμε αύριο.
Αντί να διαβάσεις, έλα να παίξουμε.
Αντί για καλό, τους έκανε κακό.

10. από = of, from, out of, ago, by since.

π.χ. Έφυγε από εδώ.
Δεν την είδα από τότε.
Έρχεται από το χωριό.
Από τις δέκα και μετά είμαι στο σπίτι.
Θα περάσω από εκεί, περίμενέ με.
Ο κλέφτης δεν μπήκε από την πόρτα, αλλά από το παράθυρο.
Αυτό το λεωφορείο δεν περνά από την Ομόνοια.
Πήρε γράμμα από τον άνδρα της.
Έλαβε τηλεγράφημα από τη Νέα Υόρκη.
Κατάγεται από τη Θεσσαλονίκη.
Ο Παρθενώνας είναι από μάρμαρο.
Το έκανε από αγάπη.
Το αγόρασε από το περίπτερο.
Αρρώστησε από την πολλή ζέστη.
Είναι στο κρεβάτι από προχθές.
Δε γνωρίζω καμία από αυτές.

11. χωρίς, δίχως = without

π.χ. Δε ζούμε χωρίς αέρα και νερό.
Το έκανε χωρίς να το σκεφτεί.
Το είπα δίχως να φανταστώ το αποτέλεσμα.
Τίποτε δε γίνεται χωρίς κόπο.
Δεν πηγαίνει πουθενά χωρίς τη γυναίκα του.
Ο κλέφτης μπήκε χωρίς να τον καταλάβουν.

12. μέχρι(ς) = to, until, till, up to (also an adverb of rhyme and place)

π.χ. Θα γυρίσω μέχρι την Κυριακή.
Θα το λάβεις μέχρι αύριο.
Μπορώ να πληρώσω ενοίκιο μέχρι εβδομήντα χιλιάδες δραχμές.

420 Some classical Greek prepositions still used in modern Greek:

διά, εκ, εν, επί, προ, υπέρ, περί, υπό

διά = by, by way, of

π.χ. Θα πάμε διά ξηράς. Διά πυρός και σιδήρου. Διά μιάς ή με μιάς.
Θα επιστρέψουμε διά θαλάσσης.
Έφυγε διά παντός (έφυγε για πάντα) (for ever). Αποβολή από το σχολείο διά παντός.

εκ (**εξ'** before a vowel) = from, of

π.χ. Εκ Θεού.
Εξ' ουρανού.
Εξαιτίας. Εξαρχής.

εν = in, into

π.χ. Εν γνώσει. Εντάξει.
Εν ονόματι του νόμου, σε συλλαμβάνω.

επί = at the time of, on, upon, during, concerning

π.χ. Συνέβηκε επί Βενιζέλου. Επί Καποδίστρια.
Επικεφαλής. Επιτέλους.

προ = before, ago

π.χ. Προ Χριστού = b.C.

περί = about, regaring, around, patly

Τον έχει περί πολλού

Ήταν εδώ προ ολίγου.	Περί τα τριάντα.
Προϋπάντησα.	

υπό = under, by

π.χ. Υπό την προεδρία.
Κρατώ υπό σημείωση.

υπέρ = above, over, for

π.χ. Υπέρ το μέτρο. Υπέρ το δέον.
Ο δικηγόρος μιλάει υπέρ του κατηγορουμένου.

421 In arithmetic and in mathematics generally we use the classical prepositions:

συν	=	with, plus	δύο συν τρία	(+)
επί	=	times	τρία επί πέντε	(×)
διά	=	by	δέκα διά δύο	(÷)
πλην	=	minus, less	δέκα πλην δύο	(−)
μείον	=	minus, less	ΑΒ μείον ΓΔ	(−)

422 Κάθε πρωί πηγαίνω στο σχολείο. Προτού φύγω για το σχολείο τρώω ψωμί με τυρί ή με μαρμελάδα. Πηγαίνω με το σχολικό αυτοκίνητο. Το σχολείο είναι μακριά. Ο δάσκαλός μας κάθεται εκεί κοντά και έρχεται με τα πόδια. Δεν πληρώνεται με την ώρα, αλλά με το μήνα. Είναι μόνιμος δημόσιος υπάλληλος. Πηγαίνω στο σχολείο για να μορφωθώ, για να μάθω γράμματα και να γίνω επιστήμονας. Διαβάζω ως αργά τη νύχτα. Μόλις τελειώσει το σχολείο, θα φύγω για το εξωτερικό, για την Ελλάδα. Θα πάω διά θαλάσσης. Θα είμαι εκεί κατά τα μέσα του άλλου μηνός. Δε θα φύγω διά παντός. Θα γυρίσω πίσω.

Ξέρεις, αντί για καλό, του έκανα κακό, χωρίς να το θέλω. Πρέπει να του ζητήσω συγγνώμη αμέσως. Μην πας εσύ αντί για μένα, θα το κάνω μόνος μου. Η καρδιά του δεν είναι από μάρμαρο, θα με συγχωρέσει. Δεν μπορεί να ζήσει κανείς χωρίς αγάπη. Όταν αγαπάς, συγχωρείς. Τίποτε δε γίνεται χωρίς κόπο. Όποιος δεν κουράζεται για κάτι, είναι σαν να χτίζει επάνω στην άμμο.

423 Λεξιλόγιο

η ομπρέλα	umbrella	το περίπτερο	kiosk
η ομελέτα	omelete	φαντάζομαι	I imagine
κολυμπώ	I swim	το αποτέλεσμα	result
το κολύμπι	swimming	το ενοίκιο	rent
το κάδρο	frame, picture	η ξηρά, η γη	land
ο τοίχος	wall	επιστρέφω	I return, I come back
κόβω	I cut	το εμπόρευμα	merchandise
η μόρφωση	education	συλλαμβάνω	I arrest
μορφώνομαι	I get educated	η άμμος	sand
ξεκινώ	I start	ο ορίζοντας	horizon
επιτρέπω	I allow	ο κατηγορούμενος	defendant, accused
η θέληση	will	μόνιμος, -η, -ο	permanent
η κακοκαιρία	bad weather	δημόσιος, -α, -ο	public
σκοτώνομαι	I get killed	ο (and η) υπάλληλος	civil servant
η τρίχα	hair	ο (and η) επιστήμονας	scientist
τηλεγράφημα	telegramme, cable, wire	η επιστήμη	science
κατάγομαι	I am from	συγχωρώ	I forgive
το μάρμαρο	marble	κουράζομαι	I get tired

424 Useful expressions.

με τα ίδια μου τα μάτια	with my own eyes
έχω κάτι στο νου μου	I have something in my mind.
για πάντα	for ever, for good
για το καλό της	for her own good
κάτι επιτρέπεται	something is allowed, permitted
παρά τρίχα να σκοτωθώ	I almost got killed
με τα πόδια	on foot
για να μάθω γράμματα	in order to become educated
ζητώ συγγνώμη	I ask (one's) pardon, I excuse myself
χτίζω επάνω στην άμμο	I build on sand
μόνιμος δημόσιος υπάλληλος	public (civil) servant enjoying tenure

425 *Answer the questions.*

1. Τι πίνεις κάθε πρωί;
2. Πηγαίνεις με το αυτοκίνητο;
3. Το είδες με τα ίδια σου τα μάτια;
4. Γράφετε με το αριστερό χέρι;
5. Με τι γίνεται η ομελέτα;

6. Με τι πληρώνεται ο δάσκαλος;
7. Πού εργάζεστε;
8. Πότε συνέβηκε;
9. Πότε θα γυρίσετε;
10. Τι είναι το κάδρο στον τοίχο;

11. Τι έχεις στο νου σου;
12. Γιατί το έκοψες στα τέσσερα;
13. Γιατί πηγαίνει στο σχολείο;
14. Της το είπες για το καλό της;
15. Πόσο το αγόρασες;

16. Για ποιον το έκανες;
17. Μέχρι πότε περίμενες;
18. Προς τα πού πήγε;
19. Πότε θα φύγετε;
20. Επιτρέπεται αυτό κατά το νόμο;

426 *Translate into Greek.*

1. They have left and they are going there.
2. They will be there around ten o' clock.
3. I did it by mistake.
4. We found the doctor by chance.
5. One tablet after meals.

6. He came inspite the bad weather.
7. I did it against my will.
8. I almost got killed.
9. He will come in my place.
10. I have not seen them since they left.

11. I do not know anyone of them.
12. I am always at home after ten p.m.
13. I bought it from a kiosk.
14. He did it without thinking of it.
15. I can pay rent up to two thousand a month.

427 *Write sentences of your own using the useful expressions of this unit.*

428 More about prepositions.

In this unit we are going to speak about:

a. Compound prepositions that arise from the union of an adverb with a simple preposition, and
b. Simple prepositions that are found in compound verbs i.e. preposition + verb = a new verb.

429 Compound prepositions arise from the union of an adverb with a simple preposition. They denote mostly relations of space or time. The compound prepositions are divided according to the auxiliary prepositions **με, σε, από.**

1. **με**

μαζί με = together, with

π.χ. Πήγα μαζί με τον αδελφό μου.
Δεν ήρθε μαζί με τους άλλους.
Πόσο κάνει αυτό μαζί με εκείνο;

μαζί με (ίσα με ή ίσαμε) = till, up, to. about

π.χ. Το ποτήρι ήταν γεμάτο ίσαμε τα χείλη.
Κοστίζει ίσαμε χίλιες δραχμές.

σύμφωνα με = in accordance with, after

π.χ. Σύμφωνα με όσα είπαμε.
Σύμφωνα με το νόμο.

2. **σε**

κοντά σε = near, by, at, to

π.χ. Είναι κοντά στο τραπέζι.
Το σπίτι είναι κοντά στο δρόμο.
Μένουμε κοντά στη θάλασα.

δίπλα σε = beside, at
πρβλ.: πλάι (ή πλάγι) σε (the same meaning)

π.χ. ΄Εβαλε το αυτοκίνητό του δίπλα στο δικό μου.
Κάθισε δίπλα σε μένα (δίπλα μου).
Κάθισε πλάι στη Μαρία.

μέσα σε = in, into, inside, within, among, between

π.χ. Είναι μέσα στο φάκελο.
Θα το ξοφλήσω μέσα σε δέκα ημέρες.
Μέσα στους ανθρώπους υπάρχουν και καλοί.
Μέσα στο κρύο δεν έρχομαι.

επάνω σε (απάνω σε, πάνω σε) = on, upon, above, up

π.χ. Είναι επάνω στο τραπέζι.
Είναι επάνω στο βουνό.
Δεν έχω χρήματα επάνω μου.
Ήρθαν πάνω στην ώρα.

3. από

κάτω από (από κάτω από) = below, beneath, under from

π.χ. Η γάτα είναι κάτω από την καρέκλα.
Η θερμοκρασία είναι κάτω από το μηδέν.

πίσω από (από πίσω από) = behind

π.χ. Ήρθε και κάθισε πίσω από μένα.
Ο διακόπτης είναι πίσω από τον καθρέφτη.

μακριά από = far from

π.χ. Μένουν μακριά από μας.

επάνω από (από πάνω από) = above

π.χ. Το φως είναι επάνω από το τραπέζι.

έξω από (απέξω από) = outside, in front of

π.χ. Είναι κάποιος έξω από την πόρτα.
Άφησα το αυτοκίνητο έξω από το σπίτι.

μέσα από (από μέσα από) = from inside, from within

π.χ. Μέσα από το σπίτι έβγαινε καπνός.
Βγήκε από μέσα από το αυτοκίνητο.

μετά από (ύστερα από, έπειτα από) = after

π.χ. Μετά από τόσο φαγητό, δεν μπόρεσα να κοιμηθώ.
Έπειτα από τέτοιο ξενύχτι, πήγαν για ύπνο νωρίς.
Θα σε συναντήσω μετά από το μάθημα.

πριν από (μπροστά από, πρωτύτερα από) = before (time)

π.χ. Έφυγε πριν από το Γιώργο.
Θα φτάσω πριν από τις δέκα.
Έφτασε πρωτύτερα από εμάς.
Θα είμαι εκεί πιο μπροστά από κείνον.

εκτός από = except

π.χ. Εργάζομαι κάθε μέρα, εκτός από το Σάββατο.
Ήταν όλοι εκεί, εκτός από τη Μαρία.

πέρα από = beyond

π.χ. Πέρα από τα σύνορα είναι η ξένη χώρα.
Δε θα περάσεις πέρα από τη γραμμή αυτή.

ύστερα από = after (time)

π.χ. Επέστρεψε τα χρήματα ύστερα από μήνες.
Τον συνάντησα ύστερα από χρόνια.
Το θυμήθηκα ύστερα από καιρό.

4. **από** or **σε** = (combination)

μπροστά σε, μπροστά από, εμπρός σε, εμπρός από = before, in front of, in the presence of.

π.χ. Η Μαρία στάθηκε μπροστά στην πόρτα.
Το ατύχημα έγινε μπροστά από το σχολείο.
Είπα στον οδηγό να κοιτάξει μπροστά του.

απέναντι σε, απέναντι από, αντίκρυ σε, αντίκρυ από = opposite (of space and in comparison)

π.χ. Το σχολείο είναι απέναντι από το σπίτι μας.
Παίζει απέναντι στο πάρκο.
Το θέατρο είναι αντίκρυ στο δημαρχείο.
Η αρρώστια σου δεν είναι τίποτε απέναντι στη δική μου.
Αντίκρυ μας ήταν το βουνό.

γύρω σε, γύρω από, τριγύρω από = around, round, round about

π.χ. Καθίσαμε γύρω από το τραπέζι.
Πολύς κόσμος μαζεύτηκε τριγύρω από το τραπέζι.
Γύρω από το σπίτι υπάρχει ένας ωραίος κήπος.
Τριγύρω στα βουνά υπάρχουν ωραία μέρη για περίπατο.

ανάμεσα σε, ανάμεσα από = into, into the midst of

π.χ. Είδα το πουλί ανάμεσα στα φύλλα του δέντρου.
Το νερό έτρεχε ανάμεσα στις πέτρες.
Περπατήσαμε ανάμεσα από τα δέντρα.

430 Compound verbs.

1. In classical Greek and in the Bible we use the following prepositions: εις, εν ή εξ, προ, συν, α-νά, διά, κατά, μετά, παρά, αντί, αμφί, επί, περί, από, υπό, υπέρ.

So far the student of this book is familiar with most of them except αμφί = on both sides

In Modern Greek, however, we call them "αχώριστα μόρια" (in separable practicles).

2. In English the preposition is basically put before the name or the pronouns or after the verb

π.χ.	on the table	=	επάνω στο τραπέζι
	except her	=	εκτός από αυτή
	hurry up	=	κάνε γρήγορα
	This is the house I live in	=	αυτό είναι το σπίτι στο οποίο μένω.

The student of Greek should bear in mind that classical Greek and its prepositions correspond better to the English usage than the modern Greek.

π.χ. I travel by ship.
Ταξιδεύω δι'ατμοπλοίου.

One travels "with a ship" as it does in modern Greek : «Θα πάω με το πλοίο»

3. All eighteen prepositions (inseparable practicles)mentioned above (in 1) are found in compound verbs not only of classical Greek but of modern spoken Greek as well. They constitute the first part of the compound verb, changing each time its meaning according to the preposition used.

π.χ. βάλλω = I put, I set, I lay, I place, I throw

εις -βάλλω		= I invade
εν + βάλλω	= εμβάλλω	= I put in, I introduce
εκ-βάλλω		= I take out, I drive out
προ-βάλλω		= I propose, I appear
προς + βάλλω	= προσβάλλω	= I assault, I attack
συν + βάλλω	= συμβάλλω	= I contribute
ανα-βάλλω		= I postpone, I put off
δια-βάλλω		= I slander, I defame, I speak ill of
κατα-βάλλω		= I throw down, I pay, I deposit
μετα-βάλλω		= I change
παρα-βάλλω		= I compare
αμφι-βάλλω		= I doubt, I question
επι-βάλλω		= I impose, I inflict
περι-βάλλω		= I surround, I invest with
απο-βάλλω		= I reject, I refuse, I dismiss
υπο-βάλλω		= I submit, I subject
υπερ-βάλλω		= I excell, I exceed

N.B. The preposition ανά sometimes changes in ξε- or ξανα -

a. ξε- denotes separation, release, overcoming, heightening or completion.

π.χ.	ξεβάφω	=	I fade, I change colour
	ξεκαρφώνω	=	I un-nail
	ξεκάνω	=	I get rid of
	ξεκαρδίζομαι	=	I die of laughter
	ξεκλειδώνω	=	I unlock
	ξεκολλώ	=	I unglue
	ξεμωραίνω	=	I become foolish
	ξεκουράζομαι	=	I rest
	ξενυστάζω	=	I shake off sleep
	ξεπερνώ	=	I surpass, I exceed

b. ξανα- denotes repetition.

π.χ.	ξαναβάζω	=	I put back again
	ξαναβάφω	=	I repaint, I dye again
	ξαναέρχομαι	=	I come back
	ξαναζώ	=	I live again, I relive
	ξανακάνω	=	I do again, I repeat

431

Σύμφωνα με τα όσα είπαμε και σύμφωνα με το νόμο θα πρέπει να υποβάλεις την αίτηση αύριο το πρωί. Πόσο θα κοστίσει μαζί με το χαρτόσημο; Η αίτηση κοστίζει ίσαμε διακόσιες δραχμές. Θα πάω μαζί με τον αδελφό μου, που είναι δικηγόρος. Το γραφείο του είναι κοντά στην τράπεζα, πλάι στα δικαστήρια. Μέσα σε δέκα ημέρες θα έχουμε την άδεια.

Μέσα από το σπίτι έβγαινε καπνός. Άφησα το αυτοκίνητο έξω από το σπίτι και έτρεξα να δω τι συμβαίνει. Η θερμοκρασία ήταν στους 50 βαθμούς. Ο διακόπτης πίσω από τον καθρέφτη είχε βραχυκύκλωμα και το σπίτι είχε πιάσει φωτιά.

Μετά από τόσο ξενύχτι πήγαν για ύπνο αμέσως. Εγώ όμως, μετά από τόσο φαγητό, δεν μπόρεσα να κοιμηθώ, αν και είχα φύγει πριν από αυτούς. Εργάζομαι κάθε μέρα, εκτός από το Σάββατο. Αν δεν κοιμηθώ καλά, δεν μπορώ να εργαστώ.

Το γραφείο όπου εργάζομαι είναι απέναντι από τη στάση του λεωφορείου. Το ατύχημα έγινε μπροστά ακριβώς στην πόρτα μας. Μαζεύτηκε πολύς κόσμος τριγύρω από τον τραυματία. Ανάμεσα σ' αυτούς ήταν ένας γιατρός, ο οποίος κατάφερε να σταματήσει την αιμορραγία του τραυματία.

432 Λεξιλόγιο

το χείλος	lip, brim	η τράπεζα	bank
τα χείλη	lips, brims	το δικαστήριο	court of justice
ο φάκελος	envelope	ο δικαστής	judge
εξοφλώ	I pay off	ο καπνός	smoke
ο διακόπτης	switch	ο καπνός	tobacco
το ξενύχτι	vigil	ο βαθμός	degree
ξενυχτώ	I stay up all night	βραχυκύκλωμα	short-circuit
τα σύνορα	frontiers, boundaries	μαζεύω	I gather
θυμάμαι	I remember	ο τραυματίας	the wounded person
ο οδηγός	driver	καταφέρνω	I manage
το δημαρχείο	town hall	το αίμα	blood
ο κήπος	garden	η αιμορραγία	haemorrhage, bleeding
ο περίπατος	walk, promenade	το χαρτόσημο	stamp tax
το ατμόπλοιο	steamship		

433 Useful expressions.

υπάρχουν ωραία μέρη για περίπατο	there are beautiful places for a walk
υποβάλλω αίτηση	I submit an application
έτρεξα για να δω τι συμβαίνει	I ran to see what was happening
πιάνω φωτιά	I catch fire
πηγαίνω για ύπνο	I go to bed
μετά από τέτοιο ξενύχτι	after having entertained ourselves all night long

434 *Answer the questions.*

1. Υπάρχουν ωραία μέρη για περίπατο;
2. Πότε θα υποβάλεις την αίτηση;
3. Έτρεξες για να δεις τι;
4. Πότε έπιασε φωτιά το σπίτι;
5. Τι ώρα πηγαίνεις για ύπνο το Σάββατο το βράδυ;

6. Τι έκαναν μετά από τέτοιο ξενύχτι;
7. Τι θα κάνεις σύμφωνα με τα όσα είπαμε;
8. Πόσο κοστίζει η αίτηση μαζί με το χαρτόσημο;
9. Τι εργασία κάνει ο αδελφός σου;
10. Τι έβγαινε μέσα από το σπίτι;

11. Πού άφησες το αυτοκίνητό σου;
12. Πόση ήταν η θερμοκρασία μέσα στο σπίτι;
13. Εσύ γιατί δεν μπόρεσες να κοιμηθείς καλά;
14. Πότε εργάζεται ο πατέρας σου;
15. Τι είναι απέναντι από τη στάση του λεωφορείου;

16. Τι μαζεύτηκε τριγύρω από τον τραυματία;
17. Ανάμεσά τους ήταν κανένας γιατρός;
18. Τι κατάφερε να κάνει ο γιατρός;
19. Σταματάει η αιμορραγία εύκολα;
20. Πού συνέβηκε το ατύχημα;

435 *Translate into Greek.*

1. Where did the accident happen?
2. What did the doctor do?
3. Does the bleeding stop easily?
4. There was a doctor among them.
5. A wounded man was down on the street.

6. I am going to submit the application tomorrow.
7. The house was on fire.
8. I went to bed at 12 o'clock.
9. What I did was according to the law.
10. Smoke was coming out of the house.

11. I left my car in front of the house.
12. I did not sleep well since I had eaten too much.
13. My father works every day except on Saturdays and Sundays.
14. Where is the bus stop?
15. I did not pay the stamp tax.

436 *Write sentences of your own using the useful expressions of this unit.*

437 Adverbs

Adverbs are words used to modify the meaning of a verb, adjective or other adverb.

π.χ. Γράφω καλά.
Ο Γιώργος είναι πολύ καλός.
Επέστρεψα στο σπίτι αργά.
I returned home late.
΄Εφυγα από το γραφείο κάπως αργά.
I left office somewhat late.

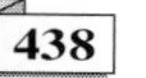

438 Formation of adverbs.

Adverbs in modern Greek end mostly either in - α or in - ως.

1. Adverbs that end in - α are formed from the corresponding adjective. In form they are the same as the neuter plural.

adjective :	ο καλός	ο ωραίος	ο σπουδαίος
neut. plural :	τα καλά	τα ωραία	τα σπουδαία
adverb :	καλά	ωραία	σπουδαία

2. Adverbs that end in - ως may usually be formed by changing the - ν of the genitive plural masculine of the adjective to - ς.

adjective :	ο καλός	ο σπάνιος	ο ευτυχής	ο σαφής
masc. plural :	των καλών	των σπανίων	των ευτυχών	των σαφών
adverb :	καλώς	σπανίως	ευτυχώς	σαφώς

Note I: Adverbs in - ως are used in modern Greek but they are less frequent and have mostly survived in idiomatic forms:

π.χ. Ερώτ.: Παρακαλώ, μπορώ να έχω ένα ποτήρι νερό;
Απάντ.: Ευχαρίστως.
Αμέσως.

But : Περάσαμε ευχάριστα. (not ευχαρίστως)
Το έκανε αμέσως. (not άμεσα)

Idioms:

καλώς ήλθατε	=	welcome
καλώς ορίσατε	=	welcome
καλώς τον	=	welcome to you (m.)
καλώς τη(ν)	=	welcome to her (f.)
καλώς το	=	welcome to you (n.)
καλώς τους	=	welcome to you (m. pl.)
καλώς τες	=	welcome to you (f. pl.)
καλώς τα	=	welcome to you (n. pl.)

Note II: There are a few adverbs that have a different meaning in each one of their two forms.

π.χ. ακριβώς = exactly — ακριβά = expensively
τελείως = completely — τέλεια = perfectly

Η ώρα είναι μία ακριβώς. — Είναι τελείως βλάκας.
Το αγόρασα πολύ ακριβά. — Γράφει ελληνικά τέλεια.

Note III: Adjectives that end in - υς mostly form their adverbs in - ια.

adj:	πλατύς	βαθύς	μακρύς
adv:	πλατιά	βαθιά	μακριά

439 Groups of adverbs.

In modern Greek we have adverbs of: 1) place, 2) time, 3) manner, 4) quantity, 5) affirmation, 6) hesitation, and 7) negation.

440 Τοπικά επιρρήματα. Adverbs of place.

Adverbs of place aswer to the question : πού; = where?
Here are some of them:

εδώ	here
εκεί	there
αυτού	there, in that place
αλλού	elsewhere
παντού	everywhere
κάπου	somewhere, anywhere
πουθενά	anywhere, nowhere
άνω	up
επάνω (πάνω ή απάνω)	above, up
κάτω	down, under, underneath

καταγής	on the ground
χάμω	down, on the ground
μέσα	in, inside, within
έξω	out, outside
όξω	out, outside
εμπρός	in front, before, forwards
μπροστά	in front, before, forwards
πίσω	behind, back
δεξιά	right, to the right, on the right side
αριστερά	left, to the left, on the left side
ψηλά	high, up, high up, aloft
χαμηλά	low, down, below
κοντά	near
σιμά	near
πλάι (ή πλάγι)	side
πλάι-πλάι	side by side, along side
δίπλα	close by, next to
παράμερα	apart, aside
μακριά	far, afar, at distance
απέναντι	opposite
αντίκρυ	opposite
γύρω	around, round
τριγύρω	all around
ολόγυρα	all around
ανάμεσα	between
μεταξύ	among, between
αναμεταξύ	between, among(st)
εκείθε	beyond
πέρα	beyond
ανατολικά	east, on (to) the east
δυτικά	west, on (to) the west
βόρεια	north, on (to) the north
νότια	south, on (to) the south
όπου	where (relative)
οπουδήποτε	where (relative)
παρακάτω	farther
άνω κάτω	up side down
εκεί πέρα	over there
εδώ πέρα	here
εκεί κάτω	over there under
εκεί πάνω	over there above

π.χ. Πού να το βάλω; Εδώ ή εκεί;
Βάλ' το όπου θέλεις, κάπου, όπου να'ναι.
Μην το βάζεις εκεί πέρα αλλά αλλού, κοντά στο παράθυρο.
Το αεροπλάνο δεν πέταξε χαμηλά αλλά ψηλά, επάνω από τα σύννεφα.
Δεν το έβαλα καταγής μπροστά στο σπίτι αλλά παράμερα, πίσω στην αυλή.
Ο Γιώργος μένει δίπλα μας και η Μαρία απέναντί μας.
Ολόγυρα από το σπίτι υπάρχει μεγάλη αυλή.
Δεν υπάρχει αγάπη μεταξύ τους.
Έξω κάνει κρύο, μέσα κάνει ζέστη.
Κάνε πέρα να περάσω, με εμποδίζεις.

441 Χρονικά επιρρήματα. Adverbs of time.

Adverbs of time answer the question: πότε; = when? Here are some of them:

ευθύς	immediately, at once
αμέσως	immediately, at once
ποτέ	never, ever
ουδέποτε	never, ever
πότε-πότε	from time to time, some times
κάπου-κάπου	sometimes from time to time
κάποτε	sometimes, every now and then
πάντοτε	always
πάντα	always
άλλοτε	formerly
πρώην	former
τώρα	at the present, now
τότε	then
πια	anymore
μόλις	just now, as soon as
όποτε	whenever (relative)
οποτεδήποτε	whenever (relative)
ακόμη	still, yet
ακόμα	still, yet
όχι ακόμα	not yet
πάλι	again
ξανά	again
σπάνια	seldom
συχνά	frequently, often
συνήθως	usually
μετά	after
ύστερα	later, afterwards
υστερότερα	later on
έπειτα	later, afterwards
κατόπιν	later, afterwards, then

πρώτα	first
πρωτύτερα	earliest, before, previously
πριν	before
εξαρχής	from the begining
νωρίς	early
ενωρίς	early
νωρίτερα	earlier
αργά	late
γρήγορα	soon, fast, quickly
αδιάκοπα	continually, continuously
διαρκώς	continually, continuously
σήμερα	today
ολημερίς	the whole day
χθες	yesterday
προχθές	the day before yesterday
παραπροχθές	two days before yesterday
απόψε	this evening
το βράδυ	in the evening
χθες βράδυ	last night
αύριο	tomorrow
μεθαύριο	the day after tomorrow
εφέτος	this year
εφέτο	this year
φέτος	this year
φέτο	this year
πέρυσι	last year
πέρσι	last year
πρόπερσι	the year before, last
του χρόνου	next year
ήδη	already
κιόλας	already
εγκαίρως	in time
τελικά	finally, at the end

π.χ. Πότε να έρθω;
Έλα όποτε θέλεις.
Ποτέ δεν έρχεται εγκαίρως.
Πάντα φτάνει αργά.
Χθες βράδυ έβρεχε αδιάκοπα.
Έφτασε κιόλας;
Όχι ακόμα. Μόλις ξεκίνησε.
Πρώτα να ταχυδρομήσεις το γράμμα, μετά να τηλεφωνήσεις και ύστερα να αγοράσεις μια εφημερίδα.
Άλλοτε μας επισκεπτόταν κάπου-κάπου. Τώρα σπάνια.
Δεν τον βλέπουμε πια.

442 Τον βλέπετε καμιά φορά; Άλλοτε μας επισκεπτόταν κάπου-κάπου. Τώρα σπάνια. Άκουσα ότι σκέφτεται να έρθει. Πότε; Μήπως ξέρεις; Ας έρθει όποτε θέλει. Εμείς θα χαρούμε πολύ να τον δούμε.

Γύρισες κιόλας; Όχι. Ακόμα δεν ξεκίνησα. Μόλις φύγω, θα σου πω. Σε παρακαλώ, μιας και πας έξω, να μου κάνεις τα εξής θελήματα: Πρώτα να ταχυδρομήσεις το γράμμα, μετά να πάρεις το κοστούμι από το καθαριστήριο και ύστερα να μου πάρεις μια εφημερίδα.

Γύρισα. Καθώς βλέπετε, δεν άργησα καθόλου. Είμαι γρήγορος στις δουλειές μου. Πού να βάλω τα ρούχα; Βάλ' τα όπου θέλεις, αρκεί να μην τσαλακωθούν. Βάλ' τα κάπου να είναι. Μην τα βάζεις επάνω στο τραπέζι. Κρέμασέ τα σε μια κρεμάστρα στην ντουλάπα. Την εφημερίδα ο εφημεριδοπώλης την πετά καταγής, μπροστά στο σπίτι. Εσύ να την βάλεις πάνω στο τραπέζι.

Πώς περάσατε χθες το βράδυ; Ευχαρίστως να σας πω. Περάσαμε πολύ ευχάριστα. Συνέβη όμως ακριβώς ό,τι είπατε. Πληρώσαμε το λογαριασμό πολύ ακριβά. Ήμασταν τελείως ανόητοι να ξοδέψουμε ένα σωρό λεφτά.

443 Λεξιλόγιο

κάπως	somehow
ωραία	beautifully, fine
σπουδαίος, -α, -ο	important
σπουδαία	great
η ευτυχία	happiness
ευτυχώς	fortunately
άμεσος, η, -ο	immediate, direct
αμέσως	immediately
άμεσα	in a direct way
βλάκας	stupid
το σύννεφο	cloud
η αυλή	yard

η αγάπη	love
εμποδίζω	I prevent, I hinder
το εμπόδιο	obstacle
γρήγορος, -η, -ο	quick
επισκέπτομαι	I visit
το θέλημα	errand, will, wish
το καθαριστήριο	cleaner's
καθαρίζω	I clean
η καθαριότητα	cleanliness
το ρούχο	garment
τα ρούχα	clothes
τσαλακώνω	I crumple
τσαλακώνομαι	I get wrinkled
κρεμώ	I hang, I suspend
κρεμάστρα	hanger
η ντουλάπα	closet
ο εφημεριδοπώλης	newsboy, news dealer, news vender
ξοδεύω	I spend
ο σωρός	pile

444 Useful expressions.

κάνε πέρα	get out of my way
μιας και πας έξω	since you go out
κάνω θέλημα	I do an errand
ακριβώς ό,τι	just what you...
ξοδεύω ένα σωρό λεφτά	I spend lots of money

445 *Answer the questions.*

1. Τον βλέπετε καμιά φορά;
2. Πότε σας επισκεπτόταν πότε-πότε;
3. Σκέφτεται να έρθει;
4. Θα χαρείτε πολύ να τον δείτε;
5. Γύρισες κιόλας;

6. Ακόμη δεν ξεκίνησες;
7. Μπορείς να μου κάνεις ένα θέλημα, σε παρακαλώ;
8. Τι να πάρω από το καθαριστήριο;
9. Να ταχυδρομήσω το γράμμα πριν;
10. Γιατί άργησες τόσο πολύ;

11. Πού να βάλω τα ρούχα σας;
12. Γιατί τσαλάκωσες το κουστούμι;
13. Να τα κρεμάσω σε μια κρεμάστρα;
14. Τι να την κάνει ο εφημεριδοπώλης την εφημερίδα;
15. Γιατί την πετά μπροστά στο σπίτι;

16. Πώς περάσατε χθες το βράδυ;
17. Περάσατε ευχάριστα;
18. Τι συνέβηκε;
19. Γιατί πληρώσατε τόσο ακριβά;
20. Πόσα χρήματα ξοδέψατε;

446 *Translate into Greek.*

1. I spend lots of money without reason.
2. The things happened as you have said.
3. He has gone out to do an errand.
4. Since you go out buy me a newspaper.
5. Please get out of my way.

6. Do you ever see her?
7. I think that he is going to visit us.
8. Let him come whenever he wants.
9. We will be glad to meet them.
10. I will let you know as soon as I am ready.

11. Please do me a favour.
12. Hang it in the closet.
13. How was it last night?
14. He is not stupid but clever.
15. Things are very expensive in that shop.

447 *Learn Greek idioms by using the book : GREEK IDIOMS by Dr. Athan. J. Delicostopoulos. It is very useful and practical.*

448 More about adverbs.

We discuss in this unit adverbs of manner, quantity, assurance, hesitation and negation.

448a Τροπικά επιρρήματα. Adverbs of manner.

Adverbs of manner to the question πώς; = how?
Here are some of them:

όπως	as, like, just as
έτσι	thus, in this way
εξάλλου	on the other hand, besides
κάπως	somehow, anyhow, somewhat
αλλιώς	otherwise, else, differentlly
αλλιώτικα	otherwise, else, differently
ειδάλλως	otherwise or else
μαζί	together
ξέχωρα	separately, apart, aside
χωριστά (ή χώρια)	separately, apart, aside
αργά	slowly
γρήγορα	quickly
καλά	well
κακά	badly
ξάφνου	suddenly, all of a suddem
ξαφνικά	all of the sudden, suddenly
έξαφνα	suddenly, all of a sudden
τυχαία	by chance
ωραία	very well, fine
άσχημα	badly
ίσια	straight, directly, exactly
στραβά	obliquely, crookedly
βασικά, κυρίως	basically, mostly, mainly
προπάντων	above all, especially
μόνο(ν)	only, alone
μονάχα	only, alone
μονομιάς	all at once
καλώς	well
ακριβώς	exactly
εντελώς	quite
ευτυχώς	happily
ιδίως	especially
επίσης	as well, also, too
οπωσδήποτε	most certainly, without fail

π.χ. Ευτυχώς τώρα είναι εντελώς καλά.
Περάσατε ωραία ή άσχημα;
Μην οδηγείς γρήγορα αλλά σιγά.
Δε γράφει ίσια αλλά στραβά.
Καλώς ωρίσατε.
Ξαφνικά φάνηκε κάτι σαν ένα μεγάλο ψάρι.
Όπως θέλετε.
Να το κάνεις κάπως έτσι, αλλιώς θα σε τιμωρήσω.
Έλα μαζί μας. Δεν μπορείς να πας χωριστά.
Επίσης οπωσδήποτε να τους ειδοποιήσετε όλους, ιδίως τον αδελφό του.
Μην τυχόν και το ξεχάσετε.
Δεν είναι σαν αυτή.

448b The word **σαν** is derived from ως + αν = σαν.

1. Σαν gives the noun or pronoun following it and denotes similary or cause.

e.g. **a.** Πέθανε σαν παλικάρι. Χυτή σαν λαμπάδα. Είναι σαν εσένα.
b. Εάν, σαν φιλμ, μου αρέσει.

2. Ως given the noun following it and gives it the quality of a predicate or complement.

e.g. Υπηρετεί στο γυμνάσιο ως καθηγητής.

In this last case it is a mistake to use σαν.

3. Σαν a. Makes nominative when referring to the subject of the sentence and **b.** accusative then reffering to the object.

e.g. Σου μιλάω σαν φίλος, τη σέβεσαι σαν μητέρα.

Here σαν denotes something not real but similar to it.

c. When it takes gentive it means περίπου that is "having, nearly, almost"

e.g. Γεύση σαν λεμονιού.
Having a taste like that of a lemon.

d. When σαν is followed by the particle να + verb denotes negation or hesitation.

e.g. Τι με κοιτάς έτσι σαν να ήμουν φάντασμα;

449 Ποσοτικά επιρρήματα. Adverbs of quantity.

Adverbs of quantity answer the question πόσο; = how much?

τόσο	so much, so, as - - - - - as
όσο	as much as, as large as
οσοδήποτε	however great (much), as much as
μόνο(ν)	only
πολύ	very, much
πάρα πολύ	too much
το πολύ-πολύ	at the most
πιο	more
περισσότερο	more
λίγο	a little
λιγάκι	a little
μερικώς, εν μέρει	partly
αρκετά	enough
περίπου	approximately
πάνω- κάτω	about
τουλάχιστο(ν)	at least
σχεδόν	almost, nearly
μάλλον	rather
διόλου	not at all
ολότελα	entirely
ολωσδιόλου	altogether, quite
εξίσου	equally

π.χ. Είναι ολότελα αφηρημένος.
Θα ήταν πάνω-κάτω τριάντα άτομα.
Τουλάχιστον έπρεπε να μου τηλεφωνήσεις.
Δε μου αρέσει καθόλου αυτό που λες.
Εν μέρει έχετε δίκιο.
Είναι όμως διόλου αγενής.
Δεν είναι μόνον εξίσου ωραία με την αδελφή της αλλά και αρκετά πιο έξυπνη.
Μάλλον δε θα έρθει. Είναι σχεδόν βέβαιο.
Είναι πάρα πολύ άρρωστος.
Το πολύ να ζήσετε ένα-δύο μήνες.

450 Επιρρήματα βεβαιωτικά, διστακτικά και αρνητικά. Adverbs of affirmation, hesitation and negation.

a. Βεβαιωτικά επιρρήματα. Adverbs of affirmation.

ναι	yes
μάλιστα	yes, certainly
ναι, μάλιστα	yes, indeed
βέβαια	of course, certainly, sure
βεβαιότατα	most certainly
αλήθεια	indeed, truly, really, verily
σωστά	right, correctly, quite so
πράγματι	really
σίγουρα	certainly, of course

b. Διστακτικά επιρρήματα. Adverbs of hesitation.

ίσως	perhaps, probably, it may be
πιθανόν	likely, probably
δήθεν	apparently, as they say, as if
τάχα	as if, apparently, perhaps
άραγε	it is ? Can it be! wonder if. . .

c. Αρνητικά επιρρήματα. Adverbs of negation.

όχι	no, not
δεν (δε)*	not, no
μην (μη)*	not, don't! (prohibitive)
όχι βέβαια	certainly not
πια	not any
όχι ακόμα	not yet (also : όχι ακόμη)
όχι δα	of course not
καθόλου	by no means (in reply)
διόλου	by no means (in reply)

451 Σύγκριση επιρρημάτων. Comparisons of adverbs.

1. The comparative of the adverb ending in - ως is the neuter plural of the adjective: the superlative is formed by using the words πιο and the comparative form of the adverb (see also 2b and 3)

Positive	**Comparative**	**Superlative**
επιεικώς (indulgently)	επιεικέστερα	επιεικέστατα
ασφαλώς (surely, safely)	ασφαλέστερα	ασφαλέστατα
σαφώς (clearly)	σαφέστερα	σαφέστατα
ακριβώς (precisely)	ακριβέστερα	ακριβέστατα

(*) see section 13a.

2. a. The comparative of the adverb ending in - α is the neuter plural of the adjective (in the comparative form).

π.χ.	καλός	καλύτερος	καλύτερα	
	κακός	χειρότερος	χειρότερα	(worse)
	εύκολος	ευκολότερος	ευκολότερα	(easier)
	βαθύς	βαθύτερος	βαθύτερα	(deeper)
	λίγος	λιγότερος	λιγότερα	(less)

b. We may also form the comparative by using the word πιο and the neuter plural of the positive.

π.χ.	καλός	καλά	πιο καλά
	πολύς	πολύ	πιο πολύ
	εύκολος	εύκολα	πιο εύκολα
	άσχημος	άσχημα	πιο άσχημα

3. The superlative of the adverbs is formed by using the word πιο and the comparative form (one word) of the adverb.

π.χ. πιο καλύτερα
πιο χειρότερα
πιο ευκολότερα
πιο λιγότερο
πιο βαθύτερα

π.χ. Δεν του απάντησε ορθότατα.
Τη βαθμολόγησαν επιεικέστατα.
Καλύτερα να μη βγεις έξω, κάνει πολύ κρύο.
Βγήκε έξω και έγινε χειρότερα.
Είναι λιγότερο επιμελής από τον αδελφό της.
Πιο καλύτερα να κάνεις ό,τι σου λέω.
Γράφεις πιο άσχημα από εμένα.
Ασφαλέστατα, θα καταλήξεις στη φυλακή.
Ευκολότερα κάνει κανείς το κακό.
Σου το είπα σαφέστατα και ακριβέστατα.

452 Με συγχωρείς, είμαι ολότελα αφηρημένος. Τουλάχιστον έπρεπε να σου τηλεφωνήσω. Δε μου αρέσει καθόλου αυτό που λες ότι ό,τι έκανα το έκανα από κακία. Σίγουρα δεν το έκανες από κακία. Πιθανόν εν μέρει να έχεις δίκιο. Σε περίμενα τόση ώρα. Είναι πάρα πολύ άρρωστος ο πατέρας μιας φίλης μου και θα έπρεπε να πάω στο νοσοκομείο. Οι γιατροί είπαν ότι θα γίνει καλά αν και αυτός λέει ότι το πολύ-πολύ να ζήσει ένα-δύο μήνες ακόμη. Ήταν εντελώς καλά, μα ξαφνικά του παρουσιάστηκε κάτι σαν πονοκέφαλος και ζάλη.

Ξέρεις, έχει προβλήματα με την κόρη της. Δεν απάντησε ορθότατα όταν τη ρώτησε ο δάσκαλος και της έβαλε επιεικέστατα μόλις τη βάση. Μάλλον δε θα είχε διαβάσει. Είναι σχεδόν βέβαιο. Όχι, δεν είναι δίκαιο. Είναι λιγότερο επιμελής από τον αδελφό της και γράφει πιο άσχημα από αυτόν, αλλά διαβάζει πάντοτε και είναι έξυπνη κοπέλα.

453 Λεξιλόγιο

η κακία	wickedness, malice, vice
παρουσιάζομαι	I appear
παρουσιάζω	I present
το αναπάντεχο	unexpected
ο πονοκέφαλος	headache
η ζάλη	dizziness, giddiness
η ζαλάδα	dizziness, giddiness
η βάση	base, basis (here: passing grade)
επιμελής, -ής, -ές	diligent, industrious
έξυπνος, -η, -ο	clever
ξύπνιος, -α, -ο	awake, alert
εξυπνάδα	cleverness
η κοπέλα	girl

454 Useful expressions.

κάνω κάτι από κακία	I do something out of malice
έχω δίκιο	I am right
είμαι δίκαιος	I am righteous
έχω το δικαίωμα	I have the right
γίνομαι καλά	I become well, I recover
παρουσιάστηκε κάτι αναπάντεχο	something unexpected popped up
βάζω βαθμό	I grade (a student), I give him a mark
μόλις τη βάση	only the passing grade (mark)

455 *Answer the questions.*

1. Είναι τώρα εντελώς καλά;
2. Οδηγεί γρήγορα ή αργά;
3. Περάσανε ωραία ή άσχημα;
4. Τι φάνηκε ξαφνικά;
5. Γιατί θα τον τιμωρήσει αν κάνει αλλιώς;

6. Τους ειδοποιήσατε όλους, ιδίως τον αδελφό του;
7. Τι συνέβηκε και το ξεχάσατε;
8. Σας αρέσει καθόλου αυτό το γλυκό;
9. Πόσα άτομα ήταν πάνω-κάτω;
10. Δε μου τηλεφωνούσες τουλάχιστον;

11. Τι βαθμό τού έβαλε ο καθηγητής;
12. Πραγματικά το έκανε από κακία;
13. Πόσους μήνες θα ζήσει το πολύ ακόμα;
14. Δεν έχετε δίκιο. Είναι εξίσου ωραία. Τι λέτε;
15. Του απάντησε ορθότατα;

16. Γιατί βγήκε έξω και έγινε χειρότερα;
17. Ποια είναι λιγότερο επιμελής από τον αδελφό της;
18. Γιατί γράφει πολύ πιο άσχημα από εσένα;
19. Έγινε χειρότερα γιατί βγήκε έξω;
20. Γιατί δεν κάνεις πιο καλύτερα ό,τι σου λέω;

456 *Translate into Greek.*

1. He gave him a passing grade.
2. Something unexpected came up.
3. You are right. I am mistaken.
4. You do not have the right to say that.
5. She will recover soon.

6. His father is a very righteous person.
7. What grade did he get?
8. No doubt he will end up in prison.
9. He went out and became worse.
10. You had better do what I am telling you.

11. I notified all, especially his sister.
12. Last night we had a good time.
13. He is entirety impolite.
14. Why is she so industrious?
15. Learn as many idioms as you can.

457 *Learn Greek idioms by using the book: GREEK IDIOMS by Dr Athan. J. Delicostopoulos. It is very useful and practical.*

458 Σύνδεσμοι. Conjunctions.

Conjunctions are words to join words, phrases and clauses. Conjunctions are coordinating and subordinating. The first join words, phrases and clauses of equal rank. The latter connect a subordinate clause of a sentence with the main clause, in other words they introduce dependent clauses.

459 Coordinating Conjunctions

και (*)	and
ούτε . . . ούτε	neither. . . nor
μήτε . . . μήτε	neither. . . nor
ουδέ	neither, nor, not even
μηδέ	neither/nor, not even
ή (ή . . . ή)	or, either. . . or
είτε . . . είτε	either. . . or
μα	but, yet, but yet
αλλά	but, yet, but yet
παρά	except, but
όμως	but, nevertheless, however
ωστόσο	nevertheless, yet, still, however
ενώ	although, though
αν και	although, though
μολονότι	although, though
μόνο	only, however
λοιπόν	then, so, now, well, then
ώστε	so
άρα	therefore, consequently
επομένως	therefore, consequently
δηλαδή (δηλ.)	that is, i.e.

460 Παραδείγματα χρήσης.

π.χ. Εγώ και αυτός είμαστε αδέλφια.
Δε θα έρθω ούτε εγώ ούτε αυτός.
Μήτε τον είδα μήτε του μίλησα.
Ή ο ένας ή ο άλλος.
Είτε πας είτε όχι, το ίδιο μου κάνει.
Είπε ότι θα μας γράψει, μα δεν έγραψε.
Είπε ότι θα το πληρώσει, αλλά δεν το πλήρωσε.

(*) In literature the conjunction και becomes κι when the following word starts with a vowel. However, this is not advisable for reasons of style. e.g. Εγώ κι αυτός.

Το υποσχέθηκε, δεν τήρησε όμως το λόγο του.
Δεν τον είδαμε παρά για λίγο.
Δεν το έφαγε και ωστόσο το είχε πληρώσει.
Το έκανε, ενώ δεν ήθελε να το κάνει.
Δεν την παντρεύτηκε, αν και της το υποσχέθηκε.
Μολονότι ήταν αδιάθετος, ήρθε.
Περίμενε, μόνο μη μιλάς.
Θα το κάνω, λοιπόν, αμέσως τώρα.
Ώστε δε θα τον παντρευτεί.
Έχει σύννεφα, άρα θα βρέξει.
Δε θα έρθει, επομένως μην περιμένεις.
Δηλαδή, πρέπει να φύγω;

461 Subordinating conjunctions.

πως	that	ωσότου	until
που	that	όποτε	whenever
ότι	that	γιατί	because
όταν	when	επειδή	because
σαν	when	διότι	because
άμα	when	αφού	since, as
ενώ	while, as	αν	if
καθώς	while, as	για	that, so that in order to
αφού	when, after	για να	that, so that in order to
αφότου	since	ώστε (να)	that
πριν (να)	before	μη(ν) (*)	lest, for fear that
μόλις	just, as soon as	μήπως	lest, for fear that
προτού (να)	before	παρά	than
ώσπου (να)	until		

Σαν is also used as a subordinating communication of time or cause.

e.g. Σαν τον είδα (όταν τον είδα), τρόμαξα.
Σαν γιατρός που είσαι (επειδή είσαι γιατρός) δώσε μου ένα - - - - -

462 You should not confuse:

πως	with	πώς;
που	with	πού; or που (relative)
ότι	with	ό,τι

π.χ. **a.** Είπε ότι θα το γράψει. He said that he would write it.
Πώς είστε; How you are?

(*) *See section 13a.*

b. Άκουσα που (ότι) ήρθες. I hear that you came.
Πού θα πάτε; Where are you going?
Το βιβλίο που διαβάζεις είναι ενδιαφέρον.
The book (that) you are reading is intresting.

c. Λέει ότι θα το φέρει. He says that he will bring it.
Ό,τι και να κάνω, είναι πλέον αργά. Whatever I do, it is too late.

463 Παραδείγματα χρήσης.

Όταν θέλεις, τηλεφώνησέ μου.
Όταν συναντιούνται, γκρινιάζουν.
Άμα έρθει, πες του το.
Το θυμήθηκα καθώς περπατούσα.
Ενώ ξεκίνησα, άρχισε να βρέχει.
Θα παίξεις, αφού τελειώσεις τα μαθήματά σου.
Δε μου έγραψε αφότου έφυγε.
Μόλις επέστρεψε, αρρώστησε.
Το πλήρωσε προτού φύγει.
Έφυγαν προτού να νυχτώσει.
Ώσπου να διαβάσεις την εφημερίδα σου, θα έχω γυρίσει.
Περίμενε ωσότου γυρίσει.
Φεύγει και έρχεται όποτε θέλει.
Παίρνει φάρμακα γιατί είναι άρρωστος.
Δεν ήρθε επειδή αρρώστησε.
Δεν πήγα διότι δεν είχα πρόσκληση.
Αφού δεν τον θέλεις, τι τον προσκαλείς;
Αν τον δεις, πες του το.
Πες του να έρθει αμέσως.
Το έκανα για να σας ευχαριστήσω.
Έγραψε καλά, ώστε πέρασε τις εξετάσεις.
Είπε τόσο καλά, που πήρε άριστα.
Ανησυχώ μην πάθεις τίποτε κακό.
Φοβάμαι μήπως αποτύχεις.
Καλύτερα πρώτος στο χωριό παρά τελευταίος στην πόλη.

464 Μόρια. Particles.

In modern Greek there are few small words called particles (μόρια). We have spoken about them in various sections in this book.

They are : **ας, θα, να, μα, για.**

ας: ας έρθει, ας πάει, ας το κάνει. (urging or consent)

θα:	θα το κάμω (ή θα το κάνω).	(future)
	θα σου το έλεγα.	(potential)
	θα κοιμάται τώρα.	(probable)
να:	να το κάνεις, να πας.	(volition)
	να τη, έρχεται.	(pointing)
	να που είχες άδικο.	(indicating)
μα:	Μα τη ζωή μου!	(in oath): by
	Μα την αλήθεια!	(in oaths): by
	Μα το Θεό!	» » by
για:	Για κάθισε φρόνιμα.	(experative)
	Για ελάτε εδώ αμέσως.	(urging)
	Για να δω τι έχει το χέρι σου.	(allowing)

465 Επιφωνήματα. Interjections.

An interjection is a word used to show emotion. It is an exclamation thrown into the sentence without any grammatical connection or relation to any other word of the sentence.
The most common interjections are:

α! ω! πωπώ! μπα!	(admiration)
α! μπα!	(hesistation)
αχ! άου! ω! ωχ! όχου!	(pain, sorrow)
αλί! αλίμονο!	(alas!)
ε! ου! ουφ! πουφ! πα πα πα!	(worry, disgust)
ε! ου!	(mockery)
γιούχα!	(shame)
μακάρι! άμποτε! είθε! (God grant!)	(wish)
μπράβο! εύγε! (bravo)	(praise)
ε! ω! ω! (say! hey!)	(call)
άιντε! άμε! μαρς! αλτ! στοπ!	(march! halt! stop!) (incitement)
σουτ! σστ! (hush)	(silence)
α μπα! (so that)	(negation)
χμ!	(uncertainty)

466 Παραδείγματα χρήσης.

Ω! Τι ωραία μέρα!
Αχ! Χτύπησα άσχημα. Πονάω πολύ!
Χμ! Δε νομίζω!
Θα έρθει; Α μπα!

Σουτ! Κάποιος έρχεται. Άκου!
Αλτ! Ποιος είναι;
Άιντε! Φύγετε αμέσως! Να μην ξαναγυρίσετε!
Στάσου! Πού πας;
Μπράβο! Εύγε! Πήρες καλούς βαθμούς.
Μακάρι! Να γυρίσει ζωντανός!
Ουφ! Κάνει τόση ζέστη! Έσκασα. Δεν αντέχω!
Πουφ! Βρομάει τρομερά! Άνοιξε ένα παράθυρο.
Πα πα πα! Ούτε που το σκέφτηκα!
Αλίμονο! Πάει χαμένος.
Ωχ! Όχου! Δε βαστώ! Πονάω πολύ. Πεθαίνω!
Ήμαρτον! Θεέ μου! Σε καλό μου!

Note also the following exclamatory words or interjectional phrases.

Nouns :	Θεέ μου! Χριστός! Βοήθεια! Κρίμα! Θάρρος!
Adjectives :	Καλέ! Μωρέ το καημένο! Κακομοίρη μου!
Verbs :	Έλα δω! Ορίστε! Ζήτω! Κόπιασε! Ήμαρτον! Στάσου!
Adverbs :	Εμπρός! Περίφημα! Ωραία! Καλά! Με γεια!
Phrases :	Τέλος πάντων! Με το συμπάθειο! Να σε χαρώ! Σε καλό σου! Μα την αλήθεια!

467 Μια αίτηση.

Προς την αρμόδια υπηρεσία χορηγήσεως άδειας διαμονής και εργασίας.

Αίτηση

Γεωργίου **SMITH**
Κατοίκου Αθηνών,
οδός Σπάρτης 10
(Τ. Κ. 113 10)
Τηλέφωνο:
Αθήνα, 17 Μαρτίου 199_
Αμερικανού υπηκόου
Αριθμός Διαβατηρίου:
____
Ημερομηνία εκδόσεως:
____

Προς την
Υπηρεσία Κέντρου Αλλοδαπών
Αθηνών
οδός Χαλκοκονδύλη 9
ΕΝΤΑΥΘΑ

Έχω την τιμή να σας παρακαλέσω να μου χορηγήσετε άδεια διαμονής και εργασίας στην Αθήνα. Πρόκειται να εργαστώ σε μια εταιρεία, η οποία έχει ανάγκη από τις υπηρεσίες μου. Επισυνάπτω στη παρούσα αίτησή μου τα πιστοποιητικά τα οποία μου ζητήθηκαν από το αρμόδιο γραφείο.

Μετά τιμής
GEORGE SMITH

Συνημμένα:

1) Διαβατήριο
2) Πιστοποιητικό της εταιρείας στην οποία θα εργαστώ
3) Πτυχία σπουδών
4) Χαρτόσημο
5) Δύο φωτογραφίες

η υπόσχεση	promise
υπόσχομαι	I promise
τηρώ	I keep
παντρεύομαι	I get married
παντρεμένος, -η	married
αδιάθετος, -η, -ο	indisposed
βρέχει	It rains
η γκρίνια	grumbling, quarreling
τηλεγραφώ	I wire, I cable
η αρρώστια	illness, disease
νυχτώνει	It is getting dark
νυχτώνομαι	I am overtaken by night
το φαρμακείο	pharmacy, drugstore
η πρόσκληση	invitation
άριστα	excellently
άριστος, -η, -ο	excellent, the best
αποτυγχάνω	I fail
υποφέρω	I suffer
σκάω	I burst, I am suffocated
αντέχω	I stand, I endure
βρομάω	I stink
βαστάζω	I stand, I bear, I endure
βαστώ	I stand, I bear, I endure
η αμαρτία	sin
αμαρτάνω	I sin
το διαβατήριο	passport
το πιστοποιητικό	certificate
η αίτηση	application
ο εργοδότης	employer
η εταιρεία	company
το πτυχίο	degree
σπουδή (οι σπουδές)	study (studies)
σπουδάζω	I study
η υπηρεσία	service
το κέντρο	center
αλλοδαπός, -ή, -ό	foreigner
αρμόδιος, -α, -ο	proper, suitable
χορηγώ	I provide, I grant
η χορήγηση	granting
η άδεια	permission
η διαμονή	residence
διαμένω	I reside
ενταύθα	here, in the city
επισυνάπτω	I attach
η παρούσα	present
γραφείο	office, bureau

469 Useful expressions.

το ίδιο μου κάνει	it has no effect on me, it's the same for me
τηρώ το λόγο μου	I keep my word
ισχύει	it is valid
περνώ τις εξετάσεις	I pass the examinations
δίνω εξετάσεις	I take the examinations
δίνω εξετάσεις	I sit for the examinations
έχει ανάγκη από τις υπηρεσίες μου	it needs my services
πρόκειται να	I am about to
άδεια διαμονής	residence permit
άδεια εργασίας	work permit

470 *Answer the questions.*

1. Πού μπορώ να γράψω μια αίτηση;
2. Μπορώ να πάρω άδεια διαμονής;
3. Είναι εύκολο να πάρει κανείς άδεια εργασίας;
4. Τι χαρτιά (πιστοποιητικά) χρειάζονται;
5. Πού πρέπει να τα υποβάλω;

6. Πού πρόκειται να μείνετε;
7. Πού πρόκειται να εργαστείτε;
8. Τι πτυχίο σπουδών έχετε;
9. Το διαβατήριό σας ισχύει μέχρι πότε;
10. Πού είναι το Κέντρο Αλλοδαπών Αθηνών;

11. Πού είναι η οδός Χαλκοκονδύλη, παρακαλώ;
12. Πόσο χαρτόσημο θα χρειαστείς;
13. Πού μπορώ να το αγοράσω;
14. Θα πρέπει να έχω και δύο φωτογραφίες;
15. Σε πόσο καιρό θα μου δοθεί η άδεια;

16. Τι πιστοποιητικά έχετε μαζί σας;
17. Πόσο καιρό θα μείνετε στην Ελλάδα;
18. Είστε Έλληνας του εξωτερικού ή αλλοδαπός;
19. Πρόκειται να παντρευτείτε έναν Έλληνα;
20. Πότε και πού θα γίνει ο γάμος σας;

471 *Translate into Greek.*

1. How can I get a work permit?
2. You also need a residence permit.
3. I have a valid passport.
4. I am going to marry a Greek.
5. Our marriage will take place next month.

6. Where is the special service for foreigners?
7. Where do I have to submit the application?
8. Are there application forms?
9. No, you must write one yourself.
10. Your employer should give you a certificate of work.

11. Please help me write this application.
12. Must I know Greek in order to get a work permit?
13. No. You must not. If you know it is much better.
14. It is nice to know Greek.
15. It is better to understand Greek idioms.

472 *Learn more idioms by using the book: GREEK IDIOMS, by Dr. Athan. J. Delicostopoulos. It is very useful and practical for everyday life.*

APPENDIXES

Appendix One:	**Introductory Part**
Appendix Two:	**Verbs** Basic forms. Patterns Tables of conjugation Anomalous verbs
Appendix Three:	**Annotated texts** for comprehension and translation

APPENDIX ONE

INTRODUCTORY PART

The student should familiarize himself with these short and simple introductory sections. They give him basic elements necessary for his systematic study of the language. We have tried to help him by avoiding details that make learning not a pleasent task.

INTRODUCTORY PART

(sections 473 to 496)

473 The Greek Alphabet

Α	α	álfa	άλφα
Β	β	veéta(*)	βήτα
Γ	γ	ghＡma	γάμα
Δ	δ	dhélta	δέλτα
Ε	ε	épsilon	έψιλον
Ζ	ζ	zeéta	ζήτα
Η	η	eéta	ήτα
Θ	θ	theéta	θήτα
Ι	ι (**)	yióta	γιώτα

N.B. (*) ee as in "lee"

(**) Note that for the phthong ι we have three letters η, ι, υ, as for o we have also the letter: o and ω.

Κ	κ		káppa	κάπα
Λ	λ		lámdha	λάμδα
Μ	μ		meé	μι
Ν	ν		nee	νι
Ξ	ξ		kseé	ξι
Ο	ο		ómicron	όμικρον
Π	π		peé	πι
Ρ	ρ		rhó	ρο
Σ	σ	ς(***)	seégma	σίγμα
Τ	τ		táf	ταυ
Υ	υ		ipsilon	ύψιλον
Φ	φ		feé	φι
Χ	χ		kheé	χι
Ψ	ψ		pseé	ψι
Ω	ω		omégha	ωμέγα

π.χ.	ο ώμος	(ómos)	shoulder
	το κυνήγι	(kiniyi)	hunting

Please see in our newest edition: A TRAVELLERS' DICTIONARY. (Athens 1980)

473a **I.** Two letters that represent one phthong are called δίψηφα. So in Modern Greek we have two groups.

a.δίψηφα φωνήεντα i.e. " vowel letter groups" and **b.** δίψηφα σύμφωνα i.e "consonant letter groups"

II. Note that diphthongs (δίφθογγα) are third group of letters i.e two vowels that are promonated together in a syllable

π.χ.	νεράιδα	(ne-rá i-dha)	fairy, elf
	αηδόνι	(ai-dhó-ni)	nightingale
	ρόδι	(ró-dhi)	pommegrant
	βόηθα	(vói-tha)	help (me)

III. " A vowel letter group" that is pronounced with the vowel or another "vowel letter group" following it or same syllable is called "a catachrestic diphthong".

e.g	πιάνω	(piá-no)	catch, get
	γυαλί	(yia-li)	glass
	άδειος	(á-dhios)	empty
	θειάφι	(thiá-fi)	sulphur
	ποιες;	(piés)	which ones (fem.)
	ποιοι;	(pii)	which ones (masc.)
	ποιους	(pious)	to which ones (masc.)

(***) When at the end of a word.

474 Vowels and Vowel letter groups. Φωνήεντα και Δίψηφα Φωνήεντα.

N.B. The vowels are: α, ε, η, ι, ο, υ, ω. A vowel is a sound (letter) that can be itself a syllable

π.χ. α-έ-ρας (άέρας) air

A diphthong (δίφθογγος) is a sound containing two vowels.

ου	= u or oo	ουρά	u-rá	tail
		ουρανός	u-ra-nós	heavens
αι	= ε	και	ké	and
		ναι	né	yes
		αίμα	é-ma	blood
ει	= ι	εικόνα	i-kó-na	icon
		είδος	i-dhos	sort
		είδωλο	i-dho-lo	idol

See both αι and ει in one word: είμαι = i-me I am

οι	= ι	οικία	i-ki-a	house
		οικονομία	i-ko-no-mi-a	economy
		οικουμενικός	i-ku-me-ni-kós	ecumenic
αυ	= αφ	αυτοκίνητο	af-to-ki-ni-to	car
		αυτόματο	af-tó-ma-to	automatic
		αυτός	af-tós	he
αυ	= αβ	αύριο	áv-ri-o	tomorrow
		Αύγουστος	áv-ghu-stos	August
		αυλή	av-li	court, yard
ευ	= εφ	ευθύς	ef-this	straight
		εύπιστος	éf-pi-stos	credulous
		εύκολος	éf-ko-los	easy
ευ	= εβ	ευρίσκω	ev-ri-sko	I find
		Ευρώπη	ev-ró-pi	Europe
		εύγε	év-ghe	bravo, well done

N.B. **a.** The υι = ιι and
ηυ = ιβ are very r are.

e.g. υιοθεσία i-o-the-si-a adoption
ηύρα iv-ra I found

In modern Greek ήβρα.

b. When a word starts with ευ followed by β or φ the υ is not pronounced:

e.g.	εύφορος	é-fo-ros	fertile
	Εύβοια	é-vi-a	Evoia
	εύφλεκτος	é-fle-ktos	inflammable

c. In a word having the complex μπτ most of the times the letter π remaims voiceless:

e.g. Πέμπτη pém-ti Thursday

475 Σύμφωνα και Δίψηφα Σύμφωνα. Consonants and Consonant letter groups.

N.B. The consonants are: **β, γ, δ, ζ, θ, κ, λ, μ, ν, ξ, π, ρ, σ (-ς), τ, φ, χ, ψ, γγ, γκ, γχ, μπ, ντ, τζ, τσ.**

A consonant is a sound (letter) that cannot be itself a syllable but goes together with a vowel

π.χ. (λ) (γ)
(λέγω) (lé-gho)

γ = ng	Άγγλος	á-ng-los	Englishman
	άγγελος	á-nge-los	angel
	αγγούρι	a-ngú-ri	cucumber
γκ = g (at the beginning of a word)			
	γκάζι	gá-zi	gas
	γκαρσόν	gar-són	waiter
	γκέμι	gé-mi	bridle
γκ = ng (in the middle of a word)			
	αγκάθι	a-ngá-thi	thorn
	αγκινάρα	a-ngi-ná-ra	artichoke
	αγκύλη	a-ngi-li	bracket
γχ = nh	μελαγχολία	me-la-nho-li-a	melancholy
	αγχίνους	a-nhi-nus	ingenuous
	αγχόνη	a-nhó-ni	gallows
μπ = b (at the beginning of a word)			
	μπακάλικο	ba-ká-li-ko	grocery
	μπαλκόνι	bal-kó-ni	balcony
	μπαλόνι	ba-ló-ni	balloon

μπ = mb (in the middle of a word)

ομπρέλα	o-mbré-la	umbrella
εμπόρευμα	e-mbó-rev-ma	merchandise
λάμπω	lá-mbo	I shine, I glitter

ντ = d (at the beginning of a word)

ντόρος	dó-ros	noise, uproar
ντομάτα	do-má-ta	tomato
ντοκουμέντο	do-ku-mé-nto	document

ντ = nd (in the middle of a word)

εντός	e-ndós	in, inside
έντυπο	é-ndi-po	printed matter
εντύπωση	e-ndi-po-si	impression

τζ = dz	τζαζ	dzaz	jazz
	τζάμι	dzá-mi	window-pane, glass
	τζόκεϊ	dzó-ke-y	jockey

τσ = ts	τσατσάρα	tsa-tsá-ra	comb
	τσεκούρι	tse-kú-ri	hatchet, axe
	τσιγάρο	tsi-ghá-ro	cigarette

a. Bear in mind that the letter σ before the consonants **β, γ, δ, λ, μ, ν, ρ,** is pronounced **z.**

π.χ.	σβούρα	svú-ra	spinning top
	σγουρός	sghu-rós	curly
	εισδύω	is-dhi-o	I slip in
	σμίλη	smi-li	chisel
	εισρέω	is-ré-o	I flow

b. A double consonant has the value of a single one (γγ is an exception as already mentioned)

e.g.	αλλαγή	a-la-yi	change
	γραμματική	ghra-ma-ti-ki	grammar
	γραμμή	ghra-mi	line
	Ελλάς	e-lás	Greece, Hellas

c. The letter ξ and ψ are called double since each one of these phthongs are ξ = κσ and ψ = πσ.

e.g.	λοξός	(lo-ksós)	oblique, inclined
	ψυχή	(psi-chi)	soul
	ξεψαχνίζω	(kse-psa-chni-zo)	pick up the bone, examine minutely
	εξάψαλμος	(eksá-psal-mos)	six psalms.

476 Accent marks.

a. In the earlier days Greeks used breathing and accent marks. Now we use only one accent mark. So every Greek word that has two or more syllables bears an accent mark ( ) οξεία (o-ksi-a) or τόνο (tó-no) or one of it's syllables i.e. on the vowel of that stressed syllable.

e.g.	ντομάτα	do-má-ta	tomato
	κήπος	ki-pos	garden

b. In a word we can stress only one of the last three syllables.

e.g.	λέμε	lé-me
	έλεγαν	é-le-yan
	ξαναλέγαμε	ksa-na-lé-gha-me

c. The same thing happens when a word appears to be "one-syllable word" though it is not, as in the case of :

1. Elison (See 480 b) (΄Εκθλιψη ék-thli-psi)

or 2. Αποκοπή a-po-ko-pi (cutting off)

e.g.	1. λίγο απ'όλα	li-yo ap-óla	little from everything
	εiν'ανάγκη	in aná-gi	there is a need
	2. φέρ'το	fér to	bring it
	άσ'τον	ás ton	let him

d. A verb from that has been deprived of its accent due to elimination (αφαίρεση = a-fé-re-si) cannot transfer its accent on the previous word.

e.g.	μου'φερε	mú-fe-re	he / she brought me
	θα'θελα	thá-the-la	I should like

e. One-syllable words do not take any accent. N.B two-syllable words that are pronounced together are considered as one-syllable words.

e.g.	μια	mia	one
	για	yia	for
	γιος	yios	son
	νιος	nios	young

f. Exceptions :

1. The disjunctive **ή** (= or, either)

e.g. ή η Άννα ή η Μαρία.
Either Ann or Mary

2. The question words πού και πώς (in the direct or indirect questions)

e.g Πού πήγες; pou pi-yes? Where did you go?
Πώς σε λένε; pos se lé-ne; What is your name?
Δε μας είπες πού πήγες.
Dhe mas eépes pou piyes
You did not tell us where you went.
Μας είπε πώς τον λένε.
Mas ipe pos ton léne.
He told us his name.

* Also in case like these:

πού και πού
pu ke pu
from time to time

από πού κι ως πού;
apó pou ki os pou?
How come?

* When πώς means yes

e.g Πήγες; Πώς.
Piyes? Pos
Did you go? Yes.

* Που and πως do not take any accent when they are not question words.

e.g. Μου είπε πως πήγε.
He / She told me that he / she went.

3. The weak forms of the personal pronouns (μου, σου, του, της, τον, την, το, μας, σας, της, τα) take an accent in case they may be taken as "enclitic" (εγκλιτικές) words.
Englitic (in Linguistics) means : Having no independant accent in a sentence and forming an eccentual and sometimes graphemic unit with the preceding word εγκλιτικός enklitikós = "learning (on the preceeding word for accent)".

e.g. Ο πατέρας μού είπε.
Father told me.
but: Ο πατέρας μου είπε...
My father said...

N.B. If these weak forms of the personal pronouns (μου, σου etc.) cannot be taken as enclitic, then they do not receive an accent mark.

e.g. Τι μας έστειλες;
What did you send us?
Γιατί μας τα λες αυτά;
Why do you tell us these?
Μας έστειλαν ένα δώρο.
They sent us a gift.

4. One syllable words that are pronounced together with the verb forms μπω, βγω, βρω,'ρθω in all persons and numbers, are stressed in two ways in **verbal speech**. Sometimes the one syllable word is stressed and sometimes the verb. When the verb is stressed-in verbal speech-we do not put the accent mark when we write it.

e.g.	να βγω	(na vyó)	to get out
	θα 'ρθω	(tha rthó)	to come

When the one syllable word is stressed, then we put the accent mark.

e.g.	νά βγω	(ná vyo)
	θά 'ρθω	(thá rtho)

g. I. The accent of an enclitic word that is heard (the case of last syllable λήγουσα of a proparoxy tone (stressed on the antepenult word) is marked

e.g.	ο πρόεδρός μας	our president
	άφησέ του το	leave it to him
	χάρισμά σου!	This is free of charge to you.

II. The same happens in cases like the following.

e.g.	δώσε μου το	give it to me
	φέρε μας τους	bring them to me

h. The place of the accent.
The stress mark is put.

I. On the accented small (letter) vowel

e.g. εγώ, τιμώ

II. In front and on the accent capital vowel

e.g. ΄Εβρος, ΄Ηφαιστος

III. On the vowel of a diphthong that is stressed.

e.g. νεράιδα

IV. On the second vowel of a two-letter vowel and the combination αυ and ευ.

e.g.	πούλησα	I sold
	είμαι	I am
	αύριο	tomorrow
	εύλογος	fair
	πιάνω	catch, take hold of
	μοιάζω	I look like . . .

Δίψηφα φωνήεντα when stressed take the accent over the second vowel.

e.g.	ούτω	ú-to	thus, in this manner
	αίθουσα	é-thu-sa	hall

When a word is written entirely in capitals we use no accent marks.

e.g. Η ΕΛΛΗΝΙΚΗ ΓΛΩΣΣΑ i e-li-ni-ki ghló-sa THE GREEK LANGUAGE

Sometimes ι or υ are next to a vowel and do not constitute vowel letter groups. In this case we put over ι or υ the marks (¨) (dieresis) διαλυτικά di-a-li-ti-ká to show that ι or υ is pronounced in a separate syllable.

e.g.	χαϊδεύω	(khai-dhé-vo)	caress, pat
	θεϊκός	(the-i-kós)	divine
	πραϋντικός	(pra-i-nti-kós)	calming, soothing, alleviating
	θειϊκός	(thee-i-kós)	sublime
	αϋπνία	(a-i-pni-a)	sleeplessness
	διϋλιστήριο	(dhi-i-li-sti-ri-o)	oil refinery

N.B. We do not use διαλυτικά (¨) when the previous vowel takes an accent mark or it is stressed or when we do not have δίψηφο φωνήεν.

e.g.	Κάιρο	(ká-i-ro)	Cairo
	πρωί	(pro-i)	morning

477 Punctuation.

Punctuation marks in Greek are the same as in English with two exceptions:
a. semicolon is noted by a raised dot (·) and **b.** the question is marked by (;)

The names of the punctuation marks are:

κόμμα	(,)	kó-ma	comma
τελεία	(.)	te-li-a	period
άνω τελεία	(·)	á-no te-li-a	semicolon
διπλή τελεία	(:)	dhi-pli te-li-a	colon, double dot

ερωτηματικό	(;)	e-ro-ti-ma-ti-kó	question mark
θαυμαστικό	(!)	thav-ma-sti-kó	exclamation mark
παρένθεση	( )	pa-rén-the-si	parenthesis
αποσιωπητικά	(. . .)	a-po-sio-pi-ti-ká	signs of omission
εισαγωγικά	(« »)	i-sa-gho-ghi-ká	quotation marks
παύλα	(-)	páv-la	dash
διπλή παύλα	(- -)	dhi-pli páv-la	double dash
απόστροφος	(’)	a-pó-stro-phos	apostrophe
ενωτικό	(-)	e-no-ti-kó	hyphen
αγκύλες	[ ]	a-ngi-les	brackets
υποδιαστολή	(,)	ipo-dhia-sto-li	decimal point, comma
διαλυτικά	(¨)	dhia-li-ti-ká	dieresis

478a Syllables

a. A consonant that occurs between two vowels belongs to the next syllable (συλλαβή) (si-la-vi)

e.g.	έχω	é-kho	έ-χω	I have
	άπειροι	á-pi-ri	ά-πει-ροι	inexperienced (pl.)

b. Two consonants occuring between two vowels belong to the next syllable only if a Greek word starts with these two consonants, otherwise they must be separated.

e.g. ατμός (a-tmós), vapour, steam
α-τμός (because τμήμα = section)
άλλος (á-los) other
άλ-λος
κόμμα = κόμ-μα

c. The same happens (as in b) when we have three consonants between two vowels. The three consonants go together if a Greek word starts with at least the first two of them, otherwise the first one goes with the previous syllable

e.g.	άστρο	á-stro	star
	στροφή	stro-fi	turn
	άνθρωπος	án-thro-pos	human

478b

a. Consonant letter groups **μπ, ντ, γκ,** are not separated.

e.g. μπα-μπάκι, μπα-μπάς, ντα-ντά, ντό-μπρος, ξε-μπλέκω.

b. Compound words follow the same rules.

e.g. προ-σέχω, υπεύ-θυνος, εί-σοδος, πα-ρα-κάνω.

c. Note that two vowel letter groups (Δίψηφα φωνήεντα), diphthongs and the combinations of αυ and ευ are considered as one vowel.

e.g. αί-μα, νε-ράι-δα, ά-πια-στος, ναύ-της.

479 Names of syllables

The last syllable of a word is called λήγουσα li-ghu-sa.
The syllable before the last is called παραλήγουσα pa-ra-li-ghu-sa.
The syllable, third from the end is called προπαραλήγουσα pro-pa-ra-li-ghu-sa.

480 Few things to remember

a. We capitalize the initial letter of:

- the beginning of a sentence	e.g. Εγώ είμαι σπουδαστής.
- names of days	e.g. Σήμερα είναι Κυριακή.
- names of months	e.g. Σήμερα είναι 2 Μαρτίου.
- names of individual persons	e.g. ο Δημήτρης, ο κ. Δεληκωστόπουλος.
- names of deities	e.g. ο Θεός, ο Χριστός, η Παναγία, το Άγιο Πνεύμα.
- names of holidays	e.g. τα Χριστούγεννα, το Πάσχα.
- names of cities, towns, villages, streets and squares	e.g. η Αθήνα, η Πάτρα.
- names of countries and provinces and their citizens	e.g. η Ελλάδα, οι ΄Ελληνες.
- names of mountains	e.g. ο ΄Ολυμπος.
- names of rivers	e.g. ο Αξιός.
- names or titles of books and works of art	e.g. η Οδύσσεια, ο Παρθενώνας.
- titles	e.g. ο Εξοχότατος.

b. Elision. ΄Εκθλιψη. (ék-thli-psi)
For euphonic reasons a word loses its final vowel, when the following word starts with a vowel. This grammatical phenomenon is called έκθλιψη. In the place of the stressed out vowel we put an apostrophe (').

e.g.			
	το άστρο	to á-stro	star
	τ'άστρο	t' á-stro	
	αλλά εγώ	a-llá egó	but I
	αλλ'εγώ	al' egó	

The elision is a phenomenon me mostly in poetry or the spoken language

c. Syneresi. Συναίρεση. (si-né-re-si)

The contraction of two consecutive vowels or of one vowel and a δίψηφο φωνήεν in one syllable in the same word is called συναίρεση.

Syneresis follows certain rules which we present in the chapter of contracted verbs. However one thing should be remembered:

The contracted last syllable λήγουσα when stressed takes περισπωμένη (~).

e.g.	αγαπά-ω	a-ga-pá-o	I love
	αγαπώ	a-ga-pó	I love

481 Parts of speech.

The words of the Greek language are separated into ten special classes. The division is done in accordance with the use of each word. These classes are called parts of speech = μέρη του λόγου (mé-ri tu ló-gu)

The parts of speech are:

το άρθρο	to ár-thro	article
το όνομα ουσιαστικό	to ó-no-ma u-sia-sti-kó	noun
το όνομα επίθετο	to o-no-ma e-pi-the-to	adjective
η αντωνυμία	i a-nto-ni-mi-a	pronoun
η μετοχή	i me-to-khi	particle
το ρήμα	to ri-ma	verb
το επίρρημα	to e-pi-ri-ma	adverb
η πρόθεση	i pró-the-si	preposition
ο σύνδεσμος	o sin-dhe-smos	conjunction
το επιφώνημα	to e-pi-phó-ni-ma	interception

a. Six out of these ten parts of speech (i.e. article, noun, adjective, pronoun, participle and verb) undergo a change of form in order to indicate differences in use. This change is called inflection. The words of this group are called variable words (κλιτά μέρη του λόγου).

b. The remaining four parts of speech (i.e. adverb, preposition, conjunction and interjection) do not undergo any change in form. They always keep their standard form. The words of this group are called invariable words (άκλιτα μέρη του λόγου).

c. The various changes which a word from the first group undergoes while we use it in writing or speaking are called τύποι (ti-pi) types of the word.

d. The part of the word that undergoes a change is called κατάληξη (ka-tá-li-ksi), ending of the word.

482 Cases.

a. A case πτώση (pto-si) is the change in form of an article, noun, adjective, pronoun and participle to indicate its relation to neighboring words or otherwise its use in the sentence.

b. The cases πτώσεις (pto-sis) are four:

ονομαστική	o-no-ma-sti-ki	nominative
γενική	ge-ni-ki	genitive or possessive
αιτιατική	e-tia-ti-ki	accusative or objective
κλητική	cli-ti-ki	vocative

I. Ονομαστική (nominative) is the case that we use when answering to the question who or what? (Ποιος; Τι;)

e.g. Who is calling?
Ο Πέτρος (o pé-tros) is calling.
What is on the table?
Το βιβλίο (to vi-vli-o = book) is on the table.

II. Γενική (genitive or possessive) is the case that we use when answering the question: whose? It expresses possession.

e.g. Whose is this book?
The book is του Πέτρου (tu pé-tru = Peter's)
- "of the" is expressed by genitive case:
e.g. The color of the book (του βιβλίου = tu vi-vli-u)

III. Αιτιατική (accusative or object) is the case that we use when answering the question: whom?

i.e. when a noun or pronoun is the object of a verb or a preposition. (Ποιον; τι;)

e.g. Whom did you meet?
I met τον Πέτρο (ton pé-tro = Peter = him)
Whom did you send it?
I sent it στον Πέτρο (ston pé-tro)
I sent it to Peter (him)

IV. Κλητική (vocative) is the case that we use when calling someone.

e.g. Peter, come here please!
Πέτρο, (pé-tro) come here please!

483 Gender, number and declension.

Articles, nouns, adjectives, pronouns and participles have gender, number and declension.

γένος	yé-nos	gender
αριθμός	a-rith-mós	number
κλίση	cli-si	declension

484 Gender = Γένος.

The English language being free from noun inflection shows gramatical gender by using pronouns. In Greek this is being done by changing the article and by changing the ending. One should always remember that grammatical gender is a distinction in the form of word according to the distinction of the corresponding sex or lack of it. So in Greek we have three γένη (yé-ni) genders:

αρσενικό	ar-se-ni-kó	- masculine
θηλυκό	thi-li-kó	- feminine
ουδέτερο	u-dhé-the-ro	- neuter

e.g.	**ο** Πέτρ**ος**	o pé-tros
	η Μαρ**ία**	i ma-ri-a
	το βιβλ**ίο**	to vi-vli-o

485 Number = Αριθμός.

In English when a noun refers

to one person or thing is singular
to more than one is plural

The same happens in Greek, but we have different forms for the one and different for (the more than one), the many. The forms referring to one constitute the singular number, while those referring to many constitute the plural.

αριθμός	a-rith-mós	number
ενικός	e-ni-kós	singular
πληθυντικός	pli-thi-ndi-kós	plural

All those that take

ο	are masculine	αρσ.	=	m.
η	are feminine	θηλ.	=	f.
το	are neuter	ουδ.	=	n.

486 Declension = Κλίση.

The way in which the cases are formed is called κλίση.
The inflection of articles, nouns, adjectives, pronouns and participles is called **declension.** All five of them are declined in order to point out changes in case, number and gender.
We have three declensions:

η κλίση των αρσενικών	the declension of the masculine
η κλίση των θηλυκών	the declension of the feminine
η κλίση των ουδετέρων	the declension of the neuter

To decline one of these (five) words means to give the grammatical inflection of it.

487 The verb. A short introductory analysis.

Verbs are words that express action, existence or occurrence. They help us express a full meaning or otherwise form sentences. In a sentence the subject **a.** does something or **b.** suffers something or **c.** undergoes a change or **d.** is in a condition.

488 One should note that in Greek we have **active, passive, middle and neuter verbs.**

Active ενεργητικά (e-ner-ghi-ti-ká) are those verbs whose subject does something i.e. acts.

Passive παθητικά (pa-thi-ti-ká) are those whose subject suffers or otherwise receives an action from somebody else.

Middle μέσα (mé-sa) are those whose subject does something to itself i.e. the subject acts and the action returns to itself.
Neuter ουδέτερα (u-dhé-te-ra) are those that express condition.

The first group of verbs, the active ones, can be **transitive** μεταβατικά (me-ta-va-ti-ká) or **intrasitive** αμετάβατα (a-me-tá-va-ta).

Μεταβατικά are those expressing an action that passes over to some other person or thing, as e.g. in English the verbs that take direct object.

Αμετάβατα are those whose action does not make effect on some person or thing as e.g. in English the intransitive verbs that are not used with an object to complete their meaning.

489 Verbs are conjugated to show **voice, mood, tense, person, and number.**

490 **Voice φωνή** (Phoni) is a grammatical category of verbs according to which an action is referred to as done **by** the subject or **to** the subject.
In the first case we have the **active voice ενεργητική φωνή** (e-ner-ghi-ti-ki) while in the second the **passive voice παθητική φωνή** (pa-thi-ti-ki). The one is performing, the other is receiving.
The group of verbs that end in - ω in the first singular person constitute the active voice, while those that end in - μαι or - ομαι constitute the passive voice.

491 **Mood έγκλιση** (é-ngli-si) is the form of the verb that expresses the speaker's attitude. When the action of state expressed is regarded as fact we have the **indicative mood οριστική** (o-rhi-sti-ki),when regarded as a matter of supposal, desire or possibility we use the **subjunctive υποτακτική** (i-po-ta-kti-ki). In commands we use the **imperative προστακτική** (pro-sta-kti-ki). In present day Greek, wish is expressed by using the forms of the imperative or the subjunctive.

The **infinitive απαρέμφατο** (a-pa-rém-fa-to) and the **participle μετοχή** (me-to-khi) (see section 481) may be thought as moods. The απαρέμφατο has only voice and tense and not person or number (see section s 246 and 342).

The μετοχή is formed in both voices : active and passive (see sections 255 and 344). In the active voice it is formed in the phrasal tense and ends in - οντας or - ώντας. It is not inflected. In the passive voice it is formed from the present or the present perfect tense and it is reflected. It ends in - μένος, - μένη, - μένο. In inflections it follows the rules of the adjective.

492 **Tense χρόνος** (khró-nos = time) is a form of the verb that shows the time of it's action or state of being. Tenses occupy three circles: the present, the past and the future.

493 **The present :** το παρόν (to pa-rón)

Ο ενεστώτας (o e-ne-stó-tas) **the present tense** indicates that something is going on this moment, or takes place repeatedly. It also expresses a state of existence.

Ο παρακείμενος (o pa-ra-ki-me-nos) **the present perfect** represents an act as completed. The emphasis is on the fact that the moment the said act is finished i.e. "perfect"

494 **The past :** το παρελθόν (to pa-rel-thón)

Ο παρατατικός (o pa-ra-ta-ti-kós) the "**imperfect**" indicates that the act meant by the verb went on for some time in the past. The nearest English tense, not formation but in reference to time, is the "**past continuous**".

Ο αόριστος (o a-ó-ri-stos), **aorist or simple past** shows that the act was done in the past. Ther is no need to refer to exact time point of the past as required in the English "past tense".

Ο υπερσυντέλικος (o i-per-si-ndé-li-kos) **past perfect** refers to an act completed at a certain, definite time in the past. It is equal to the English "**past perfect**".

495 The future: το μέλλον (to mé-lon)

Ο εξακολουθητικός μέλλοντας (o e-ksa-ko-lu-thi-ti-kós) **the durative future** represents an act that will go on continously (i.e. without interruption), or repeatedly in the future. The nearest English tense, not in formation but in reference to time, is the "**future continuous**". One should note that the εξακολουθητικός μέλλοντας in the "circle of future" corresponds to the παρατατικός in the circle of past, as far as analogy is concerned.

Ο στιγμιαίος μέλλοντας (o sti-gmi-é-os), **the punctual future** shows that something will take place in the future.

Ο τετελεσμένος μέλλοντας (o te-te-le-smé-nos), **the future perfect** indicates that an act will be completed at a certain time in the future or before it.

So we have:

two tenses for expressing **the present**
three tenses for indicating **the past**, and
three tenses for showing **the future.**

496 Person and number.

In English, personal pronouns are used to denote **person πρόσωπο** (pró-so-po) and **αριθμό** (a-rith-mó) of the verb. The same happens in Greek. But since each personal pronoun corresponds to different endings the distinction of person and number is being made by the endings of the verb too. One should bear in mind that, in Greek, verbs change their endings denote person and number. The denotation is so clear that it leads to practical omission of the personal pronoun.
In each tence we have three persons in the singular and three in the plural i.e. the first, the second and the third person.
The form of the verb that shows that its subject is one or many (persons, animals or things) is called number αριθμός.

Ενικός (e-ni-kós) singular is used when the subject is one.

Πληθυντικός (pli-thi-nti-kós) plural is used when the subjects are many.

In both, singular and plural, we have three persons, the first (I - we), the second (you-you) and the third (he, she, it - they). In Greek we have the corresponding ones (which can easily be omitted), plus the endings. The endings do the work very well. However one should always remember that the verb must agree with it's subject in number and person all the times.
You can see more details about it in each particular lesson regarding the formation of every one of the tenses and it's application.

APPENDIX TWO

VERBS

(Sections 497 - 512)

BASIC FORMS - PATTERNS

TABLES OF CONJUGATION

ANOMALOUS VERBS

Conjugation of the Verb

Greek verbs are divided, according to their endings and the way they are conjugated into two clauses called conjugations

a. To the first conjugation belong the verbs that end in - υ (active voice) and in - ομαι (passive voice).

b. To the second conjugation belong the verbs that end in - ω (active voice) and in - εμαι or - ουμαι (passive voice)

The first conjugation has four subdivisions i.e. groups.

Group one: Χάνω (I lose) and the similar ones (sections 499-500)
Group two: Γράφω (I write) and the similar ones (sections 501-502)
Group Three: Ανοίγω (I open) and the similar ones (sections 503-504), and
Group Four : Στολίζω (I trim, adorn, decorate) and the similar ones (sect. 505-506)

The second conjugation has two subdivisions i.e. groups

Group One: Αγαπώ (I love) and the similar ones (sections 507-508)
Group Two: Κινώ (I move) and the similar ones (sections 509-510)
The verb's conjugations are called "contracted verbs" too.

497 The auxiliary verb έχω

Ενεστώτας				Παρατατικός	Μέλλοντας
Οριστική	Υποτακτική (να, όταν)	Προστακτική	Μετοχή	Οριστική	Οριστική
έχω έχεις έχει έχουμε έχετε έχουν	έχω έχεις έχει έχουμε έχετε έχουν	έχε έχετε	έχοντας	είχα είχες είχε είχαμε είχατε είχαν	θα έχω θα έχεις θα έχει θα έχουμε θα έχετε θα έχουν

498 The auxiliary verb είμαι

Ενεστώτας		Παρατατικός	Μέλλοντας
Οριστική και Υποτακτική	Μετοχή	Οριστική	Οριστική
είμαι είσαι είναι είμαστε είστε είναι	όντας	ήμουν ήσουν ήταν ήμαστε ήσαστε ήταν	θα είμαι θα είσαι θα είναι θα είμαστε θα είστε θα είναι

499 SIMPLE VERBS : GROUP ONE

Ενεργητική Φωνή : χάνω = I lose

Χρόνοι	Οριστική	Υποτακτική (να, για να, όταν κ.λ.π)	Προστακτική	Απαρέμφατο	Μετοχή
Ενεστώτας	χάνω χάνεις χάνει χάνουμε χάνετε χάνουν	χάνω χάνεις χάνει χάνουμε χάνετε χάνουν	χάνε χάνετε		χάνοντας
Παρατατικός	έχανα έχανες έχανε χάναμε χάνατε έχαναν				
Αόριστος	έχασα έχασες έχασε χάσαμε χάσατε έχασαν	χάσω χάσεις χάσει χάσουμε χάσετε χάσουν	χάσε χάστε	χάσει	

Χρόνοι	Οριστική	Υποτακτική (να, για να, όταν κ.λ.π)	Προστακτική	Απαρέμφατο	Μετοχή
Εξακολουθητικός Μέλλοντας	θα χάνω θα χάνεις θα χάνει θα χάνουμε θα χάνετε θα χάνουν				
Στιγμιαίος Μέλλοντας	θα χάσω θα χάσεις θα χάσει θα χάσουμε θα χάσετε θα χάσουν				
Παρακείμενος	έχω χάσει ή έχω χαμένο έχεις χάσει έχεις χαμένο έχει χάσει έχει χαμένο έχουμε χάσει έχουμε χαμένο έχετε χάσει έχετε χαμένο έχουν χάσει έχουν χαμένο	να έχω χάσει ή να έχω χαμένο να έχεις χάσει να έχεις χαμένο να έχει χάσει να έχει χαμένο να έχουμε χάσει να έχουμε χαμένο να έχετε χάσει να έχετε χαμένο να έχουν χάσει να έχουν χαμένο			

Χρόνοι	Οριστική	Υποτακτική (να, για να, όταν κ.λ.π)	Προστακτική	Απαρέμφατο	Μετοχή
Υπερσυντέλικος	είχα χάσει ή είχα χαμένο είχες χάσει είχες χαμένο είχε χάσει είχε χαμένο είχαμε χάσει είχαμε χαμένο είχατε χάσει είχατε χαμένο είχαν χάσει είχαν χαμένο				
Συντελεσμένος Μέλλοντας	θα έχω χάσει ή θα έχω χαμένο θα έχεις χάσει θα έχεις χαμένο θα έχει χάσει θα έχει χαμένο θα έχουμε χάσει θα έχουμε χαμένο θα έχετε χάσει θα έχετε χαμένο θα έχουν χάσει θα έχουν χαμένο				

Παθητική Φωνή : χάνομαι = I am lost, I perish, I disappear

Χρόνοι	Οριστική	Υποτακτική (να, για να, όταν κ.λ.π)	Προστακτική	Απαρέμφατο	Μετοχή
Ενεστώτας	χάνομαι χάνεσαι χάνεται χανόμαστε χάνεστε χάνονται	χάνομαι χάνεσαι χάνεται χανόμαστε χάνεστε χάνονται	χάνου χάνεστε		
Παρατατικός	χανόμουν χανόσουν χανόταν χανόμαστε χανόσαστε χάνονταν				
Αόριστος	χάθηκα χάθηκες χάθηκε χαθήκαμε χαθήκατε χάθηκαν	χαθώ χαθείς χαθεί χαθούμε χαθείτε χαθούν	χάσου χαθείτε	χαθεί	

Χρόνοι	Οριστική	Υποτακτική (να, για να, όταν κ.λ.π)	Προστα-κτική	Απαρέμφατο	Μετοχή
Εξακολουθητικός Μέλλοντας	θα χάνομαι θα χάνεσαι θα χάνεται θα χανόμαστε θα χάνεστε θα χάνονται				
Στιγμιαίος Μέλλοντας	θα χαθώ θα χαθείς θα χαθεί θα χαθούμε θα χαθείτε θα χαθούν				
Παρακείμενος	έχω χαθεί ή είμαι χαμένος έχεις χαθεί είσαι χαμένος έχει χαθεί είναι χαμένος έχουμε χαθεί είμαστε χαμένοι έχετε χαθεί είστε χαμένοι έχουν χαθεί είναι χαμένοι	να έχω χαθεί ή να είμαι χαμένος να έχεις χαθεί να είσαι χαμένος να έχει χαθεί να είναι χαμένος να έχουμε χαθεί να είμαστε χαμένοι να έχετε χαθεί να είστε χαμένοι να έχουν χαθεί να είναι χαμένοι			χαμένος χαμένη χαμένο

Χρόνοι	Οριστική	Υποτακτική (να, για να, όταν κ.λ.π)	Προστακτική	Απαρέμφατο	Μετοχή
Υπερσυντέλικος	είχα χαθεί ή ήμουν χαμένος είχες χαθεί ήσουν χαμένος είχε χαθεί ήταν χαμένος είχαμε χαθεί ήμαστε χαμένοι είχατε χαθεί ήσαστε χαμένοι είχαν χαθεί ήταν χαμένοι				
Συντελεσμένος Μέλλοντας	θα έχω χαθεί ή θα είμαι χαμένος θα έχεις χαθεί θα είσαι χαμένος θα έχει χαθεί θα είναι χαμένος θα έχουμε χαθεί θα είμαστε χαμένοι θα έχετε χαθεί θα είστε χαμένοι θα έχουν χαθεί θα είναι χαμένοι				

501 SIMPLE VERBS : GROUP TWO

Ενεργητική Φωνή : γράφω = I write

Χρόνοι	Οριστική	Υποτακτική (να, για να, όταν κ.λ.π)	Προστακτική	Απαρέμφατο	Μετοχή
Ενεστώτας	γράφω γράφεις γράφει γράφουμε γράφετε γράφουν	γράφω γράφεις γράφει γράφουμε γράφετε γράφουν	γράφε γράφετε		γράφοντας
Παρατατικός	έγραφα έγραφες έγραφε γράφαμε γράφατε έγραφαν				
Αόριστος	έγραψα έγραψες έγραψε γράψαμε γράψατε έγραψαν	γράψω γράψεις γράψει γράψουμε γράψετε γράψουν	γράψε γράψτε	γράψει	

Χρόνοι	Οριστική	Υποτακτική (να, για να, όταν κ.λ.π)	Προστα-κτική	Απαρέμφατο	Μετοχή
Εξακολουθητικός Μέλλοντας	θα γράφω θα γράφεις θα γράφει θα γράφουμε θα γράφετε θα γράφουν				
Στιγμιαίος Μέλλοντας	θα γράψω θα γράψεις θα γράψει θα γράψουμε θα γράψετε θα γράψουν				
Παρακείμενος	έχω γράψει ή έχω γραμμένο έχεις γράψει έχεις γραμμένο έχει γράψει έχεις γραμμένο έχουμε γράψει έχουμε γραμμένο έχετε γράψει έχετε γραμμένο έχουν γράψει έχουν γραμμένο	να έχω γράψει ή να έχω γραμμένο να έχεις γράψει να έχεις γραμμένο να έχεις γράψει να έχει γραμμένο να έχουμε γράψει να έχουμε γραμμένο να έχετε γράψει να έχετε γραμμένο να έχουν γράψει να έχουν γραμμένο			

Χρόνοι	Οριστική	Υποτακτική (να, για να, όταν κ.λ.π)	Προστακτική	Απαρέμφατο	Μετοχή
Υπερσυντέλικος	είχα γράψει ή είχα γραμμένο είχες γράψει είχες γραμμένο είχε γράψει είχε γραμμένο είχαμε γράψει είχαμε γραμμένο είχατε γράψει είχατε γραμμένο είχαν γράψει είχαν γραμμένο				
Συντελεσμένος Μέλλοντας	θα έχω γράψει ή θα έχω γραμμένο θα έχεις γράψει θα έχεις γραμμένο θα έχει γράψει θα έχει γραμμένο θα έχουμε γράψει θα έχουμε γραμμένο θα έχετε γράψει θα έχετε γραμμένο θα έχουν γράψει θα έχουν γραμμένο				

502 SIMPLE VERBS : GROUP TWO

Παθητική Φωνή : γράφομαι

Χρόνοι	Οριστική	Υποτακτική (να, για να, όταν κ.λ.π)	Προστακτική	Απαρέμφατο	Μετοχή
Ενεστώτας	γράφομαι γράφεσαι γράφεται γραφόμαστε γράφεστε γράφονται	γράφομαι γράφεσαι γράφεται γραφόμαστε γράφεστε γράφονται	γράφου γράφεστε		
Παρατατικός	γραφόμουν γραφόσουν γραφόταν γραφόμαστε γραφόσαστε γράφονταν				
Αόριστος	γράφτηκα γράφτηκες γράφτηκε γραφτήκαμε γραφτήκατε γράφτηκαν	γραφτώ γραφτείς γραφτεί γραφτούμε γραφτείτε γραφτούν	γράψου γραφτείτε	γραφτεί	

Χρόνοι	Οριστική	Υποτακτική (να, για να, όταν κ.λ.π)	Προστα-κτική	Απαρέμφατο	Μετοχή
Εξακολουθητικός Μέλλοντας	θα γράφομαι θα γράφεσαι θα γράφεται θα γραφόμαστε θα γράφεστε θα γράφονται				
Στιγμιαίος Μέλλοντας	θα γραφτώ θα γραφτείς θα γραφτεί θα γραφτούμε θα γραφτείτε θα γραφτούν				
Παρακείμενος	έχω γραφτεί ή είμαι γραμμένος έχεις γραφτεί είσαι γραμμένος έχει γραφτεί είναι γραμμένος έχουμεγραφτεί είμαστε γραμμένοι έχετε γραφτεί είστε γραμμένοι έχουν γραφτεί είναι γραμμένοι	να έχω γραφτεί ή να είμαι γραμμένος να έχεις γραφτεί να είσαι γραμμένος να έχει γραφτεί να είναι γραμμένος να έχουμε γραφτεί να είμαστε γραμμένοι να έχετε γραφτεί να είστε γραμμένοι να έχουν γραφτεί να είναι γραμμένοι			γραμμένος γραμμένη γραμμένο

Χρόνοι	Οριστική	Υποτακτική (να, για να, όταν κ.λ.π)	Προστακτική	Απαρέμφατο	Μετοχή
Υπερσυντέλικος	είχα γραφτεί ή ήμουν γραμμένος είχες γραφτεί ήσουν γραμμένος είχε γραφτεί ήταν γραμμένος είχαμε γραφτεί ήμαστε γραμμένοι είχατε γραφτεί ήσαστε γραμμένοι είχαν γραφτεί ήταν γραμμένοι				
Συντελεσμένος Μέλλοντας	θα έχω γραφτεί ή θα είμαι γραμμένος θα έχεις γραφτεί θα είσαι γραμμένος θα έχει γραφτεί θα είναι γραμμένος θα έχουμε γραφτεί θα είμαστε γραμμένοι θα έχετε γραφτεί θα είσαστε γραμμένοι θα έχουν γραφτεί θα είναι γραμμένοι				

503 SIMPLE VERBS : GROUP THREE

Ενεργητική Φωνή : ανοίγω = I open

Χρόνοι	Οριστική	Υποτακτική (να, για να, όταν κ.λ.π)	Προστακτική	Απαρέμφατο	Μετοχή
Ενεστώτας	ανοίγω ανοίγεις ανοίγει ανοίγουμε ανοίγετε ανοίγουν	ανοίγω ανοίγεις ανοίγει ανοίγουμε ανοίγετε ανοίγουν	άνοιγε ανοίγετε		ανοίγοντας
Παρατατικός	άνοιγα άνοιγες άνοιγε ανοίγαμε ανοίγατε άνοιγαν				
Αόριστος	άνοιξα άνοιξες άνοιξε ανοίξαμε ανοίξατε άνοιξαν	ανοίξω ανοίξεις ανοίξει ανοίξουμε ανοίξετε ανοίξουν	άνοιξε ανοίξτε	ανοίξει	

Χρόνοι	Οριστική	Υποτακτική (να, για να, όταν κ.λ.π)	Προστα-κτική	Απαρέμφατο	Μετοχή
Εξακολουθητικός Μέλλοντας	θα ανοίγω θα ανοίγεις θα ανοίγει θα ανοίγουμε θα ανοίγετε θα ανοίγουν				
Στιγμιαίος Μέλλοντας	θα ανοίξω θα ανοίξεις θα ανοίξει θα ανοίξουμε θα ανοίξετε θα ανοίξουν				
Παρακείμενος	έχω ανοίξει ή έχω ανοιγμένο έχεις ανοίξει έχεις ανοιγμένο έχει ανοίξει έχει ανοιγμένο έχουμε ανοίξει έχουμε ανοιγμένο έχετε ανοίξει έχετε ανοιγμένο έχουν ανοίξει έχουν ανοιγμένο	να έχω ανοίξει ή να έχω ανοιγμένο να έχεις ανοίξει να έχεις ανοιγμένο να έχει ανοίξει να έχει ανοιγμένο να έχουμε ανοίξει να έχουμε ανοιγμένο να έχετε ανοίξει να έχετε ανοιγμένο να έχουν ανοίξει να έχουν ανοιγμένο			

Χρόνοι	Οριστική	Υποτακτική (να, για να, όταν κ.λ.π)	Προστακτική	Απαρέμφατο	Μετοχή
Υπερσυντέλικος	είχα ανοίξει ή είχα ανοιγμένο είχες ανοίξει είχες ανοιγμένο είχε ανοίξει είχε ανοιγμένο είχαμε ανοίξει είχαμε ανοιγμένο είχατε ανοίξει είχατε ανοιγμένο είχαν ανοίξει είχαν ανοιγμένο				
Συντελεσμένος Μέλλοντας	θα έχω ανοίξει ή θα έχω ανοιγμένο θα έχεις ανοίξει θα έχεις ανοιγμένο θα έχει ανοίξει θα έχει ανοιγμένο θα έχουμε ανοίξει θα έχουμε ανοιγμένο θα έχετε ανοίξει θα έχετε ανοιγμένο θα έχουν ανοίξει θα έχουν ανοιγμένο				

504 SIMPLE VERBS : GROUP THREE

Παθητική Φωνή : ανοίγομαι

Χρόνοι	Οριστική	Υποτακτική (να, για να, όταν κ.λ.π)	Προστακτική	Απαρέμφατο	Μετοχή
Ενεστώτας	ανοίγομαι ανοίγεσαι ανοίγεται ανοιγόμαστε ανοίγεστε ανοίγονται	ανοίγομαι ανοίγεσαι ανοίγεται ανοιγόμαστε ανοίγεστε ανοίγονται	ανοίγου ανοίγετε		
Παρατατικός	ανοιγόμουν ανοιγόσουν ανοιγόταν ανοιγόμαστε ανοιγόσαστε ανοίγονταν				
Αόριστος	ανοίχτηκα ανοίχτηκες ανοίχτηκε ανοιχτήκαμε ανοιχτήκατε ανοίχτηκαν	ανοιχτώ ανοιχτείς ανοιχτεί ανοιχτούμε ανοιχτείτε ανοιχτούν	ανοίξου ανοιχτείτε	ανοιχτεί	

Χρόνοι	Οριστική	Υποτακτική (να, για να, όταν κ.λ.π)	Προστα-κτική	Απαρέμφατο	Μετοχή
Εξακολουθητικός Μέλλοντας	θα ανοίγομαι θα ανοίγεσαι θα ανοίγεται θα ανοιγόμαστε θα ανοίγεστε θα ανοίγονται				
Στιγμιαίος Μέλλοντας	θα ανοιχτώ θα ανοιχτείς θα ανοιχτεί θα ανοιχτούμε θα ανοιχτείτε θα ανοιχτούν				
Παρακείμενος	έχω ανοιχτεί ή είμαι ανοιγμένος έχεις ανοιχτεί είσαι ανοιγμένος έχει ανοιχτεί είναι ανοιγμένος έχουμε ανοιχτεί είμαστε ανοιγμένοι έχετε ανοιχτεί είστε ανοιγμένοι έχουν ανοιχτεί είναι ανοιγμένοι	να έχω ανοιχτεί ή να είμαι ανοιγμένος να έχεις ανοιχτεί να είσαι ανοιγμένος να έχει ανοιχτεί να είναι ανοιγμένος να έχουμε ανοιχτεί να είμαστε ανοιγμένοι να έχετε ανοιχτεί να είστε ανοιγμένοι να έχουν ανοιχτεί να είναι ανοιγμένοι			ανοιγμένος ανοιγμένη ανοιγμένο

Χρόνοι	Οριστική	Υποτακτική (να, για να, όταν κ.λ.π)	Προστακτική	Απαρέμφατο	Μετοχή
Υπερσυντέλικος	είχα ανοιχτεί ή ήμουν ανοιγμένος είχες ανοιχτεί ήσουν ανοιγμένος είχε ανοιχτεί ήταν ανοιγμένος είχαμε ανοιχτεί ήμαστε ανοιγμένοι είχατε ανοιχτεί ήσαστε ανοιγμένοι είχαν ανοιχτεί ήταν ανοιγμένοι				
Συντελεσμένος Μέλλοντας	θα έχω ανοιχτεί ή θα είμαι ανοιγμένος θα έχεις ανοιχτεί θα είσαι ανοιγμένος θα έχει ανοιχτεί θα είναι ανοιγμένος θα έχουμε ανοιχτεί θα είμαστε ανοιγμένοι θα έχετε ανοιχτεί θα είστε ανοιγμένοι θα έχουν ανοιχτεί θα είναι ανοιγμένοι				

505 SIMPLE VERBS : GROUP FOUR

Ενεργητική Φωνή : στολίζω = I trim, I adorn, I decorate

Χρόνοι	Οριστική	Υποτακτική (να, για να, όταν κ.λ.π)	Προστακτική	Απαρέμφατο	Μετοχή
Ενεστώτας	στολίζω στολίζεις στολίζει στολίζουμε στολίζετε στολίζουν	στολίζω στολίζεις στολίζει στολίζουμε στολίζετε στολίζουν	στόλιζε στολίζετε		στολίζοντας
Παρατατικός	στόλιζα στόλιζες στόλιζε στολίζαμε στολίζατε στόλιζαν				
Αόριστος	στόλισα στόλισες στόλισε στολίσαμε στολίσατε στόλισαν	στολίσω στολίσεις στολίσει στολίσουμε στολίσετε στολίσουν	στόλισε στολίστε	στολίσει	

Χρόνοι	Οριστική	Υποτακτική (να, για να, όταν κ.λ.π)	Προστα-κτική	Απαρέμφατο	Μετοχή
Εξακολουθητικός Μέλλοντας	θα στολίζω θα στολίζεις θα στολίζει θα στολίζουμε θα στολίζετε θα στολίζουν				
Στιγμιαίος Μέλλοντας	θα στολίσω θα στολίσεις θα στολίσει θα στολίσουμε θα στολίσετε θα στολίσουν				
Παρακείμενος	έχω στολίσει ή έχω στολισμένο έχεις στολίσει έχεις στολισμένο έχει στολίσει έχει στολισμένο έχουμε στολίσει έχουμε στολισμένο έχετε στολίσει έχετε στολισμένο έχουν στολίσει έχουν στολισμένο	να έχω στολίσει ή να έχω στολισμένο να έχεις στολίσει να έχεις στολισμένο να έχει στολίσει να έχει στολισμένο να έχουμε στολίσει να έχουμε στολισμένο να έχετε στολίσει να έχετε στολισμένο να έχουν στολίσει να έχουν στολισμένο			

Χρόνοι	Οριστική	Υποτακτική (να, για να, όταν κ.λ.π)	Προστακτική	Απαρέμφατο	Μετοχή
Υπερσυντέλικος	είχα στολίσει ή είχα στολισμένο είχες στολίσει είχες στολισμένο είχε στολίσει είχε στολισμένο είχαμε στολίσει είχαμε στολισμένο είχατε στολίσει είχατε στολισμένο είχαν στολίσει είχαν στολισμένο				
Συντελεσμένος Μέλλοντας	θα έχω στολίσει ή θα έχω στολισμένο θα έχεις στολίσει θα έχεις στολισμένο θα έχει στολίσει θα έχει στολισμένο θα έχουμε στολίσει θα έχουμε στολισμένο θα έχετε στολίσει θα έχετε στολισμένο θα έχουν στολίσει θα έχουν στολισμένο				

506 SIMPLE VERBS : GROUP FOUR

Παθητική Φωνή : στολίζομαι

Χρόνοι	Οριστική	Υποτακτική (να, για να, όταν κ.λ.π)	Προστακτική	Απαρέμφατο	Μετοχή
Ενεστώτας	στολίζομαι στολίζεσαι στολίζεται στολιζόμαστε στολίζεστε στολίζονται	στολίζομαι στολίζεσαι στολίζεται στολιζόμαστε στολίζεστε στολίζονται	στολίζου στολίζεστε		
Παρατατικός	στολιζόμουν στολιζόσουν στολιζόταν στολιζόμαστε στολιζόσατε στολίζονταν				
Αόριστος	στολίστηκα στολίστηκες στολίστηκε στολιστήκαμε στολιστήκατε στολίστηκαν	στολιστώ στολιστείς στολιστεί στολιστούμε στολιστείτε στολιστούν	στολίσου στολιστείτε	στολιστεί	

Χρόνοι	Οριστική	Υποτακτική (να, για να, όταν κ.λ.π)	Προστα-κτική	Απαρέμφατο	Μετοχή
Εξακολουθητικός Μέλλοντας	θα στολίζομαι θα στολίζεσαι θα στολίζεται θα στολιζόμαστε θα στολίζεστε θα στολίζονται				
Στιγμιαίος Μέλλοντας	θα στολιστώ θα στολιστείς θα στολιστεί θα στολιστούμε θα στολιστείτε θα στολιστούν				
Παρακείμενος	έχω στολιστεί ή είμαι στολισμένος έχεις στολιστεί είσαι στολισμένος έχει στολιστεί είναι στολισμένος έχουμε στολιστεί είμαστε στολισμένοι έχετε στολιστεί είστε στολισμένοι έχουν στολιστεί είναι στολισμένοι	να έχω στολιστεί ή να είμαι στολισμένος να έχεις στολιστεί να είσαι στολισμένος να έχει στολιστεί να είναι στολισμένος να έχουμε στολιστεί να είμαστε στολισμένοι να έχετε στολιστεί να είστε στολισμένοι να έχουν στολιστεί να είναι στολισμένοι			στολισμένος στολισμένη στολισμένο

Χρόνοι	Οριστική	Υποτακτική (να, για να, όταν κ.λ.π)	Προστακτική	Απαρέμφατο	Μετοχή
Υπερσυντέλικος	είχα στολιστεί ή ήμουν στολισμένος είχες στολιστεί ήσουν στολισμένος είχε στολιστεί ήταν στολισμένος είχαμε στολιστεί ήμαστε στολισμένοι είχατε στολιστεί ήσαστε στολισμένοι είχαν στολιστεί ήταν στολισμένοι				
Συντελεσμένος Μέλλοντας	θα έχω στολιστεί ή θα είμαι στολισμένος θα έχεις στολιστεί θα είσαι στολισμένος θα έχει στολιστεί θα είναι στολισμένος θα έχουμε στολιστεί θα είμαστε στολισμένοι θα έχετε στολιστεί θα είστε στολισμένοι θα έχουν στολιστεί θα είναι στολισμένοι				

507 CONTRACTED VERBS: GROUP ONE

Ενεργητική Φωνή : αγαπώ = I love

Χρόνοι	Οριστική	Υποτακτική (να, για να, όταν κ.λ.π)	Προστακτική	Απαρέμφατο	Μετοχή
Ενεστώτας	αγαπώ αγαπάς αγαπά ή αγαπάει αγαπάμε αγαπάτε αγαπούν	αγαπώ αγαπάς αγαπά ή αγαπάει αγαπάμε αγαπάτε αγαπούν	αγάπα αγαπάτε		αγαπώντας
Παρατατικός	αγαπούσα αγαπούσες αγαπούσε αγαπούσαμε αγαπούσατε αγαπούσαν				
Αόριστος	αγάπησα αγάπησες αγάπησε αγαπήσαμε αγαπήσατε αγάπησαν	αγαπήσω αγαπήσεις αγαπήσει αγαπήσουμε αγαπήσετε αγαπήσουν	αγάπησε αγαπήστε	αγαπήσει	

Χρόνοι	Οριστική	Υποτακτική (να, για να, όταν κ.λ.π)	Προστα- κτική	Απαρέμφατο	Μετοχή
Εξακολουθητικός Μέλλοντας	θα αγαπώ θα αγαπάς θα αγαπά θα αγαπάμε θα αγαπάτε θα αγαπούν ή θα αγαπάν				
Στιγμιαίος Μέλλοντας	θα αγαπήσω θα αγαπήσεις θα αγαπήσει θα αγαπήσουμε θα αγαπήσετε θα αγαπήσουν				
Παρακείμενος	έχω αγαπήσει ή έχω αγαπημένο έχεις αγαπήσει έχει αγαπήσει έχουμε αγαπήσει έχετε αγαπήσει έχουν αγαπήσει	να έχω αγαπήσει ή να έχω αγαπημένο να έχεις αγαπήσει να έχει αγαπήσει να έχουμε αγαπήσει να έχετε αγαπήσει να έχουν αγαπήσει			

Χρόνοι	Οριστική	Υποτακτική (να, για να, όταν κ.λ.π)	Προστακτική	Απαρέμφατο	Μετοχή
Υπερσυντέλικος	είχα αγαπήσει ή είχα αγαπημένο είχες αγαπήσει είχε αγαπήσει είχαμε αγαπήσει είχατε αγαπήσει είχαν αγαπήσει				
Συντελεσμένος Μέλλοντας	θα έχω αγαπήσει ή θα έχω αγαπημένο θα έχεις αγαπήσει θα έχει αγαπήσει θα έχουμε αγαπήσει θα έχετε αγαπήσει θα έχουν αγαπήσει				

508 CONTRACTED VERBS: GROUP ONE

Παθητική Φωνή : αγαπιέμαι

Χρόνοι	Οριστική	Υποτακτική (να, για να, όταν κ.λ.π)	Προστακτική	Απαρέμφατο	Μετοχή
Ενεστώτας	αγαπιέμαι αγαπιέσαι αγαπιέται αγαπιόμαστε αγαπιέστε αγαπιούνται	αγαπιέμαι αγαπιέσαι αγαπιέται αγαπιόμαστε αγαπιέστε αγαπιούνται			
Παρατατικός	αγαπιόμουν αγαπιόσουν αγαπιόταν αγαπιόμαστε αγαπιόσαστε αγαπιόνταν				
Αόριστος	αγαπήθηκα αγαπήθηκες αγαπήθηκε αγαπηθήκαμε αγαπηθήκατε αγαπήθηκαν	αγαπηθώ αγαπηθείς αγαπηθεί αγαπηθούμε αγαπηθείτε αγαπηθούν	αγαπήσου αγαπηθείτε	αγαπηθεί	

Χρόνοι	Οριστική	Υποτακτική (να, για να, όταν κ.λ.π)	Προστα-κτική	Απαρέμφατο	Μετοχή
Εξακολουθητικός Μέλλοντας	θα αγαπιέμαι θα αγαπιέσαι θα αγαπιέται θα αγαπιόμαστε θα αγαπιέστε θα αγαπιούνται				
Στιγμιαίος Μέλλοντας	θα αγαπηθώ θα αγαπηθείς θα αγαπηθεί θα αγαπηθούμε θα αγαπηθείτε θα αγαπηθούν				
Παρακείμενος	έχω αγαπηθεί ή είμαι αγαπημένος έχεις αγαπηθεί είσαι αγαπημένος έχει αγαπηθεί είναι αγαπημένος έχουμε αγαπηθεί είμαστε αγαπημένοι έχετε αγαπηθεί είστε αγαπημένοι έχουν αγαπηθεί είναι αγαπημένοι	να έχω αγαπηθεί ή να είμαι αγαπημένος να έχεις αγαπηθεί να είσαι αγαπημένος να έχει αγαπηθεί να είναι αγαπημένος να έχουμε αγαπηθεί να είμαστε αγαπημένοι να έχετε αγαπηθεί να είστε αγαπημένοι να έχουν αγαπηθεί να είναι αγαπημένοι			αγαπημένος αγαπημένη αγαπημένο

Χρόνοι	Οριστική	Υποτακτική (να, για να, όταν κ.λ.π)	Προστακτική	Απαρέμφατο	Μετοχή
Υπερσυντέλικος	είχα αγαπηθεί ή ήμουν αγαπημένος είχες αγαπηθεί ήσουν αγαπημένος είχε αγαπηθεί ήταν αγαπημένος είχαμε αγαπηθεί ήμαστε αγαπημένοι είχατε αγαπηθεί ήσαστε αγαπημένοι είχαν αγαπηθεί ήταν αγαπημένοι				
Συντελεσμένος Μέλλοντας	θα έχω αγαπηθεί ή θα είμαι αγαπημένος θα έχεις αγαπηθεί θα είσαι αγαπημένος θα έχει αγαπηθεί θα είναι αγαπημένος θα έχουμε αγαπηθεί θα είμαστε αγαπημένοι θα έχετε αγαπηθεί θα είστε αγαπημένοι θα έχουν αγαπηθεί θα είναι αγαπημένοι				

509 CONTRACTED VERBS: GROUP TWO

Ενεργητική Φωνή : κινώ = I move

Ενεστώτας			
Οριστική	Υποτακτική	Προστακτική	Μετοχή
κινώ κινείς κινεί κινούμε κινείτε κινούν	κινώ κινείς κινεί κινούμε κινείτε κινούν	κίνει κινείτε	κινώντας

The rest tenses and moods are formed according to the first group of contracted verbs.

N.B. In some verbs of this group the imperative ends in -α like the verb of the first group : π.χ. τηλεφώνα.

510 **Παθητική Φωνή :** κινούμαι

Ενεστώτας Οριστική και Υποτακτική	**Παρατατικός** Οριστική
κινούμαι κινείσαι κινείται κινούμαστε κινείστε κινούνται	κινιόμουν κινιόσουν κινιόταν κινιόμαστε κινιόσαστε κινιόνταν

φοβάμαι = I am afraid of

Ενεστώτας Οριστική και Υποτακτική	**Παρατατικός** Οριστική
φοβούμαι ή φοβάμαι φοβάσαι φοβάται φοβούμαστε ή φοβόμαστε φοβάστε φοβούνται	φοβόμουν φοβόσουν φοβόταν φοβόμαστε φοβόσαστε φοβόνταν ή φοβούνταν

The rest tenses and moods are formed according to the first group of contracted verbs. (See more in section 361)

511 ANOMALOUS VERBS

Here is a list of the most difficult ones.

Ενεστώτα	ανεβαίνω	αφήνω	βγαίνω	βλέπω
Αόριστος	ανέβηκα	άφησα	βγήκα	είδα
Μέλλοντας Στιγμιαίος	θα ανέβω	θα αφήσω ή θα ανεβώ	θα βγω	θα δω ή θα ιδώ
Προστακτική Αορίστου	ανέβα ανεβείτε	άφησε ή άσε αφήστε	έβγα ή βγες βγείτε	δες ή ιδές δείτε ή δέστε
Απαρέμφατο	ανεβεί ή ανέβει	αφήσει	βγεις	δει ή ιδεί
Παθητικός Αόριστος	ανεβάστηκα	αφέθηκα	βγάλθηκα	ειδώθηκα
Παθητική Μετοχή	ανεβασμένος	αφημένος	βγαλμένος	ιδωμένος

Ενεστώτας	βρίσκω	διαβαίνω	δίνω	έρχομαι
Αόριστος	βρήκα	διάβηκα	έδωσα	ήρθα
Μέλλοντας Στιγμιαίος	θα βρω	θα διαβώ	θα δώσω	θα έρθω θά 'ρθω ή θα 'ρθω
Προστακτική Αορίστου	βρες βρέστε ή βρείτε	διάβα διαβείτε	δώσε δώστε	έλα ελάτε
Απαρέμφατο	βρει	διαβεί	δώσει	έρθει
Παθητικός Αόριστος	βρέθηκα		δόθηκα	
Παθητική Μετοχή			δοσμένος	

Ενεστώτας	κατεβαίνω	λέω	μπαίνω	πηγαίνω ή πάω
Αόριστος	κατέβηκα	είπα	μπήκα	πήγα
Μέλλοντας Στιγμιαίος	θα κατέβω ή θα κατεβώ	θα πω	θα μπω	θα πάω
Προστακτική Αορίστου	κατέβα κατεβείτε	πες πέστε ή πείτε	έμπα ή μπες μπείτε	πήγαινε πάτε
Απαρέμφατο	κατέβει ή κατεβεί	πει	μπει	πάει
Παθητικός Αόριστος	κατεβάστηκα	ειπώθηκα ή λέχθηκα		
Παθητική Μετοχή	κατεβασμένος	ειπωμένος	μπασμένος	

Ενεστώτας	πίνω	στέλνω	συστήνω	τρώω
Αόριστος	ήπια	έστειλα	σύστησα	έφαγα
Μέλλοντας Στιγμιαίος	θα πιω	θα στείλω	θα συστήσω	θα φάω
Προστακτική Αορίστου	πιες ή πιείτε ή πιέστε	στείλε στείλτε	σύστησε συστήστε	φάε φάτε
Απαρέμφατο	πιει	στείλει	συστήσει	φάει
Παθητικός Αόριστος	πιώθηκα	στάλθηκα	συστήθηκα	φαγώθηκα
Παθητική Μετοχή	πιωμένος	σταλμένος	συστημένος	φαγωμένος

512 Here is another list of the less difficult anomalous verbs

Ενεστώτας	Αόριστος	Παθητικός Αόριστος	Παθητική Μετοχή
ανασταίνω	ανάστησα	αναστήθηκα	αναστημένος
αποσταίνω	απόστασα		αποσταμένος
αρέσω	άρεσα		
αρταίνω	άρτυσα	αρτύθηκα	αρτυμένος
αυξάνω	αύξησα	αυξήθηκα	αυξημένος
βάζω	έβαλα	βάλθηκα	βαλμένος
-βάλλω (προσ-, ανα-,	-βαλα ή	-βλήθηκα ή	
κατα-, αμφι-)	-έβαλα	-εβλήθηκα	
βγάζω	έβγαλα	βγάλθηκα	βγαλμένος
βόσκω	βόσκησα	βοσκήθηκα	βοσκημένος
βρέχω	έβρεξα	βράχηκα	βρεγμένος ή βρεμένος
γδέρνω	έγδαρα	γδάρθηκα	γδαρμένος
γέρνω	έγειρα		γερμένος
γίνομαι	έγινα	γίνηκα	γινωμένος
δέρνω	έδειρα	δάρθηκα	δαρμένος
διαμαρτύρομαι		διαμαρτυρήθηκα	διαμαρτυρημένος
διδάσκω	δίδαξα	διδάχτηκα	διδαγμένος
εγκατασταίνω ή	εγκατάστησα	εγκαταστάθηκα	εγκαταστημένος
εγκαθιστώ			
εκθέτω	εξέθεσα	εξετέθηκα	εκτεθειμένος
εύχομαι		ευχήθηκα	
θέλω	θέλησα		
θέτω	έθεσα		
(εκ-, μετα-, κατα-)		-τέθηκα	-τεθειμένος

Ενεστώτας	Αόριστος	Παθητικός Αόριστος	Παθητική Μετοχή
κάθομαι	κάθισα ή έκατσα		καθισμένος
καίω	έκαψα	κάηκα	καμένος
κάνω	έκανα		καμωμένος
καταλαβαίνω	κατάλαβα		
κλαίω	έκλαψα	κλάφτηκα	κλαμένος
λαβαίνω	έλαβα		
λαχαίνω	έλαχα		
μαθαίνω	έμαθα	μαθεύτηκε (γ΄πρόσ.)	μαθημένος
μακρύνω (απο-)	μάκρυνα	απομακρύνθηκα	απομακρυσμένος
(μακραίνω)	μάκρυνα		
μένω	έμεινα		
ντρέπομαι		ντράπηκα	
παθαίνω		έπαθα	
παίρνω	πήρα	πάρθηκα	παρμένος
παραγγέλνω	παράγγειλα	παραγγέλθηκα	παραγγελμένος
παράγω	παρήγαγα	παράχθηκα	
πεθαίνω	πέθανα		πεθαμένος
πετυχαίνω	πέτυχα		πετυχημένος
πέφτω	έπεσα		πεσμένος
πλένω	έπλυνα	πλύθηκα	πλυμένος
σέβομαι		σεβάστηκα	
σέρνω	έσυρα	σύρθηκα	συρμένος
σιχαίνομαι		σιχάθηκα	σιχαμένος
σπέρνω	έσπειρα	σπάρθηκα	σπαρμένος
στέκομαι		στάθηκα (Προστακτ.: στάσου)	

Ενεστώτας	Αόριστος	Παθητικός Αόριστος	Παθητική Μετοχή
στρέφω	έστρεψα	στράφηκα	στραμμένος
συμβαίνει	συνέβη		
σωπαίνω	σώπασα		
(σιωπώ, απο-, παρα-)	-σιώπησα	-σιωπήθηκα	-σιωπημένος
τείνω	έτεινα		
(προ-, παρα-)	-ετεινα	-τάθηκα	-τεταμένος
τρέπω	έτρεψα	τράπηκα	
(επι-, απο-)	-ετρεψα		-τετραμμένος
τυχαίνω έτυχα			
(απο-, πε-)	-ετυχα		-τυχημένος
υπόσχομαι		υποσχέθηκα	υποσχεμένος
φαίνομαι		φάνηκα	
(κακο-)		κακοφάνηκα	κακοφανισμένος
φεύγω	έφυγα		
φταίω		έφταιξα	Μετ. ενεστώτος :
χαίρομαι		χάρηκα	χαρούμενος
χορταίνω	χόρτασα		χορτασμένος
ψέλνω	έψαλα	ψάλθηκε (γ ΄πρόσ.)	ψαλμένος

APPENDIX THREE

ANNOTATED TEXTS
for
COMPREHENSION AND TRANSLATION
(Sections 513 - 524)

513 Το «χόμπι», που είναι πολύ **της μόδας**[1] στον καιρό μας, **στηρίζεται**[2] στο γεγονός ότι πολλοί εργαζόμενοι δε βρίσκουν στη δουλειά που κάνουν, για να κερδίσουν **το καθημερινό**[3], την **εσωτερική**[4] χαρά που ζητά κάθε άνθρωπος. Έτσι, αποκτούν μια **απασχόληση**[5] της **εκλογής τους**[6], ένα «χόμπι», στο οποίο αφιερώνουν τον περισσότερο από τον ελεύθερο καιρό τους.
Βέβαια[7], θα πει κανείς ότι το «χόμπι» έχει και μια άλλη ψυχολογική βάση: να φύγει[8] κανείς μακριά από τη δουλειά που τον κουράζει. Σωστό κι **αυτό**[9]. Και στη μια περίπτωση και στην άλλη, το αίσθημα της **φυγής**[10] ή **της**[11] μη **ικανοποίησης**[12] είναι αποτέλεσμα της ανάγκης για κάτι περισσότερο, για **κάτι έξω**[13] από τη ρουτίνα[14] της δουλειάς.
Ένα **σαββατοκύριακο**[15] μακριά από την πόλη, **στην εξοχή**[16], είναι **βέβαια**[17] μια **σωματική**[18] ανάγκη, αλλά και μια **απόδειξη**[19] του **άγχους**[20] του σημερινού ανθρώπου, που φαίνεται να **ξεχνά**[21] το γεγονός ότι η ευτυχία **στηρίζεται**[22] πρώτα στη σκέψη και στη θέληση και **κατόπιν**[23] **στην ύλη.**[24]

1. in fashion 2. rests on 3. day's living 4. inner 5. pastime 6. choice 7. naturally 8. flee 9. that's right too 10. wish to escape 11. that of 12. non-satisfaction 13. out-side 14. drudgery 15.weekend 16. in the countryside 17.of course 18.bodily 19. sign 20. angst, pressure 21.forgetful 22. depends on 23. after that 24. material well-being.

514 Ο άνθρωπος κυνηγά την ευτυχία. Πολλοί **προσπάθησαν**[1] να δώσουν έναν **επιτυχημένο**[2] ορισμό. Ο Βολταίρος είπε ότι η ευτυχία **μοιάζει**[3] με την Ιθάκη που **έφευγε**[4] για πάντα εμπρός από τον Οδυσσέα. Ο Επίκτητος είπε ότι η ευτυχία δε **συνίσταται**[5] στο **να αποκτάς**[6] και να απολαμβάνεις, αλλά στο να μην επιθυμείς για να **μένεις**[7] ελεύθερος. Πολλοί είναι εκείνοι που πιστεύουν ότι γίνονται ευτυχισμένοι μόνο όταν **ασχολούνται**[8] με την ευτυχία των άλλων. **Με**[9] άλλα λόγια η ευτυχία είναι η **εκπλήρωση**[10] μιας αφοσίωσης. Κάποιος μου έλεγε **προχθές**[11] ότι ευτυχία γι'αυτόν είναι να κατέχει ό,τι δεν παύει να **ποθεί**[12].
Οι Κινέζοι λένε ότι το να γυρεύει κανείς μια **ολοκληρωμένη**[13] ευτυχία στη γη, είναι το να ζητάει κανείς **ουρανό**[14] χωρίς σύννεφα.
Ο πιο **προσγειωμένος**[15] ορισμός της ευτυχίας είναι εκείνος που έδωσε ένας βαθύς μελετητής[16] και **σοφός**[17] **λογοτέχνης**[18] του καιρού μας.
«Ευτυχία είναι το **ν'αγαπάς**[19] την εργασία σου». Και συνεχίζει **ο λόγιος**[20] «λένε με δυο λόγια ότι η ευτυχία κάνει το χρόνο να περνά **ανεπαίσθητα**[21]. Και αφού ο καθένας μας εργάζεται για να ζήσει, ορθό και **όσιο**[22] **μέλημα**[23] του καθενός θα ήταν πώς θα είναι ευχάριστη η εργασία του, δε θα ήταν **όμως**[24] ποτέ, αν ο ίδιος δεν την **αγαπά**[25]. **Στοιχειώδες**[26], λοιπόν, καθήκον του **εργαζομένου**[27] είναι ν'αγαπά την εργασία του, αφού η **αγάπη του**[28] θα του **αποδοθεί**[29] με ευτυχία.

1. try-ied 2. apt 3. is like 4.fled 5. consist in 6. acquiring 7. stay 8. busy themselves 9.in 10.fulfillment 11. the other day 12. longing for 13. complete, perfect 14. sky 15. concrete 16.deep thinker 17. learned 18. scholar 19....ing 20. scholar 21. unaware 22. sacred, precious 23. concern 24. though 25. did... 26. fundamental 27. working person 28. devotion 29. repaid in...

515 Όλη την Ελλάδα, χιλιόμετρο **προς**[1] χιλιόμετρο, με **αφετηρία**[2] την Αθήνα, **σας δίνει**[3] ο «Τουριστικός Οδηγός».
Σας περιγράφει όλες τις **οδικές διαδρομές**[4], με όλα όσα θα συναντήσετε, **φυσικές καλλονές**[5], βουνά, ποτάμια, πεδιάδες, αρχαιολογικά και ιστορικά **μέρη**[6], **ακτές**[7], δάση, **σπήλαια**[8], βρύσες, **τό-**

πους[9] κατασκηνώσεων κ.λ.π., σας **κατατοπίζει**[10] για την **κατάσταση**[11] των δρόμων και αναφέρει **χιλιομετρήσεις**[12], πρατήρια **βενζίνης**[13], **εξυπηρέτηση**[14] κ.λ.π.
Σας ξεναγεί[15] στις πόλεις, κωμοπόλεις και χωριά.
Σας κατατοπίζει[16] για τις **συγκοινωνίες**[17], για τα ξενοδοχεία με τις τιμές τους, για τα κέντρα **διασκεδάσεως**[18], για όλα όσα **διευκολύνουν**[19] **το ταξίδι**[20] και τη **διαμονή**[21] σας.
Οι ξένοι γνωρίζουν την Ελλάδα καλύτερα **από μας**[22]. Ας **γνωρίσουμε**[23] και εμείς την πατρίδα μας.
Ο «Τουριστικός Οδηγός» μάς βοηθά απλά και ευχάριστα.
Γονείς, δώστε στα παιδιά σας το **μοναδικό**[24] βιβλίο που θα βοηθήσει να **μάθουν**[25] την Ελλάδα.
Εκπαιδευτικοί[26], ο «Τουριστικός Οδηγός» σάς βοηθά στη **διδασκαλία**[27] σας.

1. by 2. starting from 3. is offered 4. motoring routes 5. natural beauty, scenery 6. places 7. beaches 8. grotto 9. natural beauty, scenery sites 10. gives information 11. state 12. distances in kms 13. gas (petrol) stations 14. servicing 15. guides around 16. brings up to date 17. transportation 18. entertainment spots 19. all that makes 20. trip 21. stay, stopovers 22. than we do 23. come to know 24. unique 25. get acquainted with 26. educators 27. teaching

516 Η συγγραφή και η **σύνταξη**[1] της **ύλης**[2] της εγκυκλοπαίδειάς μας, **αποτελούν**[3] το **αποκορύφωμα**[4] των προσπαθειών μας επί **σειρά**[5] ετών.
-Είναι μια νέα εγκυκλοπαίδεια γραμμένη στη γλώσσα του λαού μας, από ε**πιφανείς**[6] καθηγητές, **λόγιους**[7], **λογοτέχνες**[8], δημοσιογράφους και **πληθώρα**[9] άλλων **ειδικών**[10].
-Φιλοδοξία μας είναι να προσφέρουμε στο ελληνικό αναγνωστικό κοινό κάτι το νέο, που θα **περιέχει**[11] **κάθε γνώση**[12] από **καταβολής κόσμου**[13], μέχρι σήμερα, **με**[14] σύντομο και **εύληπτο**[15] τρόπο. Κάτι που **παρόμοιο**[16] να **μην**[17] υπάρχει στον τόπο μας, αλλά και να είναι ανώτερο των περισσοτέρων **δίτομων**[18] ευρωπαϊκών εγκυκλοπαιδειών.
– **Σύνθημά**[19] μας : «Όχι πλέον πολύτομα και **δύσχρηστα**[20] έργα **με**[21] 20-30 τόμους. Τα πλέον **ενδεδειγμένα**[22]: δίτομα, **συνοπτικά**[23] **-νέα-σύγχρονα**[24] έργα στη γλώσσα μας».
– Η «Μικρή Εγκυκλοπαίδεια» είναι το **απαραίτητο**[25] βοήθημα για κάθε σπουδαστή και **μαθητή**[26], γιατί δόθηκε ειδική **προέκταση**[27] στα θέματα της Ιστορίας, της Λαογραφίας, της Νεοελληνικής Λογοτεχνίας κ.λ.π., που αφορούν άμεσα τους σπουδαστές.
– Οι **διαστρεβλώσεις**[28] και οι **αναλήθειες**[29] δεν έχουν θέση στο **χώρο**[30] της εγκυκλοπαίδειάς μας. Οδηγός μας η εκλαΐκευση της επιστήμης και της ιστορίας.

1. editing 2. subject - matter 3. make up 4. crowning point 5. a number 6. outstanding 7. men of letters 8. writers 9. a host 10. experts 11. contents 12. kind of knowledge 13. Creation 14. in 15. readable 16. like which 17. nothing 18. two-volume 19. motto 20. unwiedly 21. of 22. suitable ones 23. compact 25. get acquainted with 26. pupil 27. range 28. distortions 29. untruths 30. place, area

517 Για να γίνει κανείς **ξεναγός**[1] πρέπει να **παρακολουθήσει**[2] την Ειδική Σχολή Ξεναγών και **εκτός τούτου**[3], **να ξέρει**[4] τουλάχιστο δύο ξένες γλώσσες.
Στην ειδική δε σχολή, **όπου οι υποψήφιοι φοιτούν**[5] ένα χρόνο, διδάσκονται:
Αρχαιολογία, **Βυζαντινολογία**[6], Ιστορία Αρχαίας και Νεώτερης Ελλάδας, **Λαογραφία**[7], Τουριστική Γεωγραφία και άλλα τουριστικά θέματα.
Η απορρόφηση[8] των ξεναγών σε εργασίες **είναι ανάλογη**[9] με τις ανάγκες των **τουριστικών γρα-**

φείων[10], που αναλαμβάνουν **περιηγήσεις**[11] **ξένων**[12]. Η εργασία τους είναι **εποχικής**[13] φύσης, γιατί δεν έχει αναπτυχθεί στην Ελλάδα ο χειμερινός τουρισμός.
Στην Αθήνα **λειτουργούν**[14] 500 περίπου τουριστικά γραφεία, τα οποία **προσλαμβάνουν**[15] ξεναγούς κατά τη διάρκεια της τουριστικής **κίνησης**[16], που αρχίζει το Μάρτιο και τελειώνει **στα μέσα**[17] Οκτωβρίου.
Η αμοιβή των ξεναγών **ποικίλλει**[18] ανάλογα με τις ώρες εργασίας τους, τον αριθμό **των ξεναγούμενων**[19] ατόμων, **τους τόπους**[20] περιηγήσεως και τις ειδικές **περιπτώσεις**[21] ξενάγησης. **Κυμαίνεται**[22] από 10.000 δραχμές τη μέρα μέχρι 20.000 δραχμές (**ειδικές**[23] περιπτώσεις).
Κατά μέσο[24] όρο, ο ξεναγός κερδίζει από την εργασία του 200.000 **έως**[25] 300.000 δρχ. το μήνα. Η αμοιβή αυτή **καταβάλλεται**[26] από το τουριστικό γραφείο όπου **προσλαμβάνεται.**[27]

1. tourist guide 2. attend 3. in addition 4. have command of 5. candidates study 6. Byzantine culture 7. folk-lore 8. employment for 9. is proportional to 10. tourist bureaus, tourist agencies 11. tours for 12. visitors, sight-seers 13. seasonal 14. in operation 15. emloy, hire 16. traffic 17. by mind 18. varies 19. shown around 20. sites 21. special cases 22. ranges 23. exceptional 24. on an average 25. to 26. is engaged 27. hired, employed

518 Για να γίνει κανείς **δημοσιογράφος**[1] τον παλιό καιρό, έπρεπε να πιάσει δουλειά σε μια εφημερίδα **από πολύ μικρός**[2]. Να αρχίσει δουλεύοντας **στο τυπογραφείο**[3] και σιγά-σιγά να γράφει μικρά κομμάτια μέχρι **να βρει**[4] τη θέση του εκεί **όπου**[5] το ταλέντο του θα τον **ωθούσε**[6]: **Διευθυντής Σύνταξης**[7] μιας μεγάλης εφημερίδας ή περιοδικού, ας πούμε.
Πολλοί από τους **σημερινούς**[8] επιτυχημένους **δημοσιογράφους καριέρας**[9] έτσι άρχισαν και με υπομονή, επιμονή, σκληρή δουλειά και **εξυπνάδα**[10] έφτασαν πολύ ψηλά, όχι μόνο στη θέση που έχουν **σε**[11] μια εφημερίδα, αλλά κυρίως σαν **φορείς**[12] μιας **πολύμορφης**[13] αποστολής **στην κοινωνία**[14].
Δημοσιογραφία δε σημαίνει μόνο **την αναγραφή**[15] ειδήσεων, γεγονότων, ευχάριστων ή τραγικών. Σημαίνει αυτά και κάτι άλλο: μια ηγετική αποστολή, μια **ενσυνείδητη**[16] καθοδήγηση και στροφή της κοινής γνώμης, του πλήθους, της μάζας, **τόσο**[17] ως προς τις ηθικές αξίες της ζωής, **όσο**[18] και στην αντιμετώπιση των **ιδιωτικών**[19], κοινωνικών και εθνικών ζητημάτων.
Οι εφημερίδες εκφράζουν σε **κάθε εποχή**[20] **το ποιόν**[21] του λαού στον οποίο **απευθύνονται**[22], τις ανάγκες του, **τις προοπτικές**[23] του, **τους οραματισμούς**[24] του, τις αγωνίες του και τόσα άλλα για **το**[25] χτες, για το σήμερα, για το αύριο, για **τη**[26] ζωή.
Τι λες; **Το σκέφτηκες**[27] **καμιά φορά**[28]; Τι θα έλεγες αν γινόσουν δημοσιογράφος καριέρας;

1. newspaperman 2. since boyhood 3. print-shop, printing office 4. he found 5. where 6. lead 7.chief editor 8. today's 9. career journalist 10. inteligence 11. in 12. factors 13. many-sided 14. in society 15. reporting 16. concientious 17. as much as.. 18. private, individual 19. age, period 20. character 21. address themselves 22. prospects 23. visions 24. visions 25. have you ever thought of 28. some time

519 Φαντάστηκε ποτέ καμιά σας ότι θα χρειαστεί να βγάλει το **ψωμί**[1] της **κάνοντας**[2] τη δακτυλογράφο;
Τώρα[3] ίσως όχι. Αργότερα όμως, όταν τελειώσετε το Λύκειο και δεν πάτε **πιο πέρα**[4] για σπου-

δές, θα πρέπει ασφαλώς να βρείτε δουλειά, έστω **κι αν**[5] δεν έχετε άμεση ανάγκη χρημάτων, μόνο για τα προσωπικά σας μικροέξοδα.
Όπου και να[6] πάτε, **θα σας ζητήσουν**[7] **εκτός**[8] από το Απολυτήριο Λυκείου και μια ξένη γλώσσα - **κατά προτίμηση**[9] την Αγγλική - και **οπωσδήποτε**[10] **γραφομηχανή**[11], τουλάχιστον ελληνική.
Γιατί να μην αρχίσεις **από τώρα**[12] να μαθαίνεις; Γιατί να μην ετοιμάζεσαι για το μέλλον;
Από μια **στατιστική**[13] του Υπουργείου Εμπορίου, σχετικά με τις γραφομηχανές που εισάγονται στην Ελλάδα κάθε χρόνο, μπορεί κανείς να **βεβαιωθεί**[14] ότι μέρα **με**[15] τη μέρα η ανάγκη για **δακτυλογράφους**[16] μεγαλώνει ίσως πιο πολύ απ'ο,τι φαντάζεται κανείς.
Μια δακτυλογράφος είναι **περιζήτητη**[17] τόσο στην επαρχία κοντά στο σπίτι της, **όσο**[18] και στο κέντρο, στην Αθήνα. Αν δεν έχει κανείς λεφτά για να σπουδάσει, μπορεί **κάλλιστα**[19] να καλύπτει τις ανάγκες του με το να εργάζεται μερικές ώρες ως δακτυλογράφος. **Από**[20] περιέργεια, ρίξτε μια ματιά στα **«Ζητείται»**[21] των εφημερίδων ή διαβάστε **προκυρήξεις**[22] **διαγωνισμών**[23] για τη πρόσληψη **υπαλλήλων**[24] γραφείου στους Οργανισμούς ή και ακόμη σ' αυτό το **Δημόσιο.**[25]

1. earn a living 2. working as 3. just now 4. further 5. even though 6. wherever 7. you will be asked 8. apart from, in addition to 9. preferably 10. definitely 11. typing 12. right now 13. statistics 14. ascertain 15. by 16. typists 17. in great demand 18. both .. and 19. very well 20. out of 21. want ads, classified ads 22. announcements 23. examinations, interviews 24. clerks, employees 25. Civil Service, Goverment Service.

520 Όσο γρηγορότερα **καταλάβουμε**[1] ότι **τώρα πια**[2] (και αύριο **ακόμη περισσότερο**[3] από σήμερα) **το απολυτήριο**[4] του Λυκείου δεν εξασφαλίζει το **βιοπορισμό**[5], ότι **από εδώ και πέρα**[6], για να ζήσουν οι **νέοι**[7] μας, χρειάζονται επαγγελματική μόρφωση σε ειδικά σχολεία, που θα τους δώσουν τα όπλα[8] για τη **βιοπάλη**[9], τόσο το καλύτερο.
Οι **ανθρωπιστικές**[10] σπουδές και **αυτός ο ίδιος**[11] ο ανθρωπισμός ως **μορφωτικό**[12] ιδανικό είναι **εξαιρετικά**[13], αλλά, **παράλληλα**[14] πρέπει να μάθουν τα παιδιά μας και πώς να κερδίζουν το **ψωμί**[15] τους, για να είναι χρήσιμοι και στον εαυτό τους και **στους**[16] άλλους.
Πρέπει να **αντιληφθούμε**[17] σαφώς ότι ζούμε στον αιώνα της **Τεχνικής**[18] και ότι Τεχνικές Σπουδές Ανώτερες, **Μέσες**[19] και Κατώτερες, κάθε άλλο παρά **ταπεινωτικές**[20] είναι, αφού απαιτούν μυαλό και **ήθος**[21], επομένως **τιμούν**[22] το νέο άνθρωπο που τις τιμά.
Ευγένεια[23] ψυχής και **υψηλοφροσύνη**[24] μπορεί **να δώσει**[25] στους **νέους**[26] κάθε τύπος παιδείας, **αρκεί**[27] να εμπνέεται από πίστη και αγάπη προς τον Άνθρωπο. **Επομένως**[28] και η **Τεχνική Παιδεία.**[29]

1. realize 2. even now 3. more so 4. diploma 5. living 6. from now on 7. young people 8. weapons 9. struggle for a living 10. humanist(ic) 11. itself 12. cultural, educational 13. lofty 14. alongside that 15. daily bread 16. to (not the) 17. realize 18. technology 19. middle 20. disgracing, humiliating 21. character 22. are an honor 23. nobility 24. high-mind (edness) 25. give 26. youth 27. provided 28. hence 29. an.... education no less.

521 Η κατηγορία εναντίον μου είναι ότι **πούλησα**[1] τον εαυτό μου για 30 **αργύρια**[2] και για ορισμένα κουστούμια **πολυτελείας**[3] και πουκάμισα **νάιλον**[4], ότι **εγκατέλειψα**[5] την **έντιμη**[6] εργασία μου ως δασκάλου και **περιφέρομαι**[7] στα εκδοτικά γραφεία με τα χέρια προτεταμένα, **εκλιπαρώντας να μου δοθεί μεταφραστική εργασία**[8]. Και όμως, η σύζυγός μου θα μπορούσε να σας πα-

ρουσιάσει ένα **σωρό**[9] επιστολές από ποιητές που ζητούν να τους μεταφράσω στίχους τους. **Δεν εγκατέλειψα**[10] την **ασφάλεια**[11] της εργασίας μου ως δασκάλου για να κερδίσω **άνετα**[12] χρήματα ως μεταφραστής.
Από παιδική ηλικία[13] ονειρευόμουν **να κάνω**[14] κάτι το **σχετικό με**[15] την ποίηση. **΄Εκανα**[16] την πρώτη μου μετάφραση σε ηλικία 12 ετών. ΄Οσον αφορά τα «άνετα» χρήματα, ο **κάθε**[17] μεταφραστής θα σας πει πόσο άνετα **είναι**[18]. Εγκατέλειψα **την ασφαλή**[19] ζωή για **μια ζωή**[20] εντελώς **επισφαλή.**[21] Θεωρώ τη μετάφραση ως **έργο της ζωής μου**[22] και ποτέ δεν την αισθάνθηκα ως **αγγαρεία**[23]. **Ορισμένες**[24] από τις μεταφράσεις μου πιθανώς να είναι **κακές**[25] ή **μέτριες**[26] αλλά **αυτό**[27] οφείλεται στην **έλλειψη**[28] ικανότητας και όχι στην **ασυνειδησία.**[29]

1. have sold 2. silver pieces 3. luxury 4. nylon 5. have given up 6. honest 7. I am ..ing from publisher to publisher 8. asking for ... to do 9. a heap 10. haven't given up 11. security 12. easy 13. since boyhood 14. of ..ing 15. connected with 16. wrote 17. any 18. it is 19. a safe 20. a life 21. unsafe 22. lifework 23. forced labor 24. a few 25. poor, bad 26. mediocre 27. that 28. lack, want 29.unscruplousness

522 Η διαφήμιση έχει σκοπό να **προβάλει**[1] τα προϊόντα μιας βιομηχανίας και να αυξήσει την κατανάλωση.
Τον παλιό καιρό, όταν ένας **έμπορος**[2] ήθελε να διαφημίσει ένα εμπόρευμά του, δεν είχε παρά να μισθώσει ένα-δύο **«ντελάληδες»**[3] για να κάνει τη δουλειά του.
Σήμερα, υπάρχουν άλλα μέσα και άλλοι **τρόποι**[4] για να επιτύχει κανείς τον ίδιο σκοπό: εφημερίδες, περιοδικά, το ραδιόφωνο, διαφημιστικές ταινίες, τηλεόραση και τόσα άλλα.
Το πιο χρήσιμο και ίσως πιο ανέξοδο μέσο στη χώρα μας είναι ο τύπος, καθημερινός ή εβδομαδιαίος. **Με το κοίταγμα**[5] μιας εφημερίδας, το μάτι μας **πέφτει**[6] **στου κόσμου τις διαφημίσεις**[7]. Η πιο έξυπνη και η πιο επιτυχημένη αμέσως **τραβά**[8] την προσοχή και το ενδιαφέρον μας.
Η καλή διαφήμιση χρειάζεται σκέψη και κόπο, **τόσο**[9] το σκίτσο της, **όσο**[9] και το **κείμενο**[10]. Η τέχνη της διαφήμισης σήμερα υποβοηθιέται πολύ από την επιστήμη. ΄Ενας καλός διαφημιστής πρέπει να ξέρει και στοιχεία ψυχολογίας.

1. we launch a campaign, a project, we promote a product 2. businessman 3. public - criers, town - criers 4. ways and means 5. on looking at 6. our eye meets 7. a world of advertisments 8.catches, draws 9. both... and 10. text.

523 — **Άκουσα**[1] ότι οι εμπορικοί αντιπρόσωποι βγάζουν **πολλά**[2]. Είναι **αλήθεια**[3];
— **Να σου πω**[4] . Εξαρτάται ποιους βιομηχανικούς **οίκους**[5] και τι προϊόντα αντιπροσωπεύει κανείς.
— Μα βέβαια, **πρόκειται**[6] για προϊόντα που πρώτη φορά **κυκλοφορούν**[7] στην ελληνική αγορά.
— Τότε, πολύ έχει **να κάνει**[8] και η εξυπνάδα, η πρωτοβουλία, το θάρρος και άλλα προσόντα του αντιπρόσωπου.
— Τι πρέπει να ξέρει κανείς για **να επιτύχει**[9] ως εμπορικός αντιπρόσωπος;
— Πρώτα-πρώτα, να αγαπάει τη δουλειά του, να μιλάει και να γράφει μια-δυο ξένες γλώσσες, να ξέρει την αγορά και να έχει **διάθεση**[10] να εργαστεί σκληρά, ιδίως όταν θα βάλει στην αγορά προϊόντα με **υψηλό**[11] ανταγωνισμό.
— Ο ανταγωνισμός κάνει καλό, **ρίχνει**[12] τις τιμές και καλυτερεύει την ποιότητα.

-Βέβαια συμφωνώ, αλλά από την **άλλη πλευρά**[13] κάνει τους εμπορικούς αντιπρόσωπους **να τρέχουν**[14] πιο πολύ για να πουλήσουν **τα προϊόντα**[15] που αντιπροσωπεύουν.

1. have heard 2. make money 3. true 4. well 5. firms 6. the case is 7. are marketed, appear, put on the market 8. do with it 9. be a succesful 10. the will 11. keen, sharp 12. lowers 13. the other hand 14. hustle 15. items, products.

524 Η **ποιότητα**[1] της **μόρφωσης**[2] που παρέχει η επαγγελματική εκπαίδευση **βελτιώνεται**[3] συνεχώς στον **τόπο**[4] μας. **΄Εχει ασφαλώς**[5] ακόμη πολλά σκαλοπάτια να ανέβει ώσπου να φτάσει τα ευρωπαϊκά **επίπεδα**[6], αλλά μπορούμε **πάντως**[7] να πούμε πως τα κατώτερα και **μέσα**[8] **στελέχη**[9], τα οποία αποφοιτούν από τα **αντίστοιχα**[10] ειδικά σχολεία, **αποδίνουν**[11] **ικανοποιητικά**[12].
Η μόρφωση, βέβαια, δεν πρέπει να σταματήσει ποτέ, ούτε μετά το **Δημοτικό**[13] ούτε μετά το **Γυμνάσιο**[14] ούτε μετά το Λύκειο ούτε μετά το Πανεπιστήμιο.
Πάντα υπάρχει **περιθώριο**[15] για βελτίωση, για **επιμόρφωση**[16], για **συμπλήρωση**[17] των γνώσεων για ξένες γλώσσες. Και το περιθώριο **αυτό**[18], δεν πρέπει να μένει **κενό**[19], γιατί βελτίωση του ατόμου σημαίνει και βελτίωση του **συνόλου**[20].

1. quality 2. education 3. improves 4. country 5. no doubt it has 6. standards 7. safely 8. middle - level 9. personnel, students, canditates for.. 10. respective 11. are efficient, are productive 12.satisfactory 13. grade school, primary school 14. junior high -school, senior high- school 15. room 16. Post graduate study 17. to supplement 18. that 19. vacant 20. whole.

CONTENTS